言語学者、鈴木孝夫が我らに遺せしこと

松本輝夫 著

冨山房インターナショナル

鈴木孝夫――稀代の言語学者にして、「地救〈球〉原理」の先覚者

この一書を、長きにわたって格別なお世話とご指導を賜わった
鈴木孝夫先生の御霊前に謹んで捧げます。

『鈴木孝夫の曼荼羅的世界』出版記念研究会にて
（2015 年）

はじめに

不幸にも時代はますます鈴木孝夫に近づいている
――世界を人間の目だけで見るのはもう止めよう

二〇二一年二月、天下無双の大往生を果たされた鈴木孝夫先生を偲んで

二〇二一年二月一〇日の午後九時過ぎ、鈴木孝夫先生が九四年に及ぶ人生を遂に完遂し、彼方へと旅立っていかれた。医師診断では「老衰」によるもので、最期まで付き添い看取った先生長女の川内由美子さんによれば「実に安らかな大往生でした」とのこと。そして二月一五日に執り行われた神道式の葬儀（東京都内の斎場にて。コロナ禍の最中、参列は二〇名前後の近親者に限られての開催となったが現在は大分市在住の筆者も特別にリモート参加させていただいた）を経て、「鈴木孝夫翁命〈スズキタカオオキナノミコト〉」という名をもつ「命」へと転生されたのであった。あれから二年余の時が流れたが、今頃は転生直前まで憂慮しておられた環境破壊と気候危機の現状、コロナ禍等を何とか食い止めるよう祈る「命」として、その後の地球と人類の在りようを見守っておられることだろう。公私共に計り知れないほどの恩恵にあずかった者の一人として鈴木先生の御霊安寧を改めて祈るとともに、ここに無窮の謝意を込めて先生追悼の一書を献じさせていただく所存である。

それにしても鈴木先生の天界への旅立ち方はあまりにも凛々しい「老衰」死であり、天下無双の大往生であった。本書で書かせていただいた通り鈴木孝夫には何かと無双がついてまわるのだが、なぜ他界のされ方においてまでそんなふうに言えるのか。先ずは満年齢で九四歳までの長寿を全うされたことがその一要素であるのは間違いないが、勿論それだけでは無双とは言えない。あるいは延命治療を「老衰にはつける薬がないし施す治療もない」と自ら断じつつ一切拒んで病院でなく東京・渋谷の介護付き老人ホームの一室での逝去となったのもすこぶる潔い世の去り方とみなすことはできようが、しかしこれまた無双とはなるまい。それよりも何よりも決め手となるのは、亡くなる直前（同年一月末）、様々に縁ある一六〇名前後の人士個々に「鈴木孝夫　お別れのご挨拶」を書いて送り届けたという人生最後の行動に他ならない。

「昨年一〇月半ばより突然、原因不明ではありますが、体調が悪くなりました。一貫して生命力が衰え、体力が落ち、簡単に言えば老衰です。これは人である限り避けることができません。私は今、暗い気持ちではなく明るい気持ちで別世界に発っていきます。そこがどんなところかはお楽しみです。今のうちに申し上げておきます。皆様にはどうぞお元気で、さようなら　二〇二一年一月　鈴木孝夫」

というふうに、だ。満年齢九四歳にして、こんなにも「明るい」別世界への旅立ち挨拶状を書いて届けるなどということを発案し、かつ計画通り実行（実際の書状作成や発送作業等は由美子さん中心に代行されたとは言え）し、その後間もなく絶命されたのであるから、これは何とも鮮やかな他界ぶりであり、文字通り天下無双の尊い壮挙と言えるだろう。

なお、その後二〇二一年一〇月上旬には東京都内の青山霊園に鈴木先生ご夫妻（玲子夫人は二〇一五年一月に逝去）の名前を墓碑銘にした墓（神道式では「墓」と言わず「奥津城」と称するようだが、ご遺族によれば鈴木先生ご本人も含めて神道そのものにさほどのこだわりがあるわけではないとのことにつき本書では「墓」と表記）が完成し、納骨の儀も済んでいるが、その墓の形がまた並大抵ではない。筆者も大分市から上京する度に必ずお参りさせていただいてきたが、なんと鯨の尻尾をかたどった墓なのである。世界中探しても捕鯨船船長等の墓ならいざ知らずこんな墓が他にあるとは思えないし、少なくとも言語学者の墓では絶無に違いない。いささか奇態と言えば奇態なのだが、しかし他ならぬ鈴木孝夫の墓がなぜ鯨の尻尾なのか、についてはは深い意味と根拠があるのであって、その点については本論で後記することとして、これまた無二と言うほかない。なりは決して目立つほど大きいわけではないが圧倒的な個性と特長を主張している墓なのである。

さて、ここまでが言わば前口上で、「鈴木孝夫先生」あるいは「鈴木孝夫」と表記してきたが、鈴木先生と筆者との間柄については、なぜ「先生」というふうにいわゆる弟子でもないのに親し気に呼ばせていただくのか、の理由も含めて後述するとして、これから先は文字数のことも勘案し、基本的に「先生」を付すことなく、「鈴木孝夫」、というより殆どの場合において「孝夫」と表記することにしたい。実を言えば当初は「鈴木」でいくと決めて途中までそれで書き進めていたのだが、そのままだと心持ち的にどうもある種の距離ができて落ち着かず、というかやや味気なさも否めない感じがあったため、いっそのこと「孝夫」でいこうと改めた次第である。そうすると一気により身近な存在となり文章に勢いも増すことになってきたのが不思議だが、真実その通りなのだ。そうである限り今は「オキナノミコト」に転生して別世界に遊んでおられる先生の御霊も、きっと喜んで「了!」としてくださることだろう。

「夏目漱石も夏目とはあまり言わず漱石ですものね」と述べて即賛意を示してくれたのは長女の由美子さんである。

言語学の本で初めて大ロングセラーとなった『ことばと文化』等

さて、鈴木孝夫と言えば、誰もがすぐに思い浮かべるのは、一九七三年刊行以来、岩波新書で指折りのロングセラーとなっており、とびきりの名著との評価がほぼ定まっている『ことばと文化』の著者ということであろう。そして、その後二〇年余の間に刊行となった『閉された言語・日本語の世界』『武器としてのことば』（いずれも新潮選書）や『日本語と外国語』『教養としての言語学』『日本人はなぜ英語ができないか』（いずれも岩波新書）等といった言語学や日本語論、英語教育に関わる著書の数々であろう。これらはいずれも、一見専門性が高いとみなされがちで、必ずしも一般受けしない言語（学）関連の著作としては、我が国で珍しくかなり広範に流布し、孝夫は当然のごとく「日本を代表する言語学者」と評されるようになっていった。一九九九年から二〇〇〇年にかけて岩波書店より全八巻の鈴木孝夫著作集が刊行されたのもその具体的な証だ。

併せて出身の慶應義塾大学やその後外国語学部教授として招聘された杏林大学、さらには非常勤講師として何年か通った東京大学等での講義が内容が濃い上に名調子で、喚起力も抜群なため学生や院生らの大好評を得て、その評判が前記した名声ともシンクロして孝夫の存在感と知名度はいやが上にも高まっていった成り行きだ。

そんな勢いにおされてのことでもあろう、孝夫の文章は高校で使用される国語の教科書にしばしば採用されることともなり、同時に「鈴木孝夫と言えば、私たちの世代にとっては、大学入試の現代国語に頻出する、もっとも重要な作家であった」（孝夫と平田オリザの対談本『下山の時代を生きる』平凡社新書、オリザの「まえがき」）ともなっていった。ついでに記せば大学受験生向けに「鈴木孝夫攻略本」までもが出版されているのには、さすがの孝夫も半ば呆れていた。

今更言うまでもないことだが、孝夫は他界の仕方や墓のみならず何よりも言語学者としてまさしく天下無双なのである。

鈴木孝夫は、しかし単に「日本を代表する言語学者」ではない

このように言語学者としての孝夫の業績と名声には確固たるものがあるのだが、しかし孝夫は単に「日本を代表する言語学者」なのではない。その評価は間違いではないものの孝夫には同時に見落としてはならない決定的に肝要なもう一つの大仕事があり続けたのであり、そうした観点抜きの孝夫評価は一面的過ぎると言わねばならない。

一言で言えば孝夫は不世出の大言語学者であると同時に地球環境問題の極めてラディカルにして驚くほど早くからの先覚者であったということだ。そして、この「同時に」という一点が極めて大事なのであり、筆者が我が使命として本書をどうしても書かねばならぬと期したのは、そのような孝夫の全体像を、「コロナ時代」到来と環境破壊、気候危機等がますます深刻化する今日において過不足なく明らかにし、世に問う必要が切迫していると確信したからに他ならない。孝夫にあっては、言語学と地球環境問題という二大テーマは別々に切り離されていたのではなく常に同時一体的関係にあり続けたのであり、この一体関係こそが肝心要(かなめ)なのである。

孝夫はいわゆる自然科学者ではないため地球環境問題の稀に見る先覚者であり、且つ終生その発言者

でもあったことは言語学者としての知名度に比すればさほど知られてきたわけではないだけに、今こそこの二大テーマがコインの両面の如く一つであり続けた大いなる秘密を、孝夫の人生と内面構造に即して解き明かすことが必須の責務という次第だ。そして、この点においてこそ鈴木孝夫は正真正銘、稀代の言語学者であり哲人ということなのである。

時あたかも諸要因から現代資本主義の矛盾と犯罪性が激化するのに比例して地球環境破壊が一段と大問題化するという時代状況において、マルクスまでもが環境問題の先駆者でもあったという新たな読み直し気運が欧米や近年では日本でも（斎藤幸平氏の『人新世の「資本論」』等）生じてきているのはまことに興味深い思想現象と言えよう。こうした現象の今後の進展にも強い関心をもって目を凝らしていくつもりではあるが、しかし他ならぬこの日本においてなんと半世紀も以前から名実共に自前の体験・洞察・表現で、自ら打ちたててきた言語学と重ねつつ地球環境の危機を訴え、警告し続けた稀有な思想家が実在していたことを今こそ天下に伝えたいと切に念じるところでもある。

敗戦後、日本漢字を守ることに大貢献等特筆すべき事績の数々

併せて、孝夫にはこれまで書いてきた内容とも関連する特筆すべき功労・事績が無数にあるが、そのうち「はじめに」でも特に伝えておきたいことを項目のみ列挙すれば、次の通りだ（勿論全て本論にて詳述）。

㈠　孝夫が「日本野鳥の会顧問」も務めていたことは、孝夫逝去を伝えたどの新聞にも書かれていたことだが、その入会はなんと小学生時代からだということ。その際の創設者中西悟堂とのやりとりもすこぶる物語的だ。

(二)　慶應義塾大学時代（前期）の孝夫の格別な恩師が井筒俊彦であるとはよく知られていることであろうが、孝夫初の著書にして名著中の名著との定評がある『ことばと文化』が実はその井筒との絶縁・自立宣言の書でもあったということ。しかもこの驚くべき真相を初めて明かしたのが当該書刊行から三七年も経て後の鈴木孝夫研究会の場であったこと。

(三)　一九四五年夏の日本敗戦後、日本を占領した連合軍総司令部（ＧＨＱ）が日本語の漢字を廃止しようと企てたことが起点となって日本語をローマ字表記に変える等の動きが強まり日本漢字の存続が危うくなる中で、その後設置された文化庁国語審議会において委員の一人に選ばれた立場を活かして日本漢字を守るべく獅子奮迅の働きを為し、結果としてその役割を全うした功績は極めて大きい。勿論この結果は有力な賛同者（木内信胤。第四章で詳述）が居てくれたからでもあり、その木内と共に日本語存亡の危機に際して日本漢字、日本語そのものを救ったと言ってもいいこの功績はいくら称揚してもし過ぎることはない。

(四)　これまた世の大勢と異なるのだが、いわゆる「少子化」傾向に関して、これを大問題視してその克服を唱えたりする言動を「笑止（少子とかけている）の沙汰」と批判し続けたこと。日本の人口減は深刻な社会・経済問題だとして何としても子どもを増やし労働・生産人口減を食い止めなければならないとの通説（中には「少子化こそ最大の国難だ」論まである様子）を百パーセント見当違いの謬論だと言い切っていたこと。「有限の地球」の危機的現状からすれば人類（とその従属下にあるペット類、家畜類）のみの異常繁殖自体（孝夫健在時は七七億人と言われていたが二〇二二年末には八〇億を突破した由）こそが深刻な問題なのであって、本当はその激減が急務であるのはそれこそ子どもにもわかる道理だと主張し続けていたこと。

(五) 孝夫は「地救（球）原理」を説き続けたが、その考え方に基づく実践を先ずは自身が可能な限り徹底して行いつつ生き通した有言実行の人士でもあったこと。「買わずに拾う、捨てずに直す」のモットーを無理してでなくむしろ快楽的に体現しており、その具体例を講演などで披露してもらうとあまりの徹底ぶりに会場から感嘆そして爆笑の渦が起こるのが通例であった。その講演においても、もしも会場の明かりが不要なほど煌々とつけられている場合など「これは電力の使い過ぎ。もっと暗くても私は気持ちよく話せるのでご心配なく」とやんわり主催者に伝えるのを習わしともしていた。

(六) 孝夫は自らが築き上げてきた壮大かつ豊穣な言語学を「言語社会学」と称する時期が長かったが、二〇一三年春頃からは「言語生態学者」を名のるようになり、以後「言語社会学者」とは殆ど言わなくなっている。なぜ、どんな風の吹き回しで、斯くなったのかも孝夫研究では欠かせない重要テーマの一つだ。

(七) 孝夫は政治的には保守の論客の一人とみなされてきたはずの人物でもあった。本人は「私は右翼でもないし左翼でもない。強いて言えば〈両翼〉だ」と語っていたものの、やはりどう見ても保守的ではあった。しかし地球環境問題に関しては半世紀前から至って明快かつ繊細なラディカルであったし、であればこそ環境保全を軽視して経済第一主義に走りがちな現実政治の在りように対しては一貫して批判的であった。その意味では、よくある親米保守などとは全く次元を異にしていた。とは言うもののいわゆる左翼嫌いであったのも確かにつき、ならば孝夫保守の核心とはどのようなものであったのだろうか。

(八) 孝夫には「世界で初めて」「日本で初めて」といった言語学的発見や指摘、立論等が数知れずある。

本論で、そのうちの主要な幾つかについては具体的に紹介することとなろう。

「プーチン・ロシア災禍」までが加わった人類史現段階
――「非常事態」が三重化した世界の今こそ「地救（球）原理」に着目を

さて、二〇二二年二月時点で、ほぼ確定させていた本書「はじめに」の主要部分はここまでだったのだが、ご承知の通り昨年二月二四日以降世界はとんでもない事態の発生により大きく揺れ動き、百パーセント悪い意味で新たな局面に引きずりこまれてしまっている。プーチン・ロシアのウクライナへの一方的侵略によるものだが、この悪質極まりない蛮行自体について各メディアで伝えられているようなことをここであれこれ書く必要はないし、そのつもりもない。しかしながら、それでなくても地球温暖化などによる気候変動とコロナ災禍だけでも現代人類は待ったなしの非常事態に直面してきたところへのこのウクライナのみならず世界中を撹乱する新たな非常事態発生は見過ごすことのできない大ごとだ。講演会等で興に乗れば時にツルゲーネフの詩などを朗唱したりでロシア語も愛してやまなかった孝夫も又もしも健在であれば重大な関心を払うに違いない。その言語学からして世界中で起こる大問題（いかに愚劣な動機から発するものであってもだ）にはいつも必ず注意を怠らず、その意味や影響を深く洞察していた孝夫であればこそ、この新たな非常事態に対しても独自の見方と容赦ないプーチン批判を重ねたことであろう。

その上で、地球温暖化などによる気候危機を第一の非常事態とすれば、コロナ災禍は第二の非常事態であり、これに昨春からは「プーチン・ロシア災禍」（今後本書ではこう記すことになろう）が第三の非常事態として加わることによって今や現代人類は三重の非常事態を抱えることになったとの筆者の時代認識に賛意を示してくださるに違いない。しかもプーチンは核兵器実際使用の脅しまで公然と繰り返し語っているのだから(これに影響されて同じく核兵器使用を公然とちらつかせる他の国も現れている)この新たな非常事態は一気に人類の破滅危機にまで行き着く恐れもはらんでおり、孝夫の御霊も休まる暇がなくなっているのではなかろうか。

この辺については本論第九章でより詳しく書かざるを得なくなろうが、いずれにせよ、かかる非常事態三重化にみられる人類史現段階の惨状はまさに孝夫が遥か昔から危惧し警告してきたところでもある。その意味では時代はかねてよりの孝夫の洞察と懸念が的中する流れとなっているのであり、よくも悪しくも時代が遂に丸ごと鈴木孝夫に近づいてきたと断言するほかない。これは極めて不幸な成り行きだが、しかし敢えて強調すれば、孝夫は決して絶望していたわけではない。危機と混迷が深まれば深まるほど、ぎりぎりの極点となれば働くであろう人類の真っ当な叡智と反転力に熱い願いを込めて可能性を見いだそうとしていたのも孝夫なのである。そうした独自の思念と哲学を事前に結晶させていたのが孝夫年来の「地救(球)原理」だと言ってもいい。非常事態まみれとなっている今日こそ、かかる時代到来を早くから予見しつつ、そうであればこそ同時に「地救原理」による再生と希望を語っていた哲人言語学者のことばに耳を傾けたいものである。

鈴木孝夫ガイドブックも兼ねた本書の大いなる普及を願って
——若き日より言語学と地球愛をなぜ両立しえたのか

さて、ここで孝夫最後の出版本に触れておけば、その書名が『世界を人間の目だけで見るのはもう止めよう』と題する講演集であった。二〇一九年一〇月、冨山房インターナショナルからの刊行だ。講演大好きの孝夫にしてなぜか初めての講演集でもあったのだが（その理由についても同書の解説兼編集後記に筆者が記し済み）、この書名の意味するところは極めて深く、孝夫の世界観、自然観、人間観、言語観を最も尖鋭かつ凝縮して表していると言ってもいい。即ち「世界を人間の目だけで見る」欧米流近・現代的世界観、人間中心主義、経済至上主義によって成り立ってきた現代文明主流の在り方が主因となって地球環境破壊、気候危機、そしてコロナ災禍も発生したのだが、そのような「人間の目だけで見る」閉された眼差しに留まる限り、かかる因果関係を直視することは不可能だとあらかじめ察知していたのである。併せてコロナ災禍が世界的に大問題化した際、安直に「コロナ＝人類共通の敵」論を振り回すほかない大勢の流れを孝夫は二〇二〇年の一～二月時点でいち早く冷ややかに見ていたのであった。そして、「世界を人間の目だけで見る」のをとっくの昔から止めていた眼差しからは、コロナウイルス＝「人類共通の敵」との等式は決して出てこないと確信。そこからコロナウイルスへの独自の認識を深めていったのだが、それが可能だったのはそのわずか三か月前に右記書名をもつ講演集を刊行していたからでもあると敢えて言っておきたい。孝夫は同書を刊行することによってかねてよりの持論にますます自信を深めると共にその哲学の普及に一段と使命感を強めたに違いないからである。この「世界を人間の目だけで見るのはもう止めよう」が「地救原理」の核心を動詞的に、かつ平易に言い変えたメッセージであるのは言うまでもあるまい。

ここでの最後になるが、筆者の自己紹介を兼ねて孝夫と筆者との関係について一言書いておきたい。孝夫の人生において大きな位置を占めながら知る人ぞ知るレベルにとどまってきた経歴にラボ教育センター（通称「ラボ」）との縁浅からぬ関わりがある。すでに半世紀以上の歴史をもつ言語教育事業体だが、このラボに孝夫は一九六五年から七〇年までの五年間、そして二〇〇二年後半から〇八年前半までの五年余、合計すれば一〇年余も深く関わっていたのである。このラボで孝夫がどんな役割を果たし、何を獲得し、ラボに何を与えてくれたか等については本論（第二章と第七章）で詳述するが、ここで述べておく必要があるのは実は筆者は他ならぬこのラボに長く勤務し、孝夫の後半五年余のラボとの交わりにおいて当時のラボ本部責任者として孝夫とすこぶる密に協働させてもらう好運、というより恩寵を得たということだ。数多の研究会や全国を回る（インタビュー式）講演会、そして夜の居酒屋等での歓談（会）を通して上質かつ親近な交流を共にさせていただいたのである。筆者が「鈴木先生」と親し気にお呼びするのは、その御蔭だということを改めて敬愛と感謝を込めて、この場でも申し述べておきたい。

なお本書では、可能な限り孝夫自身をして語らしめる流儀を大事にしたいとの思いから、若き日の文章を含めてかなり引用・紹介が多くなっているが、その分孝夫の広大無辺な世界とその晩年にまで至る歴程を具体的にありありと追体験し、享受できる一冊となっているはずだ。孝夫自身の著書では他者の本からの引用は殆どないのが特徴だが、本書は孝夫の全体像を先ずはこの一冊で孝夫その人に即して明快に可視化して読者の皆さんと共有したいとの願いから生まれているので、この趣意には孝夫の御霊も喜んでくれることだろう。

その意味では、本書はどの頁から読んでもかなり親しみやすい鈴木孝夫ガイドブック、あるいは孝夫の名言・至言アンソロジーの性格も帯びていると言ってよいであろう。そのような一冊として、数多くの方々、特に次代を生きる若い人たちが一人でも多く手に取って読んでくれることを切に願ってやまない。勿論「鈴木孝夫オキナノミコト」と共に、である。

〈付記〉

本書では孝夫本からの引用が多々あることに関連して一言。いちいちその出典書名をそのまま記すと長くなるし煩わしくもなるので初出時のみ書名を紹介し、後は次のように簡略化している。岩波書店版著作集については「著作集1」とか「著作集2」というふうに。同じく冨山房インターナショナル刊の『鈴木孝夫の世界』についても「第1集」とか「第2集」というふうに。また引用が比較的多くなる『鈴木孝夫の曼荼羅的世界』（冨山房インターナショナル）は「曼荼羅本」、『世界を人間の目だけで見るのはもう止めよう』（冨山房インターナショナル）は『世界を人間の目だけ』と略し、他の孝夫本についてもこれに準じて略称化していること、そして、その全てにおいて引用箇所の頁を数字のみ付していることをお断わりしておこう。また引用文の中略は基本的に「……」で示している。

もう一点。本文では読みやすさを考えて「中見出し」をかなり多くしているが、「もくじ」では掲出が長過ぎないように取捨選択している。

もくじ

第三章 『ことばと文化』——今なお鮮度がきらめくその「新機軸」 97

第四章 『閉された言語・日本語の世界』でも開かれた不滅の新機軸 121

第七章

写真協力　川内由美子
川崎晶子
蒲谷剛彦
松本郁夫

編集協力　佐藤芳道

パオロ・ジョルダーノ『コロナの時代の僕ら』の衝撃力

「環境に対する人間の攻撃的な態度のせいで、今度のような新しい病原体と接触する可能性は高まる一方となっている。病原体にしてみれば、ほんの少し前まで本来の生息地でのんびりやっていただけなのだが、森林破壊は、元々人間なんていなかった環境に僕らを近づけた。とどまることを知らない都市化も同じだ。多くの動物がどんどん絶滅していくため、その腸に生息していた細菌は別のどこかへの引っ越しを余儀なくされている。……そんな時、僕たち人間に勝る候補地が他にあるだろうか。こんなにもたくさんいて、なお増え続ける人間。こんなにも病原体に感染しやすく、多くの仲間と結ばれ、どこまでも移動する人間、これほど理想的な引っ越し先はないはずだ」「僕は忘れたくない。今回のパンデミックのそもそもの原因が……自然と環境に対する人間の危うい接し方、森林破壊、僕らの軽率な消費行動にこそあることを」――右記はイタリア人作家パオロ・ジョルダーノが、二〇二〇年の春新型コロナウイルスが世界中を巻き込んで猛威をふるう中、非常事態下のローマにて直に経験した災厄を基に書き下ろしたエッセイ集の邦訳『コロナの時代の僕ら』（同年四月早川書房より刊行）からの引用だ。

そのリアルタイムでの現況報告・分析の鮮度と衝撃力もあって世界規模で大きな反響をよび起こした一冊であり日本でもかなり読まれた様子だが、しかし、このような言説は鈴木孝夫の著作を多少なりとも読んできた者からすれば、とっくの昔から既知なのではなかろうか。というより、殆ど孝夫の文章を若者ふうに書き直しただけ、と受け止めてもいいほど内容が酷似しているのではなかろうか。

　なので敢えてこの一文紹介から本章を書き始めたのだが、その本意は、ここで「環境に対する人間の攻撃的な態度」に関して右記と殆ど同一の認識を実に半世紀も昔から、他ならぬこの日本において繰り返し警告、提言を行ない続けた哲人が存在していたことを今こそ広く知らしめたいということだ。新型コロナ災禍が重大問題化して既に三年余（二〇二三年一月の時点）を経て、感染状況には起伏があるもののその脅威がなお継続している今日において、遥か以前からこの種災禍が起こる恐れを確信的に危惧しつつ意識変革を訴えていた比類なき哲人言語学者のことばに今こそ耳を傾けてほしいということである。これからそのメッセージを必要に応じて紹介しながら孝夫においてなぜ言語学と地球愛が若き日より一貫して両立しえてきたのか、その秘密と歴程を共に見ていくことになるが、但しその前に触れておきたい事柄があるので、二点ほど先に。

　先ずは二〇二〇年春、コロナ災禍が連日のトップニュースであり続けていた四月（三日）に他界したＣ・Ｗニコル（Ｗの後に・は付けないのが一九九五年秋日本国籍をとってからの正式名）の言から。「自然は、私たち人間が地球を傷つけ、共に生きる他の生命を虐げていることに多くの警告を発してきた。新型コロナウイルスは今後我々を襲うであろう災厄の先駆けに過ぎない」との文字通り遺言（同年四月二日付毎日新聞掲載）となったことばを残しているが、これはパオロ・ジョルダーノの言と共通しており、その分当然にも孝夫年来の言説とも響き合うものだ。このＣ・Ｗニコルと孝夫との対談本『ことばと自然――子どもの未来を拓く』（二〇〇六年一二月、アートデイズより刊行）があるので、そこで二人が交わしたやりとりの核心も本書第七章にて見ることとなろう。

　そして、Ｃ・Ｗニコルとパオロ・ジョルダーノには今回災禍をもたらしたコロナウイルスの捉え方において大勢とは異なる一致点もある。それは、「全人類共通の敵」などと決めつけて、これとの「戦いに打ち勝つ」だの「戦争」あるいは「闘い」だのとは決して呼号しない向き合い方だ。ニコルの遺言からはこのコロナ禍は現代人類による地球環境破壊と地球上に共に生きる他の動物過剰殺戮が招き寄せた自業自得的反作用との深い洞察がうかがえるというもの。一方パオロ・ジョルダーノは「このところ〈戦争〉という言葉がますます頻繁に用いられるようになってきた。……だがそれは違う。僕らは戦争をしているわけではない」と明快に記している。それぞれコロナ事態の主因を本質的にとらえる眼差しが鋭い光芒を放っていよう。つまり新型コロナ災禍は人災要素が極めて大きいとの把握の仕方であり、そうである限り現代人類に根元的な反省と覚醒、変革を迫る機会にしなければならないとのおさえ方なのである。そして孝夫もまたほぼ同時期（二〇二〇年春）私的な場での発言ではあるが、コロナ禍をめぐって、犠牲者への深甚な哀悼の意を前提に同様の見地から「私としては密かにだが逆説的に〈新型コロナウイルスさま〉と呼びたいくらいだ」とまで語っていたのである。

もういいかげん経済成長主義は悪だと断じよう

一方、コロナ災禍が最大テーマ化する直前の二〇一九年は「今や地球は危機。生態系が崩壊しつつあります。私たちは絶滅の始まりにいるのです。それなのにあなた方が話すのはお金のことや永遠に続く経済成長というおとぎ話ばかり」「今私たちの家（地球）は火事になっているのに、世界の政治的権力者等は皆そのことに気づいていないか、見て見ぬふりをし続けている」と訴えてやまないスウェーデン人の環境活動家グレタ・トゥンベリさんに代表される若者たちによる「地球を守れ、私たちの未来を奪うな！」との抗議行動が世界規模でクローズアップされた年であった。今なお経済成長優先の考え方に囚われ、地球環境破壊に結果として邁進し深刻な「地球温暖化」、気候危機を招き寄せている現代人類の在りようを鋭く告発する運動が顕著に見られた年だ。この四半世紀ほどの間に徐々に広がりつつあった環境破壊、気候変動問題をめぐる危機認識において世界レベルで漸く潮目の劇的変化が始まった年なのであった。

こうした若者たちの声や行動もコロナ災禍の半永続化や「プーチン・ロシア災禍」発生・長期化により一見するとやや後景に退いてきた感もあるが、孝夫と同じくパオロやニコルが明言しているように、コロナ災禍自体の主因も気候危機と同じく地球生態系の著しい損壊に求められるのであって、根は同一の問題なのだ。「私たちは絶滅の始まりにいる」（グレタさん。孝夫は五〇年前からこう語っていたが）ことの紛れもない前兆の一つということでもある。

その意味では、地球温暖化やコロナ災禍を必然的に招き寄せてきた人類史現段階において、また若い世代を含めて心ある人士の危機認識や思想、行動においても世界が遂にまとまって鈴木孝夫に近づいてきたと改めて断言してもいいだろう。

さて、ここまで来れば、孝夫自身のことばを少しは見ておかねばなるまい。先ずは次の通りだ。

「いま私の目には欧米先進諸国や日本の指導者たちが、地球の目を掩う惨状をよそに更なる技術革新、経済成長、そして消費の拡大を叫んでいる姿は、刻々と迫りくる大氷山との激突というカタストロフィにも気づかず、歓楽に時を忘れ、束の間の虚像の幸福に酔い痴れていた、かの巨大な豪華客船タイタニックの悲劇が重なって見える」（新潮文庫版『人にはどれだけの物が必要か』29）

「近頃、〈地球環境にやさしい経済発展〉とか〈持続的安定成長を目指す政策〉といった表現を耳にすることがあるが、このようなことは、別に深く考えてみるまでもなく、概念自体が矛盾する有り得ない目標と言わなければならない。人類はこれまでの生産消費活動の全領域で、とっくに地球生態系の安定的自己回復の能力を超えてしまっているのだから、どんなに控え目に表現しても、これからかなり長い期間、成長どころか、経済活動のレベルを毎年下げ続けなければ、調和も安定もますます視界から遠ざかる一方だ」（同書35）

「人間が自分たちは、全世界の約三千万種と推定されている多種多様な生物の一員でしかないという自己の分際を忘れて傲岸不遜に振舞い、毎日のように多くの貴重な生物を死に追いやり、森林や農地を荒廃させ、地球の全生態系を攪乱し続けることは、どう考えても許されることではない」（同書88）

「この新しい考え方を私は『地救（球）原理』と呼ぶことにした。人間は自分たちのことだけでなく地球の全生態系に与える影響を、全ての活動に際して考慮すべきだということである」（同書93）

「結論はハッキリしている。いまのままだったら自然は絶対に元の姿に戻らない。地球上に人間がドンドン増え、その人間がエネルギーや資源をやたらと使い、しかも年ごとに使用量が増えるといった事実が続く限り他の生物の世界はそれだけ圧迫されて、結局ある点までいくと全体のバランスが崩れて、すごいカタストロフィが地球上に起きる。それはどういう形でいつ起きるか。誰にも具体的にわからないけれどもとにかく意外と早い時期に、地球の生態系の中にカタストロフィという形で聖書にあるノアの洪水に象徴されているようなものが必ず起きるという確信を私は持っています」（同書175～176）

「しかしその間にも地球の荒廃は容赦なく進み、危機は刻一刻と近づいて来る。……我々人間の欲望の無限追求、それを支える経済の止めどなき発展を悪と認める世界観が、どうしても必要となってくるのだ」（同書215）

「このような立場から、全ての判断の究極的な規準をそこに置く『地救（球）原理』の達成を絶対目標とし、そのためには経済や効率の原理を二の次、三の次に置く生き方、考え方を優先すべきだという私の考えが生まれてきた」(同書215〜216)――いずれも『人にはどれだけの物が必要か』(環境問題に関わる孝夫当時の所論と実践の様子をまとめた一冊)からの引用だが、この本の最初の出版(飛鳥新社から)は一九九四年一月のことであり、今から二九年も昔のことだ。にもかかわらずグレタさん等の抗議と告発、さらにはパオロ・ジョルダーノの痛切な認識と訴えは孝夫がこの当時から力説し警告してきた主張と殆ど同一だと言ってもおかしくあるまい。それほどに鮮度を保っているということであり畏るべき先覚者ぶりなのである。

なおここで軽く読み過ごしてならないのは、厳格な言語学者でもある孝夫が「究極的な規準」とか「絶対目標」といった極言を敢えて用いている事実である。当然のことながら言語学者の立場からしても、ということが含意されているのであり、孝夫にあって言語学と環境問題がコインの両面の如く一つであることを自ら明かす表現とも言えよう。

孝夫は、『人にはどれだけの物が必要か』において、ややくどいくらいにこうも書いている。「このまま進めば人間にとってもカタストロフィは確実に来る。しかし、いつどのような形でそれが訪れるかは今のところ誰にもわからないのである」(106)というふうにだが、今回コロナ災禍がそのカタストロフィの少なくとも始まりの「形」の一つであることは間違いあるまい。勿論このところ年を追うごとに激甚化しつつある台風、集中豪雨、水害、異常酷暑、熱波、旱ばつ、記録的寒波、雪害等の「自然」災害もそうだし、世界各地で多発している森林大火災もその「形」の一つだ。さらに言えばプーチン・ロシアによるウクライナへの一方的侵略も核兵器使用の脅しと原発占拠付きであることからして、その一つに数えざるを得ないところだ。

そして今回コロナに限ればワクチンや治療薬開発・普及等によって一旦は「収束」がありうるとしても地球環境破壊を前提とした経済成長主義に毒された人類文明の在り方が根本から変わらない限り、次なる新たな変異ウイルス、次なる新々型コロナというふうに果てしなき出現が不可避であろうし、その意味でコロナとの付き合いに本質的「終息」はあり得ないのではなかろうか。

このような事態の必然的到来を孝夫は今から二九年も前に予見し憂慮していたのだから（実はその遥か前、半世紀前からなのだが、その具体例紹介は後記することとして）、その圧倒的な先駆性一点だけとっても特筆されてよかろう。しかしながら本書で書きたいのはその卓越ぶりだけではない。鈴木孝夫と言えば「稀有な大言語学者」が通り相場だが、そんな人物がなぜ同時に環境問題憂慮の異例なまでの先覚者になりえていたのか、という大いなる謎を可能な限り明快に解き明かす仕事があるということだ。

言語学と環境問題とを並べた時、通念的にはなかなか交点を結ばないであろうが、孝夫にあってこの両者は表裏一体の関係にあるとは本人自身もよく語っていたことである。とは言え、これはやはり一般人の理解を超えていたようで、例えば、先述の岩波書店で鈴木孝夫著作集を出版するに際して（一九九九年）次のような出来事があったとのこと。即ち当時の担当編集者が『人にはどれだけの物が必要か』をとらえて「これは先生の主要著作ではなく余技みたいな本ですから今回著作集に入れるのはやめましょう」などと述べて孝夫を激怒させたという事件である。当時の出版界の「常識」にしたがってあくまでも狭義の言語学者としての業績をまとめた著作集を考えていた編集者（部）としてはある意味致し方ないと同情してもいいくらいなのだが、しかし、この時孝夫は激怒しただけでなく「この本を入れない私の著作集など刊行しても意味がないから、この著作集自体を止めよう」とまで本気で言い出したため困惑した担当編集者（編集部）の手に余る大問題になってしまったとも。そして遂には当時の岩波書店社長が孝夫の自宅にまで足を運んで謝罪と発言撤回、著作集第8巻にこの本を丸ごと収録と約束することによって漸く解決に至ったという顛末なのである（全て孝夫自身から直接聞いた話だ）。

このすさまじいやりとり一つとっても、孝夫の内面において、地球環境問題は言語学と同等の位置を占める最重要のテーマであり続けたことが歴然としていよう。孝夫にとって、『ことばと文化』等に結晶している言語学と『人にはどれだけの物が必要か』に代表される環境問題認識、哲学が二つに見えて実は一つであること、表裏一体の関係にあることの強烈な証とも言える事件であった。

とは言え、当の本人も自らのそうした内面構造を必ずしも明瞭に客観視し、わかりやすく公に示してきたようには見えない。この内面構造を孝夫の少年期からの歴程を俯瞰（鳥たちと共に生きた孝夫であるだけに「鳥瞰」とした方が適切かもしれないが）しつつ解き明かすのが本書主要課題の一つだ。

「コロナ時代」の彼方も見すえて

そしてもう一つ、本書（後半）で書きたいのは孝夫には、「コロナ時代」の彼方を見すえたビジョンの萌芽も伏在しているということだ。それはパオロ・ジョルダーノが先述書の終わりの方で書いている二点に関わる事柄でもある。

第一点は「僕たちは今、地球規模の病気にかかっている最中であり、パンデミックが僕らの文明をレントゲンにかけているところだ。数々の真実が浮かび上がりつつあるが、そのいずれもが流行の終焉とともに消えてなくなることだろう。もしも、僕らが今すぐそれを記憶に留めぬ限りは」と書いている箇所に触れてだが、ここで言われている「僕らの文明」にまつわる「数々の真実」について孝夫の見解を聴くことになろう。孝夫からすれば、現代人類文明の誤った基調（人類のみの異常繁殖放置、経済第一主義）が続く限りコロナ災禍が本質的に「消えてなくなること」はあり得ないのであり、「地球規模の病気」も根治は望めない道理を明らかにするということだ。

その上でのもう一点は、パオロが「ただ、今度の流行のあとで何が起きるかの予測は複雑過ぎて、僕にはとても無理だ。降参する」「僕には、どうしたらこの非人道的な資本主義をもう少し人間に優しいシステムにできるのかも、経済システムがどうすれば変化するのかも、人間が環境とのつきあい方をどう変えるべきなのかもわからない」と、まだ若いせいもあってのことだろうが（一九八二年生まれ）、すこぶる率直に書いている箇所に関して、孝夫ならば「降参する」はあり得ないということだ。コロナ災禍を本質的に克服するのは現代人類文明の在りようからして至難の上にも至難だが、孝夫からすれば、このコロナ禍の本質が「人災」でもある以上、逆に「人」の在り方次第でかろうじて克服する道がないわけではない。今回の災禍をむしろ奇貨として現代人類の考え方、価値観、生き方、文明の在り方を根本から変えていく端緒とすることができれば、大ピンチは逆に最後のチャンスになり得るということでもある。

この点でもマルクス再評価の新たな気運は注目されるのであり、おそらく具体的な所論では孝夫の構想と重なるところもないわけではなかろうが、本書ではあくまでも孝夫その人に即して書いていくことになろう。それにしても鈴木孝夫とマルクスに交点が生じて、ほんの少々であれ、この両者を並べて論じることが可能な時代がやってくるとは、さすがの「鈴木孝夫オキナノミコト」も驚きつつ、しかし半ば面白がって微笑んでいるのではなかろうか。

今から四八年も前に「軽井沢の自然は瀕死」と看破

——「人新世」認識の圧倒的先駆者でもある

これまで紹介した孝夫の文章は全て『人にはどれだけの物が必要か』からの引用だが、先述の通り孝夫この種の記述は実はさらに年月を大きくさかのぼることが可能なのである。例えば『正論』誌の一九七五年一〇月号には「科学の進歩と自然界」と題して、次のように書いている。

「私が浅間山の東麓、千ヶ滝にある小さな小屋で夏を過ごすようになってから今年でちょうど二〇年になる。大都会の人工的環境に全く興味のない私にとって、自然の動植物に囲まれて暮らすときほど、生き甲斐を感じることはない。ところが、自然に関して深い知識を持たぬ一般の都会人の眼には素晴らしい緑の楽園とも映るこの山麓一体でも、恐るべき自然の荒廃が確実に進行しているのである」として、「夜になると、灯にひかれて窓一杯にはりついた、ありとあらゆる種類の蛾が近年驚くほど減ってしまった」に始まり、多種の蝶もカミキリ虫、クワガタの仲間も蛇もトカゲもヤマアカガエルも「消え失せた」と嘆きつつ、さらに、「私がいちばん興味のある鳥に至っては、一々数え上げることもいとわしいほどだ。あれほどいたヤマガラが全滅した。ウグイスの声さえ聞かれない。国立公園である浅間山麓の自然は死に瀕している」とまで書いている。

そして、森林の皆伐や海への産業廃水たれ流し等歴然たる自然破壊も至る所で進んでいるが、「素人眼にはすぐわからない、地球規模での目立たない環境単純化が、人間の過度の経済活動、とどまる所を知らない欲望追求のために急速に進んでいるという現実を、はっきりと認識している人は未だ少ない。科学者や経済学者の多くは、科学文明の進歩がもたらした公害や環境破壊のような部分的な歪みや行き過ぎは、更に進歩する科学技術と新たな投資によって是正出来る筈のものだと考えているようだ。だが、果たしてそうだろうか。自然界には、現在最も進んだ生物学や生態学の知識を以てしても、未だ解明されない複雑極まりない相関関係の網の目が生物同士の間に無数に張りめぐらされている。仕組みが複雑であるということは、特定の生物の立場から言えば効率が良く出来ていないということである。この部分的な複雑さ、効率の悪さが全体の安定を支えている要因なのだ。科学者、技術者が、いつこの点に気がつくかが、人間を含めた地球系の全生物の運命を左右することになろう」と記しているのだが、驚くなかれ、これらは今から四八年前、ほぼ半世紀も前に書かれた観察であり認識なのだ。この時点ですでにあの軽井沢を含む浅間山麓の自然が「死に瀕している」との捉え方が半端ではないし、一見壊れているようには見えにくい「地球規模での環境単純化」こそが環境破壊の恐るべき前段との把握の仕方が何とも鋭く非凡ではなかろうか。またこの時点（『閉された言語・日本語の世界』を刊行して間もない同年）で既に「生態学」という学問に関心を寄せ、さりげなく学んでいる様子であるのも特筆されていい。

併せて地球環境問題に関しては、当時の科学者や経済学者の殆どが科学技術の進展や新たな投資効果への期待に囚われていたのもその通りであり、かつそうした楽観論を全て打ち砕いて地球規模での環境破壊がその後進んで深刻化してきたのも孝夫の危惧通りであった。

その上で改めて読み返せば、「複雑極まりない相関関係の網の目が生物同士の間に無数に張りめぐらされている」自然界の人知など遥かに超えたデリケートな仕組みに人類が「過度の経済活動」等により乱暴かつ強引に手を突っ込み、撹乱したところから今回の新型コロナウイルスも発生したとすら読むことも可能なほどに明晰極まりない先駆的文章とも言えるだろう。

さらに敢えて記せば、最近マルクス再評価の気運とともに「人新世」という言葉（一九九五年にオゾン層研究でノーベル化学賞を受賞したオランダ人科学者パウル・クルッツェンが二〇〇〇年に地質学で一万一七〇〇年前から現在までの時期を「完新世」と呼ぶ区分法に異を唱えて、人類が地球環境を大幅に改変し破壊してきた特に「産業革命」以降を念頭にこう呼ぶよう提唱したとのこと）を目にすることがしばしばあるが、孝夫は「人新世」認識の驚くべき先駆者とも言えるのではなかろうか。なぜなら孝夫が「地球規模での目立たない環境単純化が、人間の過度の経済活動、とどまる所を知らない欲望追求のために急速に進んでいるという現実を、はっきりと認識している人は未だ少ない」と書いているのは、内容的に殆ど「人新世」認識そのものだからである。ほぼ半世紀も前の時点、地球環境破壊が今日とは比べものにならないほどそれこそ「目立たない」段階においてのこの突き抜けた洞察力、看破力には何度でも驚嘆すべきではなかろうか。

なお、さらに一言付け加えれば、この「人新世」という言い方は字面だけ見れば、あたかも人類が主人公となって地球の新たな世をつくったとのプラス的意味合いが感じられ、何としても正すべき悪の世というニュアンスが伝わりにくいと筆者は思うのだが、いかがであろうか。「地球温暖化」や「気候変動」という言い方も中立的言語表現にとどまり、待ったなしの非常事態との危機感を喚起するには生ぬる過ぎるのではとの疑問と併せて今後の扱いを考えたいところだ。いっそのこと「人悪世」と変えた方がそのものずばりで世直しへの起爆力を強めるのではなかろうか。孝夫ももしも健在であれば大賛成してくれることだろう。

ここで地球環境問題をめぐるこの当時の世界の動きをざっと振り返れば、一九六二年にレイチェル・カーソンの『沈黙の春』が出版されて大きな反響を呼び起こし、一九七〇年には初のアースデイが開催されるなどして環境問題意識化が徐々に進んだのも受けて一九七二年にはローマクラブというシンクタンクが「成長の限界」という報告書をまとめて公表。当時のような経済成長路線を続けていくと人口も増え、その分大量消費する資源や食料も増え、結果的に元々有限な地球の負荷が限界に達して、あと百年も経てば人類の存続が危うくなるとの警鐘を鳴らしている。こうした動向も孝夫の地球環境認識に影響を及ぼしたのは間違いなかろうが、孝夫も書いている通り当時の環境問題のとりあげ方は今日に比すれば遥かに長閑であり深刻さの度合いが違っていた。ローマクラブが百年の幅でややのんびりした感じで提言していた構えにもそのことがうかがえよう。さらに当時は遠からず枯渇すると案じられていた石油が、その後次々と新たな油田が発見されるようになるとその警鐘は殆ど無視され、石油を主たるエネルギー源としつつ人類は総体としてさらなる経済成長路線にのめり込み、結果としてより一層環境破壊に邁進し、森林皆伐等による天然資源減少や気候危機を招き寄せてきた成り行きでもある。一見画期的に思えたローマクラブの警告はその内容からしても歴史のくず箱に打ち捨てられたも同然と言わねばならない。

これに対して孝夫がより本質的に鋭く緊張感をもって時代と向き合えていたのは明白だが、それは何故であろうか。孝夫の洞察力が優っていたのは間違いないが、そのベースに独自の強みとなる「環境」現場があったからでもある。軽井沢という当時は誰もが羨むほどの別荘地、日本でいちばん野鳥がたくさんいると言われていたほど自然環境に恵まれた場所に定点を置いて、毎年必ず訪れては時に長く滞在しながら環境破壊の確実にして急速な進行ぶりを具体的に体感し観察し得たからである。その被害と辛酸を野鳥と共に、また蛾や他の生き物たちと共に分かち合ってきたからに他ならない。ローマクラブに集っていた有識者等がおそらく「世界を人間の目だけで」見ていたのとは異なる眼差しを鳥たちとも交わりながらあらかじめ持ち得ていた分、危機認識のレベルが根本から違っていたのである。

さらに東京都内の住まいである目黒区青葉台での野鳥の観察ぶり、環境変化の感得ぶりも見ておけば、次の通りだ。「西郷山」と呼ばれる地域、かつては多種多様な樹木が生い茂っていて鳥たちもなんと一三〇種も記録できるほどで孝夫少年気に入りの地であった。だが、ここもまた戦中、敗戦の激動を経て、緑の森が失せるとともに鳥たちも目に見えて少なくなっていくのである。ところが戦後何年かするうちに「自然から見放され、都会の片隅で生き長らえていた小鳥たちが、少しずつ私の庭にもどって来るようになった」「餌の少ない冬は、ヒヨドリ、オナガ、ムクドリ、キジバト、シジュウカラといった面々が、パンや栗、木の枝につるした牛や豚の脂身などを啄みに来る」となり、孝夫を喜ばせるのであったが、「しかし考えて見ると、再び私の庭に集まり出した小鳥たちは、全て雑食性の強い、人間の生活に寄生とまでいかなくとも、少なくとも人間と共生出来る妥協性、適応性を示した、生活力の強い特殊な種族だけなのである。都会に住み続けられる生物は、すでに半ば人工化されていると言うことも出来るわけである。野性をあくまでも失わない鳥、カワセミやキツツキのように一切の妥協を許さない鳥たちは、もはや都会には戻って来ないのだ」(「庭・小鳥のふるさと」)というふうに西郷山周辺の環境も著しく変貌した流れを鳥たちの観察を通して浮き彫りにしている。それにしても若き日から鳥たちの「種族」の違いを明らかにしつつ環境の激変ぶりを語りうる観察眼の鋭さ、野鳥学の蘊蓄（うんちく）の凄みには改めて唸るほど敬服するほかない。

(この項でこれまで紹介した文、そしてこれから引用する文章も、特に他の書とのことわりがない限り全て『鈴木孝夫著作集8』に収録されており、初出及び出典も付記されている)

また同じく一九七五年の『三田評論』一月号掲載の「節約のすすめ」という一文では、「それは疑うべくもない地球生態系の混乱と荒廃を片方の原点としてふまえ、……言い換えると国家レベルの、自己目的化した出口のない現在の浪費成長型経済の言いなりに個人が振り回されるのでなくて、経済のメカニズムの、もう一つ先にある地球系の現状に目ざめた個人の自覚的な消費抑制行動が、結局は経済の在り方を修正出来るのではないかという、無謀にして果敢な実験をあえて試みる時が今だと思うのである」と書いているが、この当時において早くも「地球生態系の混乱と荒廃」を何よりも危惧しつつ、そうであればこそその主因である「浪費成長型経済」を「自己目的化した出口のない」代物と断じている眼差しの鋭さが、やはり「人新世」認識（「人悪世」と書きたいところだが）の先取りとも言え、際立っていよう。「経済のメカニズムの、もう一つ先にある地球系の現状」如何こそが孝夫にとっては半世紀前から一貫して肝心要の関心事であり続けたということでもある。

このように紹介していけばキリがないので、もう一例だけとすれば次の通り。「クイーンズランドやタスマニアなどでは現在、日本企業によるパルプ材を求めての天然林伐採が政府と森林所有者そして環境保護関係者との間に各種の論議を起こしている。私たちが生きていくためには、或る程度の森林資源の消費は絶対必要であるが、それにしても現在の日本のように紙製品を浪費し続けることが、失えば二度と戻らぬ複雑な仕組みに支えられ無数の素晴らしい動植物の棲み家となっている壮大な熱帯降雨林を皆伐し去る正当な理由となるだろうかという疑問を今更のように深くした。思えば文明の歴史は森との戦いであった。だがこの戦いを勝ち抜くことが人類の幸福につながるかどうか」（「オーストラリアの自然」）――メソポタミアで遥か五千年以上前に楔形文字で粘土板に刻まれた形で残され、人類最古の物語と言われる『ギルガメシュ叙事詩』に登場する森の主、山の神フンババもメソポタミア・ウルクの都に暮らす人々にとっては恐ろしい「怪物」扱いであり、ギルガメシュ王らによって無残に討ち果たされるほかない存在であるように、確かに人類文明の「歴史は森との戦いであった」のだが、この戦いに勝ち抜いてきた歴史が一体何をもたらしたことであろうか。その結果も受けて生じた気候危機により、まさに「私たちの家（地球）は火事」になっているのであり、実際にも世界各地の森林で大火災が頻発しているのである。この数年だけとってもアマゾン、オーストラリア西南部、米国カリフォルニア州、中国内陸部等で起きているが、その火災によって一体どれほどの「動植物の棲み家」が焼き尽くされ、どれほど膨大な数の生き物たちが焼死を強いられてきたことか。

孝夫「保守」の核心は地球そのもの、そして日本語

勿論世界を見渡せば優れた科学者や詩人、アーティスト等の中には、孝夫以前から環境破壊に異を唱えた人士が少なからず存在していただろうが、およそ半世紀も昔からこれまで見てきたような切羽詰まった危機感を表明していた例は極めて稀ではなかろうか。しかも孝夫は言語学者であり、その分野で赫々（かくかく）たる実績を積み重ねてきた人物でもあるだけにこの環境問題に関わる尖鋭な先覚者ぶりはどう考えてもただごとではない。

孝夫がこうした危惧を書いていた当時（一九七〇～九〇年代）と言えば、「地球温暖化」「気候変動」などという言葉自体、今日ほど一般的に使われていなかっただけにその切迫した危機認識は異色であり際立っていよう。孝夫は勿論具体的に今回のコロナ災禍そのものを予見していたわけではないが、深刻な気候危機は当然のこと、それに加えて何らかの形で地球生態系からの反作用的災厄が必至であることを早くから明察し憂慮し続けていたのである。

いずれにせよ孝夫は若き日から、「世界を人間の目だけで見る」近代主義的・人間中心主義的世界観を突き抜けていたのであり、そのことが異例なまでに早い地球環境問題覚醒の基礎となったのであり、同時に独自のきらめくような言語学創成の秘密ともなったのである。その「基礎」「秘密」をこれから本論で明かしていくことになるが、その前にもう一言。

孝夫は政治関連の論客としては保守派の一人とみなされていたであろうが、いざ環境問題となれば遥か昔からグレタさん等の若者たち以上に筋金入りのラディカルであり続けたのであり、その意味では並の保守派とは思想レベルが全く違うと言わねばならない。環境破壊が進むにつれて滅び行く鳥たちをはじめとする他の生き物たちへの哀惜の情が強いからでもあろうが、それも含めて地球（生態系）を守り抜こうとする根元的一点においては若き日から徹底的な保守派であり続けたのである。そしてそれはとりもなおさずどんなに他の生き物たちが次から次へと絶滅に追いやられても殆ど気にかけることなく人間中心主義、経済第一主義に凝り固まってきた米国や中国、ロシア等、そしてそれらと同類の日本保守政治の在りように対しても痛烈な批判を加えてきたのである。同じく保守と言ってもこの種の哲学なき保守とは全く無縁であり続けた。

ついでながら孝夫がこのように並の保守派とは異なっていたこと、しかも若き日からそうであったことを端的に示す逸話があるので紹介しておけば次の通りだ。「戦争中は学生だったのですが、軍国主義に正面から反対すれば牢屋に入れられるからそこまではしなかったけれど、私は学生仲間と一緒に宮城に向かって敬礼なんてしたことがなかったし、天皇は人間だと思っていたから、人間の神様なんて存在するのかなとか、そんなふざけた話を友だちの間で交わしていましたね。山手線の代々木あたりで明治神宮が近くなると、わざとちょっと向こう見たりして反抗してたくらいです」（『世界を人間の目だけ』82）――あくまでも人間世界、しかも日本人世界だけでの当時の天皇＝神といった強引な等号・刷り込みに対し青年時代から極めてクールであり得た孝夫の知情意が如実にうかがわれる述懐と言えるだろう。当時の同世代では吉本隆明も含めて「軍国青年」が多数派であったはずの中での、この冷徹ぶりは今からみても燦然と輝いていると言ってもいいくらいだ。

そして、この冷徹ぶりは敗戦後も頑なに貫かれたのであり、敗戦と同時に海外（米国やヨーロッパ、当時のソ連、中国等に関連した）から我が国に一挙に流入し、浮わつくように多数の支持も集めつつあった「進歩主義」的あるいは左翼的諸思潮のいずれに対してもすこぶる真っ当な違和を抱かせ続けた。欧米資本主義と社会主義の思潮のどちらが敗戦後の日本の経済と暮らし、政治をよくするかといったレベルの対立・論戦には本質的意味を見出すことなく「経済のメカニズムの、もう一つ先にある地球系の現状」をこそ常に凝視していたからに他ならない。

その上で念のため付言しておけば、自然、つまりは地球生態系と密に共振することばと文化を古来大事にしてきた日本という国の国柄（江戸時代にあるレベルで完成していた）と日本語そのものに対する愛惜と評価は二〇代の頃から強かったのであり、その見地からして、いかに戦争に敗けた直後とは言え日本の過去、日本文化を全否定するかのような当時の舶来型左翼諸思潮に対してはより強く拒絶反応が働いたとは言えるだろう。孝夫が政治的に保守あるいは右翼的とみなされたのも故なしではない（孝夫の日本語論については本論にて詳述）。

とは言うものの孝夫は若き日から単なる人間世界、ましてや日本人世界の中でのみの保守などでは全くなかったという至高の事実は何度でも強調しておきたい。

「コロナウイルスの生活圏に人類は踏み込むな」

さて、本論に入る前に、あと二点だけ書いておくべき事柄があるので簡潔に記すことといたそう。第一には、今回コロナ禍と人類による地球環境破壊、生物多様性蹂躙との因果関係について、半世紀前からの孝夫に通じるというか孝夫の先見を専門家の立場から裏づけてくれるような言があるので、ここで見ておきたい。

五箇公一という生態学者が『ウイルスvs.人類』（文春新書、二〇二〇年六月刊）で語っている内容を幾つか拾えば次の通り。「恐らく野生生物の中で閉じ込められていたウイルスが、人間が活動域を拡大していく、どんどん自然の中に入り込んでいく中で、人間が持ち込んだ家畜などに野生動物からのウイルスがたまたま感染すると、そこでまた変異を起こして人間に感染するタイプに変化する。……要は、我々人類が自然環境を破壊して、生き物たちの世界に踏み入ることで、野生生物たちが持っているウイルスに接触する機会がものすごく増えているからなんです」「温暖化をはじめとする気候変動の問題を引き起こしているのは、巨視的に見れば、やはり南北の経済格差でしょう。南の途上国はそのギャップを埋めようと、ものすごい勢いで工業発展に邁進している。……そうすると熱帯など生物多様性のホットスポットといわれるエリアの真ん中で開発が進む。それは当然、森林伐採などの環境破壊を伴います。そこで、閉じ込められていたウイルスたちが今まさに、新たなるすみかとして人間を見つけた。さらにグローバル化が進んで、北と南が密接につながることで、感染者が国境を越えて高速かつ大量に移動し、あっという間に北の人口密集地域にウイルスが入り込むという図式がずっと続いている」「僕は、自然というものにはウイルスや細菌も含まれると考えています。ある意味では、彼らこそが先住民であり、彼らの生活圏に人類が踏み込んでしまった面も大きい」（同書59、60、109）――今回コロナ禍と地球環境破壊、気候危機等との相関関係を推定して実に明快で説得力に富んでいよう。森林等乱開発とグローバル化、気候危機と「地球火事化」、そしてコロナ災禍の三者が密に関連し合っている構造をトータルに洞察しており、孝夫の認識を専門家の立場から最新の科学的知見に基づいて明らかにしてくれている語りでもある。またコロナを敵視するニュアンスが見られないのも好ましい限りだ。この文春新書全体では「未知の敵と闘うために」等やたらコロナとの「闘い」なる言葉が多用されているのではあるが。

氏はさらに朝日新聞二〇二〇年七月二一日の記事において「地球上からウイルスをなくすことはできない。もともとの彼らの住処は野生の世界にある。本当の『共生』は彼らの住処である野生の世界と人間の世界をゾーニング（分断）して、彼らの世界をこれ以上荒らさないようにすることです」と至極当然の理を語った上で「たとえコロナに勝っても開発や破壊をベースとする経済の構造を変えないともっとすごい病原菌やウイルスが出てくる恐れがある」とも語っているが、これは殆ど百パーセント遥か昔からの孝夫の危惧だと言い切ってもいいくらいに両者は共振している。孝夫は具体的にコロナウイルスのことに言及していたわけではないが、これまでのような「開発や破壊をベースとする経済の構造を変えない」限り、地球生態系からのとんでもない「しっぺ返し」が不可避であることを繰り返し確信し警鐘を鳴らし続けていたのである。「だが、このまま進めば人間にとってもカタストロフィは確実に来る。しかし､いつどのような形でそれが訪れるかはいまのところ誰にも分らないのである」とは､やはり『人にはどれだけの物が必要か』(106) からの引用だが、この二九年も前の状況に比べれば、科学者の中からも、このような鋭い危機認識を堅持した生態学者が現れてきているのであるから科学もかなり前進してきたと言えるのだろう。筆者の極めて狭い視界に入った限りでも五箇氏だけでなく他にも何人かの専門家が孝夫の先見と同様の推論、知見を明らかにしていることからもこの間の科学の進展は間違いなさそうだが、それほどに地球と人類の危機が強まってきていることの反映でもあるのだろう。

束の間であれコロナにより生じた地球にとってのプラス異変

ここで二番目に挙げておきたいのは、今回コロナにより二〇二〇年前半のほんの束の間の現象であったが地球環境にとって生じたプラス異変のことである。

今となってはもう殆ど忘れられた出来事化していようが、三年前（二〇二〇年）の春から夏にかけてのほんの短期間、世界中で自動車運転や人間の移動自体が激減し、企業・工場等の操業停止等とも相まって大気汚染が弱まり空気が清浄になると共に人類が排出する二酸化炭素（CO_2）の量もある程度減少するといった現象が起こったのである。

これは何とも皮肉な現象だが、コロナウイルスによる有無を言わせぬ強制力のなせるワザで現実的にこのようなプラス異変が起こったこと、起こり得たことの意味はよくよく考えてみなければならない。筆者が暮らす大分県の事例で言えば、今や日本有数の観光地となっている湯布院からも一定期間観光客の群れが消え、その分空気が澄んで町全体が清々しくなり、かつさえずる野鳥の鳴き声も一段と楽し気で賑やかになったとのこと。また世界中で観光客が激減したこともあり、例えばハワイ等海の有名観光地では海の透明度が増した分、海に生きる生物たちが自由を満喫して生気をみなぎらせていたとの新聞記事もあった。そう言えば、二〇二一年元日の朝日新聞一面にも「コロナ下ベネチアは澄んだ――観光・経済ストップ、水質改善」との見出しが躍り、イタリアの「水の都」を前年一二月記者が訪れると「かつては濁って異臭を放っていた運河が透き通り、無数の魚が泳いでいるのが見えた。大気汚染も減っている」との報告が記されていた。

コロナにも結果的に大気や自然等にプラス面があるとは誠に意想外の出来事だが、しかし、せっかく生じたこのような異変を一時的な現象として軽視し忘れてしまう傾向はこの際再考する必要があるのではなかろうか。原因が何であれ、まさに奇跡的に生じた地球環境と人間以外の他の生き物たちにとっての望ましい異変、これまでグレタさんらがどんなに激しく抗議し大量参加のデモで訴えても、あるいは孝夫が半世紀も前から文筆活動で厳しく警鐘を鳴らしてきてもびくとも動かなかった環境問題、気候危機問題に思いもしないきっかけと原因でほんの一時、ほんの少しばかりであれ風穴があくことになったのだから、この事実をゆめ軽んじてはならない。人類としても得難い経験を持ちえたのであるから、未来を考える上での財産として記憶し続けるべきではなかろうか。

いずれにせよ孝夫が今後「どうしても必要となってくる」と思料する「経済や効率の原理を二の次、三の次に置く生き方、考え方」がほんの瞬時であれ、かつ相当に歪んだ形であれ、現実化したのである。即ち「感染拡大を防ぐには今は自粛第一、経済は後回しになってもやむを得ない」との考え方が世界中で概ね共有される束の間があり得たのである。米国前大統領トランプや前ブラジル大統領のようにコロナを軽んじてハナから経済第一にこだわり続け、結果的に感染者・死者をより一層激増させた愚昧な為政者も例外的にはいたが、大方の政治的リーダーが少なくとも表面においては「今は非常時につき経済よりも感染拡大防止」というふうに経済を下位に置く考え方、方針に不本意ながらも立たざるを得なかったのであり、この事実はすこぶる重いと受けとるべきであろう。未来への有るか無きかの可能性を探る上で一つの手がかりを提供してくれたと言ってもいい。ほんの一時であれ経済を下位に置かざるを得ない考え方、作風が世界規模で現実化したことの意味は極めて大きい。結果的に世界経済はほんの暫く第二次世界大戦後最悪の状態になったとも言われていたが、経済がどうあろうと環境破壊、気候危機を加速させる暴走がほんの一瞬でも現実的に止まったのは近代以降の人類史において極めて稀な出来事だったはずだからである。もっともある専門家によれば、「しかしながら、同時に確認しなければならないのは、最も大きく減少した日をとっても、二酸化炭素排出量に換算すると二〇〇六年の水準に戻ったに過ぎない」のであり、「気候危機の進行は、世界中の活動が停止したように見えた今回のコロナ禍でもストップしていない」とのことであり、環境破壊、気候危機の深刻度からすれば、今回程度の抑止では大火事にバケツ一杯の水をかけた程度の意味しかないのかもしれぬが、しかし、そうであればこそ気候危機等は放っておけないのであり、たとえバケツ一杯の水でもかけ続ける構えと方策が不可欠ということでもあろう。

孝夫の見地からしても地球生態系破壊の度合いは既に臨界点を遥かに超えてしまっており、もはや手遅れというのが基本認識ではあるが、しかし手遅れなりに奈落の底に落ちるのを何とか少しでも長びかせて人類延命をはかる知恵と方策、哲学と戦略は不可欠として「地救原理」と「言語生態学」に拠って立つ人類文明の再生を説き続けたのである。

次頁からの本論において、鈴木孝夫がなぜ稀代の言語学者にして同時に「地救原理」の先覚者になりえたのか、その秘密と全歴程を共に見ていくこととなろう。

戦争中も鳥観察に専心の超異端ぶり

鈴木孝夫が書いた著作物で公になった第一号は「上目黒の鳥」と題する一文（日本野鳥の会機関誌『野鳥』一九四二年一月号掲載。『鈴木孝夫の曼荼羅的世界』に所収。なお今後は『曼荼羅本』とのみ記す）で、孝夫（満年齢で）一五～一六歳時の作だ。孝夫宅のある（現在もご遺族が同一場所にお住まい）東京都内の「繁華な渋谷駅の南方約一キロの住宅地」（上目黒）に「過去四年間に出現した鳥の名のみを」七六種も書き連ねた上で「エゾビタキは東京市内（当時は東京市）では未記録だったろうと思います。それから当地もだんだんと鳥がへり、前に見られたものでも、今全く見られぬものが多くなりました」と記して、この小文を結んでいる。

子どもの頃から野鳥の飼育と観察に熱中し、小学生時代に「日本野鳥の会」創設者中西悟堂の『野鳥と共に』を読んで、この本の虜になり、母親に頼んで中西に会いに行き、「野鳥の会」に最年少会員として実質的に入会したという「伝説」（中西からは「もう少し大きくなってからの入会を」説得されたのだが、野鳥の会規約に小学生入会は不可とは書かれてないと言い張った由）を持つ孝夫ならではの鳥へのただならぬ関心と偏愛ぶりが如実に出ている一文だ。自宅の庭等にやってくる野鳥の一羽一羽を一〇代のはじめ頃から四年もの長期にわたって観察し、鳥名の違いを識別しつつ記録し続けるなんてことはどう見ても桁外れに非凡であり異常でもあろう。しかもエゾビタキは「東京市内では未記録」というふうにかなりの専門知識がなければ書けないことまで『野鳥』誌に書ける自信のほどにも驚かされるというもの。更には当時にして「当地もだんだんと鳥がへり」と、戦争による空襲等を東京がまだ受けていない時点でいち早く環境破壊が進んでいることを予感し懸念しているふうであるところも出色。もっともこの時代、「環境破壊」などという問題意識と言葉自体殆ど無きに等しかったはずにつき孝夫少年もそうした意識なしにこう書いたのかもしれないが、それにしてもこの当時、この若さで野鳥の数の減り方に危惧を覚えた敏感なセンスと観察力は特筆されよう。

そして敗戦後になると経済復興、高度成長期を経て、当地の野鳥はますます減っていくばかりとなり、それにつれて環境変化が放置できない異変であることを孝夫は意識化し、環境破壊への目覚めに火がつくのだが、その覚醒が野鳥と共にあった発端がうかがえる一文でもある。環境破壊進行に対する異例なまでに早い危機感と鋭い認識の素地がここに見られると言ってもいい。

更には鳥たちとの出会いと交わりが実は孝夫固有の言語への関心と研究意欲の発端ともなることがこれから本書において次々と明らかにされることとなろう。その意味では、この文字数僅かな随想が、『鈴木孝夫の曼荼羅的世界』の冒頭を飾っていること自体すこぶる意味甚大と言わねばならない。まさしく副題「言語生態学への歴程」のはじめの第一歩にふさわしい赫々たる歴史的小文なのである。

ところで戦争と言えば、この文を発表した時点とは、前年一二月八日の真珠湾攻撃による米国・英国への宣戦からほんの一か月も経っていない時期なのだが、この一文からはそんな影は全くみられない。緒戦の「大勝利」「奇襲大成功」で恐らく日本中が沸き立っていたはずだが、そんな軍国主義的高揚感は絶無だ。恐らく執筆自体は前年一二月初旬かそれ以前であっただろうからその影響かもしれないが、それにしても「日中戦争」中という時代の雰囲気がなんら感じられない文章なのだ。しかも、その次、『野鳥』誌に発表された文章「雀さまざま」（同じく曼荼羅本に所収）は一九四三年二月号掲載で、これはもう「アジア・太平洋戦争」真っ盛りの頃、というより間もなくガダルカナル島敗退という戦況で、日本が敗戦の方向へと急激に追い込まれ始めた重大な時期であった。当然日本国内では、そうであればこそ改めて日本国民の戦意高揚キャンペーンが大々的になされていた局面でもあっただろう。ところが孝夫のこの文からはそうした空気は微塵も感じとれない。書かれているのは、ひたすら雀のさまざまな生態観察のみ。当時まだ満年齢で一七歳という若さ故かもしれぬとも思ってみるが、しかし当時においてこそ一七歳と言えば立派に一人前の青年とみなされていただろうし、孝夫より二歳年長の吉本隆明なども含めて「軍国青年」が幅をきかせていた状況でもあったはず。

しかるに孝夫のこの文には「軍国青年」的色合いなど一欠片も見当たらない。戦争の行方より雀の生態を調べる方がよほど大事だし、気にかかって仕方がないという様子なのだ。「スズメの採餌をする場所が一年を通じてだいぶ変わることに気付いたので、少し調べてみたら次の結果を得た」ということで、この文章を書いたわけだが、そんな戦時中に「一年を通じて」スズメの採餌をする場所の変動を観察し続けるなんてことは、やはり異例中の異例、というより常軌を逸しているのではなかろうか。当時の吉本隆明ら「軍国青年」たちに知られれば、どうしようもない問題児と見下され「非国民」扱いされてもおかしくなかったのではなかろうか。

鳥好きから一〇代後半でラテン語も学習

しかしながら、時代が戦争中であろうとなかろうと、人間どもの所業や営みへの関心より上目黒の自宅周辺にやってくる野鳥個々の名を確認したり雀が採餌する場所の移動を観察したりする行為に殆ど熱中していたのがこの時期の孝夫だったのである。そして、そのことが後年、独自の言語学者としての大成と環境問題の類稀な先覚者となる決定的なベースとなったのだが、当時一〇代後半の孝夫からすれば単に好きでたまらないことに夢中になっていただけだったのではなかろうか。

鳥に夢中と言えば、孝夫は多分そのことも影響して一浪した後、東京府立第四中学校（現在の都立戸山高校）に入学するや鳥たち個々の名を日本語で覚えるだけでは満足せず万国共通である正式な学名（ラテン語）を知ることにも努力を傾けていくのであった。あまり面白みのない授業の時はラテン語で覚えることを内職にしたりもして、だ。鳥たちへの偏愛のなせるワザであったが、結果として、これが戦争中であり敵性語とみなされていた英語への関心もかきたてるきっかけになるとともに後の少なからぬ欧米諸語習得の極めて有益な素養ともなっていったのであるから、このラテン語学習から巧まずして大言語学者鈴木孝夫誕生は約束されていたとも言えようか。もっとも本人によれば、この頃はラテン語学習と言っても単に鳥の名前を覚えていたに過ぎないとのことであったが、しかし鳥の名前を数多ラテン語で記憶し、言えるようになるだけでもラテン語への親近感や理解は自ずと深まるはずにつき、やはり相当身につく学習になったのは間違いあるまい。

なお、孝夫は一九四四年の中学四年修了後、大学では鳥たちも含めて動物学を専攻したかったのだが、当時は北海道大学と京都大学にしか講座がないことがわかり、戦争中でもあり、また学生寮での複数共同暮らしに対する極度の抵抗感もあってその道は断念。人間も動物の一種であることからして医学部でも動物研究は可能だろうとやや強引に考えて代替案として慶應義塾大学医学部予科に入学。

「医学部予科ならば、私が既に大好きだった英語もやれるし、生物、化学、物理といった理科系の勉強が主だから、いずれ動物学をやるにしても役立つだろうと考えたのだ」（著作集6、143）。また「戦争というものはどうせ長くは続かないし、いずれ終わった時にいちばん自分に合った学部に移ればいいとの考えもあってのこと」との話を直接本人から聞いた覚えもある。いずれにせよ結果的に孝夫は医学生ということで徴兵、「学徒出陣」を免れることにもなったのだが、この身の処し方、物の言い方からしても孝夫が戦争に対して一貫して冷静であったことがわかるというものだ。当時「現人神」として絶対視されていた天皇に対しても密かに「神であるわけがない」と受け止めていたのも先述の通り。どこまで行っても孝夫は戦争や天皇等人間世界にのみ属する諸々に対してはクールなのであり、人間以外の鳥や他の生き物には共感的に熱いのである。この段階で既に「世界を人間の目だけで」見るのとは異なる知情意を自然体得していたと言ってもいいくらいだ。

敗戦後間もなく米国留学派遣団に選ばれても最大関心事は鳥

次に見てみたいのは、孝夫の公式的文章第三弾で、「アメリカからの『鳥信』」と題する日本野鳥の会会長中西悟堂宛の書状という形をとった一文で、同じく『野鳥』一九五一年二月号に掲載されたものだ（曼荼羅本に所収）。これは日本敗戦後の一九五〇年七月から一年間、米国フルブライト奨学金の前身ガリオア奨学金による留学生に孝夫も選ばれて渡米した際（ガリオア留学は一九四九年から始まりそのときはＧＨＱの米軍主導による選考で五二名。公募選抜試験を経ての初回留学が一九五〇年度で、三三六名とのこと）、米国における野鳥の状況を知らせるとの趣旨の手紙なのだが、「鳥らしき鳥に殆ど出会わないので」手紙を送るのが「つい遅れてしまい大変申し訳なく思っております」とのお詫びの文言からの書状となっている。その上で、ハワイからカリフォルニア州のあるカレッジやイリノイ大学で過ごした日々のことを淡々と記した後に、彼が滞在し学ぶことになるミシガン大学近くの「新しい下宿」付近

【上】1950 年ガリオア留学生。左から二人目が孝夫。【右上】カリフォルニア州バークレーにて（同年 7 月)。左側から歩いてくるのが孝夫。【右下】シカゴ訪問時（同年 8 月)。左端が孝夫。写真はいずれも川﨑晶子氏 (立教大学名誉教授）提供。

で遂に多くの鳥たちと出会えるようになった喜びが綴られているという次第だ。「だんだん寒くなり、雪が二、三度降った後で急に町の外から鳥が入って来て、今は大喜びです。アカハラ、ゴジュウカラ、キバシリ、キクイタダキ、カーディナル、チカディー、ヘアリ・ウッドペカー、ダウニィ・ウッドペカー等が新客の顔ぶれです。キバシリ（ブラウン・クリーパー）など日本でも野外では見たことがないのでびっくりしました。勉強する机の前の窓の外に小さな木があり、小鳥の巣がついています。来春何鳥が戻ってくるか、今から楽しみにしております」というふうになんとも嬉し気な筆致となっている。孝夫はこのように米国に渡っても直接目にして出会うことができた鳥たち個々の名を書き止めるのを何よりの喜びとしている趣きなのだ。その気持ちの弾みが「鳥信」という恐らくは孝夫の造語タイトルになったのではなかろうか。

ここでも、晴れて敗戦後間もなく米国留学派遣団に選ばれ渡米したにもかかわらず、その過ごし方は何とも型破りであり続けたことが確認できるというもの。孝夫にとっての目的地ミシガン大学に到着するまでの間、カリフォルニア州のあるカレッジに二週間ほど滞在した時も「サンフランシスコ見物にも行かず、鳥を探していた」のであり、シカゴでも「シカゴ大学の構内を数回散歩しましたがスズメだけでした」と書きつつ「シカゴはギャングとバレスクで知られているのですが、どちらも見ませんでした。後者は大部分の人は見たようですが」というふうに他の留学生達とは明確に一線を画して行動していたのである。せっかくの米国行きにもかかわらずミシガン大学に着くまでの間、敢えて孤独に鳥たちの観察と調査に明け暮れている様子には感心するというよりその偏愛ぶりに改めて驚くほかあるまい。しかし渡米しようがしまいが、この時期の孝夫にとって、それが必然なのであった。

このように孝夫は、どこに居ようと子どもの頃から鳥を追いかけ、観察し、鳥たちと戯れ、そのためラテン語にも親しんだりしていたのだが、そうした育ち方、過ごし方を通して、恐らく無意識のうちにであろうが、とてつもなく大きな学問的思想的飛躍のばねを着々と我がものにしていったのである。そのさりげないが確たる足跡と証が、ここに紹介した三編の初期「雑文」（孝夫自身の言）に示されていると言ってもいい。「はじめに」と序章で略述的に触れてみた孝夫の桁外れの独創性と先見性に彩られた大仕事の数々、比類なき一貫性の始点と根元は若き日のこの「雑文」三編に宿されていると揚言したいところでもある。

更には、詳しくは後述するが、大の恩師であった井筒俊彦と絶縁することになる主因の秘密もこの三篇に孕まれているのではなかろうか。少なくとも井筒にとって鳥は人間とは比べようもない単なる鳥でしかなく彼の言語哲学の素材やテーマになることはあり得なかったが、孝夫にとって鳥たちは彼の言語学創成過程における何よりも得難い手がかりであり、かつ共に歩む朋友であり続けたことからして、この一点での違いだけでも充分相反的だからである。

「日本野鳥の会」創設者中西悟堂に小学生時代から弟子入り

さて、話は前後するが、そんな鳥一途の孝夫の全生涯にわたって深甚な影響を与えることになる「日本野鳥の会」入会、中西悟堂（一八九五〜一九八四年。一九三四年「日本野鳥の会」創設。天台宗の僧侶、詩人、歌人でもあった。「野鳥」は彼の造語）との出会いに関して、この辺で一言触れておく必要があろう。先ずは「野鳥の会」七〇周年に寄せて書かれたこんな述懐からだ。

「私は幼い頃から、なぜか小鳥が好きだった。その私が昭和一〇年の秋、今も住んでいるこの東京目黒の家に、両親兄弟と共に移り住んだという思わぬ幸運のおかげで、すっかり野鳥の虜になってしまったのである。……私は家の近くで年間一二〇種にも及ぶ、驚くべき数の野鳥と日夜暮らすことができた。そしてこの頃、私の母が、出版されたばかりの中西悟堂先生の名著『野鳥と共に』を買ってくれたのである。今では背表紙が崩れ、あちこち傷んでいるこの一冊の本が、その後の私の人生に決定的な影響を与えてしまった。まだ小学生だった私は、母にせがんで先生のお宅に連れて行ってもらい、先生の弟子にしてくださいとお願いしたのである」（『野鳥』二〇〇四年三月号掲載の「中西先生からの伝言」、曼荼羅本所収）

まだ小学生の弟子入り懇望にはさすがの悟堂も驚いて、あれこれ止めの説得に入ったものの孝夫少年が初志貫徹したことは既にみてきた通りだ。そして、いざ実質的に入会してしまえば、「ただ一人小学生だった鈴木は、その後もときどき中西の家に遊びに行き、会合などでは〈たかおちゃん〉と呼ばれて中西の傍に座るように手招きされたりしたという」（矢崎祥子『言語生態学者　鈴木孝夫』冨山房インターナショナルより二〇一四年一一月刊行）ほどに随分大事にされた様子なのである。

〈注記〉　孝夫少年の野鳥の会入会時の学年等では孝夫自身の記述にいささかの乱れがある。ある文では「私が日本野鳥の会に入会したのは昭和一一年、小学校三年生の時だ」（『野鳥』二〇一三年一月号掲載の「中西悟堂の想いと会の八〇年」）となっているのだが、別の文では「私が日本野鳥の会に入ったのは昭和一三年か一四年頃のこと」で「小学校六年の時」となっている（「私は地救人――人にはどれだけのものが必要か」、著作集8に所収）。さらに小五と記した文もある。孝夫の生誕年は一九二六年なので、昭和一一年＝一九三六年だとしても小三はあり得ず、昭和一一年～一三年あたりに小五か小六で入会とみなすのが無難となろう。なおこの件では現在「日本野鳥の会」参与である安西英明氏から「戦前の『野鳥』誌にあたる等して調べたところ当時特例としても小学生入会を認める規程はなく、したがって会費を払う正式入会は中学生からとみなすのが妥当」との見解をお聞きしている。正式かどうかはともあれ孝夫が主観的に入会を認められたと大喜びし小学生時代から実際熱心に会の活動に参加していたことが肝要なのだが、事実関係はそれとして確認しておくことも不可欠。安西氏の丹念な調査とご協力に心より感謝いたす次第だ。併せて筆者がこれまで敢えて「実質的」入会と書いてきた所以でもある。なお小三で入会との記述は鈴木孝夫関連の他の書や略年譜に何か所かあるので、該当本増刷時等の際訂正するか注を入れる必要があろう。本人も認めていたことだが、孝夫が記憶に頼って書いた文章では年月日等の細かい数字にはあやしいものが少なからずあるとのことにつき、その辺は要注意だと改めて痛感）

先にとり上げた矢崎祥子氏の著書から学んだことは多々あるが、孝夫の中西悟堂との関わりで特に印象深いことを紹介すれば次の通りだ。孫引きとなるが、環境庁が一九七一年に発足したのを機にその初代長官となった大石武一との対談で、中西悟堂は次のように語っているというのである。「自然に対する考え方ですが、私はいわゆるネーチュアということばと、日本人の考えた昔の自然の概念とでは、意味が違うと思うんですよ。……昔は日本人は自然のことを、山水とか風景とか言っていた。山と水と言えば、宇宙全体を総合する総合観念だった。……ところが西洋の自然の考え方は、人間よりも遥か下位のものでしかない。したがってこれを利用するには科学で調べる、そして征服していく。……日本の『自然』は『おのずから然り』、つまり万象肯定の考え方であったわけで、そこに多神教の信仰があったということでしょうが、これが明治維新以来、次第に西洋流の『物』となってしまったのが現在の自然破壊、自然に対する倫理観の喪失ですね」――このような中西のとらえ方と自然破壊への危機感は今日からみてますます的を射ており、孝夫の考え方とも根本から一致するのは言うまでもない。しかも中西にあってこのような欧米流「ネーチュア」とは異なる日本古来の自然観は彼の若い時期から宿されていたもので、戦前に野鳥の会を発起した大志の根底にも貫かれていたに違いない。そうであればこそいち早く自宅周辺の鳥たちの減少に気付いて危惧もし始めていた孝夫少年が直観的に共鳴できた次第でもあろう。中西があらかじめ欧米第一主義思考から解放されていたことが決め手となった。

そして、中西の野鳥の会に傾けた想念について後年の孝夫は次のように書いている。

「中西先生が野鳥の会をつくろうと考えられた動機の一つは、当時の文学者や画家に、野山で飛び交う鳥がどんなにすばらしいものかを啓蒙したいからだった。彼らが生きた鳥を全く知らずに、ただ文学や芸術の世界の中で伝統として鳥を詠んだり、様式的に描いたりしているため、作品が実物とはひどくかけ離れてしまっていることを残念に思われたのだ。初期の会員に、鎗々(そうそう)たる歌人俳人、画家彫刻家が多く名を連ねていたのはこのためである。『芸術と科学的な鳥の知識の融合』が、中西先生の夢だったのである」(『野鳥』二〇一三年一月号掲載の「中西悟堂の想いと会の八〇年」、曼荼羅本所収)

この一文には子ども時代から「生きた鳥」たちと豊富に出会い、共に遊び、「野山で飛び交う鳥がどんなにすばらしいものか」を全身全霊で感受してきた者としての爽やかな自負に裏打ちされた中西悟堂理解が記されていると言えよう。それにしても各界の「鎗々たる」人士が数多参加していたという発足間もない会に、まだ小学生の孝夫が何が何でも(実質的に)入会を果たしていったのであるから、やはり異例中の異例、ただ者ではないと改めて感じ入るところでもある。同時に中西にとっても野鳥の会全体にとっても「たかおちゃん」入会がその後大きな意味とプラス作用をもたらすのは当然の成り行きであった。

言語学者としての初論文が「鳥類の音声活動」であったことの超時代的意義

――「嬉しい時、満ち足りた時、声を出して歌うのは鳥とヒトだけ」

さて、少年時代からの鳥たちとの出会いが孝夫にとって、いかに大きな意味をもつかを明らかにする本章において、次にとりあげるのは、孝夫の人生において初めて書いて発表した学術論文「鳥類の音声活動——記号論的考察」そのものである。

この論文は、一九五六年に日本言語学会機関誌『言語研究』三〇号に発表されたものだが、今回改めて読み返してみても、この論文こそが孝夫言語学の「原点」中の原点であり歴史的論文だと再確認した次第だ。孝夫の文章にしては、「初めての学術」を意識し過ぎたせいか、珍しくやたらと西洋言語学者等の紹介・横文字引用や漢字の過多使用が目立って、やや読みにくい嫌みな論文ではあるが（そのことは孝夫自身も認めており、「あれは私にしては妙に学者的に気負って書いたもので、こわばっているし面白くもない」と語っていたものだ）、それはやむなしとして全体を通して脈打っているのは、「鳥類の音声活動」の研究は「人間言語の本質的な記号性の理解にも少なからず示唆を与え得るもの」との前人未到の気づきと確信に他ならない。このこと自体が今日からみても驚くべき功績だろうが、この論文執筆時はまだ満年齢で丁度三〇歳の若さだったことを思えば、さらに驚嘆の度合いが増すというものだ。しかも日本の敗戦後まだ一〇年しか経っていない時期でのたとえば次のような考察の先見性、超時代性はどう受け止めればいいのであろうか。

「およそ人間に関した現象を比較研究する場合には、人間に成可く近い構造を持つ動物、即ち哺乳類、然も主として高等な猿類が実験対象として用いられるのが通例であるが、（中略）人間の言語の本質解明には此の種の研究がほとんど寄与していないのが現状なのである。（中略）記号伝達行為を直ちに所謂智能と結びつけた為に生じた極めて根の深い誤謬の現れに他ならない」と断言し、「大脳がさほど発達しておらず、分類学上哺乳類の下位に位する鳥類を、記号活動それ自体の示す相似性の故に」とり上げれば「言語の持つ記号性の理解が深められると同時に、言語記号の成立過程に関しても新たなる見通しが得られるのではないか」との予測を立てて、左記の通り大胆な論を展開していったのである(要約的に紹介するが)。

㈠　鳥類の記号伝達は音声活動を主とし、これに視覚的要素が加わっている。動物界で鳥類ほど音声を複雑多岐な用途に供しているものは見当たらない。哺乳動物ですら鳥類に比べれば全般的に遥かに無口だ。人間と鳥類は記号の channel の点で極めて相似している。

㈡　音声の積極的学習という点で、人類と鳥類は非常に共通した性質を持っている。学習能力では他の動物が全く及ばない高等類人猿においてすら音(声)の積極的学習は殆んど認められない。このように考えると人類の幼児が学習によって大人の発音を真似るということは真に驚くべき事実だが、鳥類にはそれが認められる。オームや九官鳥等の所謂物真似鳥に限らず殆んど全ての鳴禽(めいきん)(よく鳴き、さえずる小鳥)はそのさえずりを親鳥から学ぶのである。

㈢　Spontaneous babbling (prattle)、つまりは自発的、無意識的な発声、おしゃべり、むだ話、音声を用いての遊びが鳥類の幼鳥においても人類の幼児においても共通してみられるが、これが大事なポイントだ。この種の prattle は高等類人猿においてすら全く見られない。

㈣　鳥の浮かれ歌(Joy Song)=音声による遊びあるいは喜びの歌も㈢と同様に人類の子どもと共通するもので、これが、とりわけ「人間言語の持つ極度の自律性の発生過程を考える際に見逃すことの出来ないものである」。

この音声による遊び、音声をもてあそんで Joy Song を歌うのが人間と鳥だけという発見というか認識に、今日時点から実に半世紀どころか六七年も前に行き着いてしまっているのが畏るべきことであり、その破格の考察力が眩いばかりであろう。そして人間の言語活動の原初が「浮かれ歌」であるとは、なんと魅惑的な把握であることか。つまり生きてあることの喜びの歌が鳥たちと共通してのことばの始まりだと揚言しているのである。「そんなの言語学と呼べるのか、とさんざん非難も浴びましたが、私には私にしかできない言語学の創出だという確信があったので無視したわけです。で、その論文のいちばんのさわりを紹介しますと、鳥と人間だけがお腹がいっぱいになると声を出して歌う生き物だという発見です」(『鈴木孝夫の世界』第2集30)との後年の振り返りもなんと爽快であることか。そして、こうした洞察がその後「空の記号」という孝夫言語学の主柱的用語の一つとなる着想に向かうのは必然とも言えよう。あるいは、その一歩手前まで既に来ているとも、だ。

なお、この論文では『鳥の歌の科学』という著書を一九四七年に刊行している京都大学名誉教授(当時)川村多実二の先駆的業績、即ち鳴禽の鳴声を、地鳴き、さえずり、浮かれ歌の三種に大別しての地道な研究を高く評価しつつ多くを学んでいるのだが、その中から一点、とくに枢要な学びを紹介しておこう。鳥の鳴き声のうち地鳴きの研究は多々あるが、さえずりについての研究はなされていないことに気づいたとした上で「そうすると日本では江戸時代から鳥のさえずりというのは親鳥が子どもに教えるということがすでに確認されていた事実がわかった。さえずりの大部分は本能じゃなくて学習の成果なのだということを江戸時代の鳥屋さんたちはちゃんと知っていたということが文献でわかったのです。だから昔の人は日光で声のよいウグイスの雛をとってきて、京都でもっと優れた先生のウグイスにつけてさらに上手に『ホーホケキョ』と鳴かせるということをやっていたのです。朝二時間、午後二時間とか訓練してね。しかもその鳴き方の流派までいろいろあって、ナントカ流では何千両もの値段になるコンテストがあったということまでわかってきた。日本ではこのように鳥のさえずりは地鳴きとは違って遺伝じゃなくて学習だということを江戸時代から知っていたわけです。ヨーロッパ人よりも二〇〇年も前に知っていた。これは驚嘆すべきことであり、素晴らしいことです」（第2集29～30）と語って鳥の鳴き声がいかに研究に値する大テーマであるかを力説、かつ日本の江戸時代文化レベルの高さ、豊かさを強調しているのである。

言語の発生を知能発達の結果と考えるのは西欧的言語観でしかない

人間の言語活動を、もしも他の動物との比較で考えたり研究するのであれば、誰もが類人猿を持ち出すに決まっているであろうところ敢えて鳥との対比に向かっていけた独創性が際立っているが、孝夫にはなぜそれが可能だったのだろうか。

少年時代から殊の外鳥好きだったことが大きく影響しているのは間違いないが、しかし、それだけでは解とはならない。「その頃まで私は、長年の間熱心に取り組んでいた鳥の研究と、本職となった言語学が私の中で学問的に結びつくなどとは思ってみなかった」（『教養としての言語学』33）と孝夫自身述懐しているくらいなのだからそうストレートではないのだが、それではなぜ結びつくことになりえたのだろうか。

その当時世界規模で様々な学問分野から注目を集めていた動物行動学に孝夫も関心を寄せつつ触れることによって、「動物のいわゆることばを記号論的に観察してみると、そこには人間言語の基本的な仕組みや本質の理解に役立つ、多くの手がかりのあることに私は気が付いた」（同書34）とのことであり、動物行動学的観点をもちえたことが大きな前進のばねになったと言うのである。ただし、ここまでは孝夫ならずとも動物行動学をかじった研究者であれば誰もが辿りつけたのではなかろうか。繰り返しともなろうが、孝夫ならではの凄みと独創は、ここで同じ動物でも人間に比較的近いとされる類人猿との対比には断固として向かわなかったことである。「(私は) 人間言語の本質を考える際に、鳥類の音声活動を軽視して、ひたすら『知能の高い』高等類人猿に比較の対象を求めようとする欧米人の考え方に疑問を持ち続けていた」(同右) というふうに。

孝夫は、なんとこの時点ですでに言語の発生を知能発達の結果と考える西洋の伝統的言語観を突き抜ける智力をもっていた様子なのである。米国に手ひどい敗戦を強いられ、一時は米軍統治下に置かれた後間もない時期、そうであればこそ欧米第一主義が圧倒的な支配力をもっていたはずの当時の学界状況において知能優先の欧米的言語観(その時期力をもっていたもう一つの陣営、旧ソ連に与する側の学者たちもこの点では同類だった) をあらかじめ超えていた様子なのだから、これはもう神がかり的に畏るべき慧眼だと言わねばなるまい。何ごとにおいても欧米中心主義にはなびかないという鉄の意思で、孝夫は若き日から一貫していたのであり、文字通り筋金入りなのである。そのあらかじめ凛とした構えが他の言語学者らとはレベル違いで鳥類との比較に赴くことができた主因に他ならない。つまり三〇歳になるかならないかで、鈴木孝夫は子どもの頃から愛してやまない鳥たちと共に欧米至上主義を軽々と乗り越えて飛翔していたのであり、だからこそ時代を超越した論文を書くことができたのである。

しかしながら、というより、そうであればこそ、というべきか、この論文、並びにその素となった日本言語学会(一九五五年一〇月) での草稿の口頭発表は当時の言語学界からは完璧に無視され黙殺された。それればかりか当時の権威の一人からは、「大変面白いが、しかし、これは言語学の研究と呼べるものだろうか」とまで否定され一蹴されたとのこと(著作集6所収の「日本語学はなぜ成立しなかったか」

等参照)。その後の推移からすれば笑うほかない珍事だが、一方ではやむなしとも言わざるをえまい。それほどに時代を遥かに超えてラディカルだったからだ。

なお孝夫はこの初めての論文について後年こんなふうに書いていることも知っておいた方がよかろう。

「そして私のごく初期の学術論文の一つが『鳥類の音声活動——記号論的考察』という当時の世界の言語学の常識を破るものであったことを見てもわかるように、人間の活動を人間の立場だけから見て研究するということは、なんとも手前勝手なことであるというのが、私の学問の一貫した姿勢であった」(『日本の感性が世界を変える』あとがき)——まさしく「世界を人間の目だけで見るのはもう止めよう」と同一の表現である。

ともあれ不朽のロングセラーであり孝夫の初出版とされる『ことばと文化』刊行に先立つこと、実に一七年も前に、こんな畏るべき論文を書いていたことに何度でも思いをいたす必要があろう。

併せて近年鳥のことば、鳥類のコミュニケーションに着目した動物行動学等における研究が日本でもかなり活発になされている様子だが、そうであればこそこの他ならぬ日本においてかの初論文を今日から六七年も昔に発表して以来鳥類の音声活動、鳥たちのことばに光を当てつつ独自の大言語学を創成した先人が存在していた事実に改めて目を凝らし敬意を払う必要があるのではなかろうか。

孝夫初の論文に最大の恩師井筒俊彦の関与が殆どゼロとは

もう一点、さらに驚くべきことがある。それは孝夫本人によれば、この論文を書くに際して、「恩師」井筒俊彦からは殆ど指導や助言を受けていないということだ。井筒俊彦(一九一四年~一九九三年)に師事して既に八年も経っており（途中一年の米国留学があるとは言え）、異例と言ってもいいほど親密な関係・交流を続けていた時期の論文であるにもかかわらず、「この論文を書く上で井筒さんからはどんな指導や協力を受けたのですか」との我が質問に対し、答えてくれたのが、「井筒先生は、このテーマには何の関心もなかった」との一言。また日本言語学会機関誌（『言語研究』三〇号）への掲載に際しても井筒の世話には全くなっていないとのことであった。

初の学術論文発表というのに、これはかなり異様なエピソードではなかろうか。普通に考えれば師弟関係を結んだ弟子にあたる若手の学者が初めての論文を書く時には恩師の指導や応援がそれなりになされて当然であろうに、それが殆ど皆無というのである。ましてこの二人の場合はある種驚異的なほどに濃密な師弟関係をそれまで足かけ八年もの長きにわたって結んでいた（ある時期は井筒宅で起居まで共にしていたほどに）というのに、この決定的に大事な局面で井筒からの直接関与が殆どゼロとは……やはり孝夫は学問的には始原からして井筒から自立していたと見るほかなかろう。傍目には井筒の付き人か書生の如く見えていた時期がかなり長くあったとしても、だ。もしもこの件を井筒側に立って考えれば、弟子に対しては、見込みあると認めれば認めるほど、いざという時にはいい意味で突き放す流儀であったとなるのかもしれないが、いずれにせよ、それまでに受けた有形無形の様々な影響がベースとしては相当にあったとしても実際の執筆時において孝夫が正真正銘自力でこの画期的初論文を書いたという事実には改めて敬服の思いを寄せておきたい。

先走ることになるが、この驚くべき事実に、いち早く後年（一九六四年九月）の井筒との決別の芽が胚胎していたとも言えるのではなかろうか。というより『ことばと文化』が井筒との絶縁と自立宣言の書でもあったとの話は後述するとして、それより遥か以前から学問的には井筒から自立していたとなるのではなかろうか。学問の方向性がハナから異なるし、殆んど無縁であるからだ。孝夫にはイスラームへの深い理解と造詣はあっても（この事実には井筒の影響が強く認められようが）井筒が入れ込んで研究したすこぶる形而上学的なイスラーム神秘主義への関心はうかがえないし、一方井筒には鳥への関心など一欠片もなかった様子だからだ。自分が先にそうしていた軽井沢の森に山荘を構えて暮らすよう孝夫を誘ったのも井筒であるにもかかわらず、井筒は森に棲む野鳥の個々どころかスズメとカラスの違いすらわからないほどの鳥オンチだったとのことでもあるからだ。

孝夫にとって井筒俊彦とは一体どのような意味で「恩師」と呼べるのかは、改めて問い直してみる必要があるのではなかろうか。古代ギリシャ語やラテン語、アラビア語やペルシャ語、トルコ語、そしてロシア語やフランス語、ドイツ語等の諸外国語文献を次から次へと容赦なく一緒に読んでいったという点で諸外国語理解と習得の得難くも手厳しい教師であったこと、同時に重要な諸文献読破・受容の水先案内人であったこと、その中には後年の孝夫にとって極めて枢要な存在となるレオ・ヴァイスゲルバー（ドイツ）の言語哲学も入っていたこと、そして言語意味論への関心をかきたてたことも大恩であるのは間違いないが、さて、それ以上に何があったのだろうか。普通に受け止めればこれだけでも充分過ぎると言えるのだろうが、しかし、この肝心要の初論文に関しては殆ど井筒の影が見えないのである。強いて言えば記号論との出会いが井筒と共同で読んだ米国の文献からだったとのことにつき、そうした影響は認められようが、しかし直接指導を受けたというほどのものではない。やはりどう多めに読みとろうと努めても、この初論文への井筒の具体的な関与と指導の跡は殆ど見出すことができないのである。そんな事実も踏まえた上で孝夫にとって井筒はいかなる意味で最大の恩師なのかについては今後も考えていくこととしたい。

人間学としての「面白い言語学」をめざして

さて、この初論文以後、孝夫は独自の言語学創成に向けて精力的な研究を行なっていくのだが、その際の基本方針というか初心のようなものをここで見ておきたい。それは例えば初論文発表からかなり後年（一九七八年）の文章だが「私は生来抽象思考が苦手であり、生々しい、生気に溢れた人間の言語活動をば、出来るだけそのままの形で整理し説明する道を模索してきた。したがって私の言語への関心は、一般には言語学の枠内に入れられることのない動物学、生態学、人類学、社会学そして文学といった多岐にわたる分野からの切り込みを示している。……何とか『面白い言語学』の糸口を見つけることは出来ぬかというのである。私が目標とするものは、言ってみれば『人間学としての言語学』なのである。言語は人間特有の現象であるのみならず、人間らしい人間の活動の全てにつながっており、そして人間にとっていちばん面白く、つきることのない興味、関心の対象は人間だからである」（『ことばの人間学』後記）という言い方からうかがうことができよう。何はともあれ言語学を一部にあるかもしれない「つまらぬ、味気ないもの」との印象から解き放ち、「面白い」学とすべく、先ずは自分が面白がって学び、研究できるものにしようとの構えが明白ではなかろうか。そうである限り孝夫言語学はある種の総合性、グランドセオリーの大道を切り拓いていくことになるが、それは同時に「人間学」の幅と内容を大胆におし広げていく方向でもあった。

すでに言うまでもなく孝夫において「人間学」は初めから人間中心主義や人間第一主義に汚染されたものではない。人間をあくまでも動物の一種とみなして人間という動物に固有の言語の本質と現象、その謎と面白さを解明していくのが言語学者としての我が使命だと言挙げしているのである。人間を

1953年5月、明治神宮にて野鳥の声の録音中（中央が孝夫）

絶対的存在として別格化するのでなく、いつも自然、地球環境とのつながり、他の動物との関係性において、いかなる生き物かを問い続けるのが若き日からの孝夫の流儀であり、そうであってこそ「人間学」は深まるとの確信だ。

話を少し戻せば、だからこそ一九五〇年代に若干三〇歳にして鳥類の音声活動との対比において人間言語の在りようを考察するという世界中探しても極めて稀な視座をもちえたのである。しかも忘れてならないのは、そもそもが鳥類の音声活動が活発になされる場所、中でもJoy Songがこだまする空間とは大小を問わず緑豊かな樹木に恵まれた森や林に他ならない。樹木群や森のないところで鳥類の音声活動が時間をかけて入念に観察され、研究されることはあり得ない。その意味では、かの画期的初論文は、孝夫がその五年前から（井筒に強く誘われて）山荘を構えて、しばしば長期滞在することにもなった軽井沢の森が日本有数の「野鳥の王国」であったこと、また東京・渋谷近くの西郷山に隣接する住まい界隈にも野鳥が行き交う樹木群が当時までは比較的豊かに残っていたことが前提となって初めて産出されたのである。

そうした森が、しかし、以後の時代変遷の中で急激に損壊されていき、軽井沢の森でさえもが孝夫の目からすれば「死の森」化していったのである。当然にも鳥類の姿は激減し、その音声活動も衰退の一途となってきたことからして孝夫が環境問題にいち早く目ざめ、警鐘を鳴らし始めるのは不可避であった。少年時代から鳥を追いかけ、鳥と戯れ、鳥たちのJoy Songとともに生きてあることの喜びを体感して育ってきた孝夫が、鳥たちのためにも、その音声活動を自ら楽しみながら研究を深めるためにも環境問題に意識を高め発言していくのは内面的必然なのであった。

第二章　週に三日のラボ（教育センター）通い、谷川雁との邂逅
――ラボ草創期は『ことばと文化』への不可欠の階梯でもあった

「思い起こしてみると約四〇年前になりますが、私がラボという団体を紹介されて関係をもった頃は、TEC（テック）という東京イングリッシュセンターの略語で、ラボ機という当時としては非常によくできた英語と日本語を学ぶ語学学習機械を売る会社という印象が強かったですね。それが、どういう風の吹き回しか、言語教育についての学問的な裏付けや子どもに英語を教えるときにどういう問題があるかなどの点で、言語学者の学問的支援を仰ぎたいということになって、東京言語研究所というのを立ち上げたわけです。その初代の所長は、当時まだ東大の現役教授だった服部四郎というえらい先生でした。そしてテックの中心であった榊原陽さんと谷川雁という詩人。このお二人が思想的・哲学的な幅のある活動もされていたということがあって、単に狭い意味での言語だけではなく、哲学的な背景とか文学的な関連も含んだ研究所になったわけです」（二〇〇六年一一月、アートデイズより刊行の鈴木孝夫とC・Wニコルとの対談本『ことばと自然』17）

九四年に及んだ鈴木孝夫の全人生と学問、言説を見わたすとき、容易には視界に入りにくいであろうが極めて大きな履歴上の史実がある。孝夫について語ったり研究する際、看過してはならない足跡がある。それは他でもない、在野の言語教育事業体であるラボ教育センター（元株式会社テック、以後基本

的に「ラボ」と表記）並びにこれが主宰し全国的に運営・展開するラボ・パーティとの出会いと関わりである。このラボと孝夫との相関は、ラボにとって計り知れないほどに恩恵的であり有益であったが、孝夫の学問・思想形成にも少なからぬ影響を及ぼしたというのが筆者の確信でもある。ついては本章では孝夫とラボとの関わり（前半）を書いておきたい。孝夫理解を深めていく上でかなり枢要な位置を占めるラボとの関わりがあまり知られないまま放置されているのはもったいないことであり、それどころかあってはならないと考えるからである。

併せて、「はじめに」で一言触れた通り筆者が孝夫と出会うことができ、親しく協働させていただいた事の始まりもラボという場を通してであること、ラボがなければ孝夫との特権的にして恩寵的な縁は生じなかったのであり、そうである以上筆者には孝夫とラボとの浅からぬ相関について書くべき責務があると思料するからでもある。さらに言えば筆者をおいて、このテーマに関する書き手はいないとの自負と使命感につき動かされてのことでもある。

なお孝夫は、ラボとの関わりを「まるでキセル乗車みたいなもの」とよく語っていたものだが、その意味は、ラボ草創期の五年ほどとラボが創立四〇周年を迎える頃の五年余がラボとの同伴、協働の期間であり、この二つの時期をはさむ三〇年余は諸事情から殆ど関係が途絶えていたのを説明する表現というわけだ。それでも通算すれば一〇年以上のラボへの関与があり、かつかなり濃密な共同関係が築かれたのであるから、この関係史は可能な限り明らかに記して残しておくべきとなろう。本章では先ずラボ草創期における五年ほどの物語を中心に見ることにしたい。

はじめに米国ミシガン大学での服部四郎との出会いがあった
——当時のアメリカ言語学批判で意気投合

一九五〇年七月、孝夫はガリオア奨学金による留学生の一員として米国に渡ったのだが、そこで、一人の言語学者と出会うことになる。当時東京大学助教授であった服部四郎だ。この出会いが、その後のラボとの関わりの起点となった。

服部は、当時四二歳だから孝夫よりも一八歳年長で、孝夫より少し前に東大からミシガン大学のモンゴル語教師という形で派遣されていたとのこと。で、孝夫が同年九月にミシガン大学に着くと、そこに服部がいて知り合ったという次第。当時はもちろん「日本人が少ないので意気投合して、毎日お昼を一軒だけある中華料理屋（注：chop suey shop チャプスイ＝米国式中華料理店）で中華ソバを食べながら、言語学の話、ご自分の話、もうずいぶん伺った」とは、田中克彦との対談本『言語学が輝いていた時代』（二〇〇八年、岩波書店刊）で述懐している思い出だ。ここでの「ご自分の話」にあの謹厳ぶりを絵に描いたような服部にしてかなり苦しんでいたという女性関係も含まれていたらしいのは面白いが、それはさておき、より興味深いのは、このとき二人の間には当時のアメリカ言語学に対する不満と批判においてたちまち連帯感が生まれ、気脈が通じていったことだ。

このことは直接孝夫本人からも聞いている話だが、それに田中との対談本でのやりとりを足すと要するに当時の「ミシガン大学では意味ということを口にするのも言語学者としてはよろしくないという雰囲気」が顕著であったとのこと。「アメリカ構造言語学の最盛期」で、「言語学は口から出て他の人の耳に到達する音波だけを研究する」ものとの風潮がはびこっていて、音韻論とともにヨーロッパ的な意味論の研究も進展させたいと期していた服部にとっては極めて居心地悪く批判的であらざるを得なかった。そこへ日本からやってきた自分より随分年下の後輩が、一九四八年には慶應義塾大学で出会って既に親しく交わっていた井筒俊彦から直伝の意味論を引っさげて現れたのだから服部にとっては大きな驚きであり刺激であり、一種の救いでもあった様子。中華ソバを食しながらの連日の会話が否応なしに弾んだであろう情景が目に浮かぶというものだ。

で、孝夫はと言えば、長い旅路を経て漸くミシガン大学に到着したかと思えば、わずか一週間で言語学科に見切りをつけて古典ギリシャ語科に鞍替えしてしまったというのだから、これまた凄まじい決断であり行動であった。「私はギリシャ語を日本でもやっていたから、古典ギリシャ語科に移ってしまったのです」というふうに。それにしてもほんの一週間でのアメリカ言語学への見限りというのはなかなかできることではなく、ここにも孝夫ならではの踏ん切りの鮮やかさがみられよう。他にもせっかくアメリカの大学に来たのだからと英語力そのものを高める講義も受けるようにしたのだが、つまらぬ英会話的なやりとりばかりで愚劣過ぎたので、それにも出なくなったとは本人から直接聞いた話だ。これまたいかにも己の価値判断に過激なまでに忠実な孝夫流取捨選択だ。この辺のことを振りかえって後年孝夫が語っている講演記録があるので紹介しておこう。

「私が古代ギリシャについて、よく勉強したのは、一九五〇年、敗戦後初めてのアメリカ留学生としてミシガン大学に行った時です。もちろんはじめはせっかくだから言語学をやろうとしたのですが、当時のアメリカで隆盛を極めていた言語学というのがバカもいいところで、どうしようもないことがすぐわかったのです。……何たるたわけか、私はすぐに大喧嘩して、たった一週間で言語学科をやめて古典ギリシャ語学科に鞍替えしてしまった。それで、古代ギリシャ（語）についてては、アメリカに居ながらかなりよく勉強したというわけです。そして、古代ギリシャは多神教文化であり、ヨーロッパと似ているのではなく、むしろ日本と共通するところが多いことを知ったのです。古代は世界中どこも同じで、一神教が出てきてから世界はおかしくなったのです」（『今こそ西洋文明から日本文明への交代を！』曼荼羅本431～432）

転んでもただでは起きないどころか、井筒俊彦から教えてもらった古代ギリシャ（語）学習を深めるべく転科して、結果的に現在も当時も一神教の牙城とも言うべき米国の大学で、古代ギリシャは日本と同じく多神教であったことを具体的に確信できたというのだから（一九五〇年時点で）、やはりただ者ではない。同時に一神教が現れてくるのは人類史においてわずか二～三千年前からのことで、それ以前は世界中が全て多神教であったこと、そして多神教の方が文化的に遥かに上等との予感も抱き始めた様子なのであるから、思想的な観点からしてもこの転科は大正解であった。

ともあれ、斯くして服部四郎と孝夫はミシガン大学において、アメリカ言語学への反発と批判をベースに、相当に親和的な絆を結んでいくのであった。米国に戦争で大敗してから間もない時期に圧倒的勝者である当時の米国に渡って、並の人間であれば何であれ、ひたすら受け身的に学ぼうとするであろうところ、当時流行りでそれなりの勢いもあったアメリカ言語学への全面批判において共鳴し合ったという点では、両名ともさすがの気骨と見識だと言わねばならない。また彼の地でのかかる親睦が、後年孝夫がラボに関わる契機ともなったのであるから運命的でもあった。学問上は服部からの影響は殆ど受けていないと後に語る孝夫だが、服部からの招請、服部との米国での出会いがなければラボとの関わりはあり得なかったとは本人が繰り返し語っていたことでもある。かつてラボで働くことを通して孝夫と出会うことができた者として、他ならぬこの二人がミシガン大学で知り合い交流を重ねる縁があり得た巡り合わせに改めて感謝したい。

時系列的には、孝夫のテック＝ラボとの関わり発生の前である一九六三年四月から翌六四年三月までの間、服部からの強い依頼を受けて、孝夫は当時服部が教授となっていた東京大学文学部並びに大学院の非常勤講師として意味論の講義を行なっているのだが、これまたミシガン大学での親交があってこそ生じた経歴だ。一九六〇年に井筒俊彦の勧めもあってエルンスト・ライズィの『意味と構造』を翻訳・刊行した実績に服部が着目してのことでもあったらしいが、その源にはミシガン大学での親和の日々があったのは言うまでもない。例えばこのように二人の密な関係性がそれぞれ帰国後も続いていたのであり、その流れを受けて孝夫の、六五年秋からのラボ通いが実現したという次第だ。

実はその前、東大での非常勤講師を終えて半年後の一九六四年九月にはカナダへ渡り、モントリオールのマギル大学イスラーム研究所に赴任したのだが、なんとその着任の夜、恩師である井筒俊彦を「破門」してしまうという、既に伝説化している大事件が起こっている。この「破門」という表現は井筒と親しい関係にあり、口の悪いことでも知られていた慶應義塾大学の某教授（当時）が、孝夫のことを「この人は弟子のくせに先生の井筒を破門した」となじったのが学内の一部に広まったことに由来するらしいが、そう言われても当然なほどとんでもなく激越な決別の仕方を孝夫は大恩ある井筒に向けて敢行したのである。

この井筒「破門」に関しては別に詳しく後述することとして、いずれにせよその翌六五年九月マギル大学での仕事を終えてカナダから帰国後すぐに服部四郎による熱心な誘いを受けて孝夫のラボとの関わりが始まるのだが、この顛末もかなりの起伏に富んだ劇的展開と言えよう。井筒の弟子を続けたままであれば、どう考えてもラボ入り、ラボ通いは不可能であったはずにつき、筆者からすれば、その前によくぞ「破門」してくれたものよ、と深く感じ入るところでもある。

（元）詩人谷川雁（革命家）と密に交流、協働

斯くして鈴木孝夫はラボ（元テック）との関わりを始動させ、「週に三日ほどテックが借りていた渋谷駅近くのビルのひとつである交信ビルに通っていたのですが、とくに何をしたということはなくて、必要に応じて服部先生をサポートしたり、あるいは榊原さん、谷川さんの相談に応じたりしていた感じですね」（谷川雁研究会機関誌『雲よ』創刊号掲載の「テック創立時の経営者谷川雁の気宇と輝き」）といった日々を過ごすことになる。一方で慶應義塾大学助教授としての本業があったにもかかわらず週に三日のラボ通いとは相当な深入りと言わねばなるまい。住まいと当時のラボ本部事務所が歩いて一五分くらいの距離であったことが幸いしたのは間違いないが、しかし心から納得しない活動には一切関わりをもつことがない（だからこそかの「破門」事件も生じたのだ）孝夫の性分と生き方からすれば、このラボへの関与の仕方はやはりよく考えた上での内発的な深入りだったと断言していい。

ラボ草創期の頃の孝夫

そんな新たな歩みにおいて先ず特筆すべきは、谷川雁（一九五〇年代〜六〇年代前半、詩人・思想家・革命家として眩い活動足跡を残した伝説的人物）との邂逅があり、彼との日常的な対話・協働の関係が築かれたということだ。奇しくも谷川

雁も孝夫がラボと縁を結び始めたのと全く同じ一九六五年九月にテックに入社したばかりなのであったが、この偶然の一致も、偶然というにはあまりにもよく出来た一致であり、これまた運命的（天の導きと言うべきか）と言うほかない。谷川雁は、この直前まで「工作者」、革命家として九州は筑豊の炭鉱、大正鉱業において彼にしか為し得ない炭坑労働者の不退転の闘いへの内在的関与を果たしきった後に上京し、テックにて時代変化に即応した新たな教育革命、文化革命の企てに心機一転、参画し始めた時期なのであった。

で、その後まもなく雁はテック役員となり、六六年三月テックの一事業部門としてラボ教育センターが発足した際は常務理事に就任。そのオルガナイザー、「工作者」としての構想力と才を全面的に発揮しながらテックが展開していたあらゆる言語教育事業において八面六臂の大活躍を重ねるのだが、そうした中で孝夫と雁は日常的に協力関係を結んでいったのである。

六六年四月、テック関連の言語学研究機関として服部四郎を運営委員長に据えた「東京言語研究所」が設立されるや、雁はその事務局責任者となり孝夫も運営委員（服部、雁を含めて計七名）の一人となって、二人は協力しながら服部をサポートして研究所活動の円滑な滑り出しと運営に力と知恵を惜しみなく出し合っていった。「（ラボのオーナー経営者である）榊原陽さんはほとんど来なかったが、谷川さんは特別な用がない限り、私がラボに出社すれば、ほとんどいつも私の部屋（孝夫専用の個室まで用意していたのだからこの特別待遇ぶりも異例）に来て、世界の言語学の状況や服部先生関連の仕事の話を含めて、さまざまな対話を交わしていた」というほど頻繁に付き合っていたとのことだ。谷川雁は「おそらく言語学を一つの手がかりにして世界に切り込むことを構想していたんだと思います」（『雲よ』第3号掲載の孝夫の一文より）との孝夫の証言が、当時の雁の真摯にして旺盛な革命家精神と大志、活動ぶりを伝えて貴重であろう。このように語る孝夫の谷川雁評価は常にすこぶる好意的かつ共感的であったが、やや余談的に言えば「雁」という鳥の名を筆名としたことへの親近の思いも働いていたのではなかろうか。なお、この時点での二人の年齢は孝夫四〇歳、雁四三歳であった。

チョムスキーの通訳も務めて親交、但しその後相対化

さて、そんな活力にみちた草創期のラボにおいて発案された飛びきりの大型企画が、ノーム・チョムスキーやローマン・ヤーコブソンら当時世界的に超一流との評価が確立しつつあった言語学者を日本に（初めて）招聘して講演会や研究会を開催するというものであった。そのためにも服部を長とする運営委員会（孝夫に言わせれば「ラボ七人衆」）がしばしば開かれ、先方と連絡をとったりして結果的には意外と早く実現することになり、チョムスキーが六六年八月、ヤーコブソンも六七年七月、来日したのであった。「こういう方がたをラボは莫大なお金を使って、どうしてそんなにと思うくらいエネルギーを注いで数年間、毎年のように世界的な言語学者を次々と日本に呼んでいたんです。………ラボは身の程知らずにえらいことをやったんです」（同右の『雲よ』）。

そして、チョムスキーらの講演会は、日本の言語学関係者の大方は勿論のこと、それのみならず哲学、社会学、心理学、文化人類学、文学等広範な領域の学者や研究者らにも多大の刺激を与えることとなり、以後各界で語り草になるほどの出来事にもなったのである。

孝夫は、こうした中で、チョムスキー来日の際には講演の通訳まで務めている。服部四郎を支えながら孝夫と雁は、他のメンバーとも協力しつつ、日本の「言語学が輝いていた時代」を名実共につくり出す仕掛け人でありオルガナイザーであったと言っていい。

また、この講演会等は、子どもの画期的な言語教育、外国語教育を創始するために雁らが主導して誕生したばかりのラボ・パーティの一挙的全国展開と組織基盤づくりにも計り知れないほど貢献した。当時の資料にあたってみると、チョムスキーがなんとテューター・スクールでも講話したり、服部四郎と鈴木孝夫が二人揃ってテューターの研究会に同席して助言したりしているのだ。なんとも豪勢かつ型破りの大志と仕掛けに貫かれてラボ・パーティは産出されたと改めて感じ入るべきであろう。

このように、たとえばチョムスキー招聘を最大限活用したラボであり、孝夫もこれには積極的な協力を惜しまなかったのだが、しかし孝夫の凄みは、このチョムスキーをも客観化し相対化したところにあるとも言っておかねばならない。

「私がチョムスキーを最初すごく面白いと思ったのは、初期のチョムスキーは動物学のエソロジー（動物行動学）という考えや心理学を猛烈に使っているからですよ。それで、私と話が合って、通訳したときも、どうしておまえ日本人なのにそんなの知っているんだというから、私はエソロジーは自分が鳥好きだからやっているって言った」「だけれども、あっという間にチョムスキーは純粋の構造だけに興味がいってしまった。私の譬えをいうと、私は女の人が好きだけれども、女の人の骸骨は嫌い。骨は抱く気がしない」「チョムスキーは骸骨の言語学。ぼくのは血と肉、ギュッとつかめばキャッという、そういう言語学をしたいんだ。……まさにそういう切れば血が出るような言語の生体解剖をやりたいので、チョムスキーにはあまり興味がなくなっちゃった」（田中克彦との対談本『言語学が輝いていた時代』というふうに、である。同じく「今までの言語学というのは、どちらかというと標本解剖であって、私の言語学はどれだけ成功しているかは別ですけれども、言語というものの生体解剖というのを考えている訳なんです」(「言語学の新たな出発」著作集6、226)というふうに、だ。

孝夫が「人間学としての言語学」をめざした背後には、チョムスキーとの言語学的離別があったこともおさえておく必要があろう。その「人間学」とは「切れば血が出るような言語の生体解剖」というのが、いかにも孝夫的だが、この「人間学」がいわゆる近代的な人間中心主義に染められたものでは全くなく、それどころか対極に位置するものであることは何度でも強調しておかねばならない。あくまでも地球上に存在する動物の一種としての人間、その人間ならではの言語を生み出して駆使するようになったが故に特異な進化を遂げてきた人類という不可思議にして厄介極まりない生き物だが、それだけに謎と興味の尽きない種への関心であり執着なのであった。

そして、繰り返しになるが、その眼差しにはいつも鳥との比較があり続けた。小学生時代からの鳥への興味と愛着があり、鳥との対比において人間とその言語活動を見つめ研究するのが孝夫固有の発想であり方法なのだ。初期チョムスキーへの高い関心と評価も実はその交点においてだったのであり、そうした共通点からチョムスキーが離れていけば、ためらうことなくチョムスキーをも遠ざけて、より一段と自分の研究、つまりは「鈴木孝夫の世界」構築に邁進していったのが、この時期の孝夫なのである。それは、とりもなおさず独自のグランド・セオリーとしての孝夫言語学創成へ向けた必要不可欠な取捨選択でもあった。言語の構造にのみ傾いていくチョムスキーではグランド・セオリーにはなり得ないというふうに。

そう言えば井筒との決別の根っこにあるのも、つまるところ鳥への愛着と関心なのだ。井筒がイスラーム神秘主義研究への傾斜を強め、その研究への同調圧力が孝夫をして井筒を「破門」せざるを得なくさせた主因なのだが、そのような超越的な思弁の天空に向けて上へ上へと飛翔する道をたどったのが井筒だとすれば、孝夫は対極の道を選んだのである。即ち鳥への関心、鳥との対比的研究から、あくまでも動物の一種としての人間、そうした人間が生み出し使用する言語の始原と本質への探究がなされたのである。そうである限りその研究のベクトルは文化人類学あるいは動物行動学的な要素をも含んで下へ下へと沈潜的になるのが当然。このように元々あった本性的な相違からして、かのマギル大学における「破門」の一夜が仮になかったとしても早晩孝夫は井筒とは絶縁する星の下にあったのではなかろうか。それほどに人間のみならず鳥をはじめとする他の生き物たちは、孝夫にとって決定的な存在であり続けたということでもある。

それにしても小学生時代からの鳥たちへの偏愛と関心を我が知情意の主軸に据えつつ自らのオリジナルな言語学を創成する過程で井筒と絶縁し、チョムスキーとも離れたのであるから、この子どもの頃からの首尾一貫性たるや神々しいまでに畏るべし。

言語学は諸学を統合する要になり得るとの大志で谷川雁と共振

話がやや横道にそれたが、あの名著『ことばと文化』が、茫漠たる構想としてはカナダでの井筒との決別以降内生されつつあったとは言え、まだ輪郭を充分に描きされていない段階での、このチョムスキーとの出会いと離別は、孝夫言語学確立へ向けての結果的に不可欠の手順だったのではなかろうか。

そして、その触媒となったのが谷川雁との対話、協働であった。なぜなら谷川雁こそ生涯にわたって「女の人」を過剰かつ謙虚に愛することにおいてリアルな実践家であり、その「骸骨」は断固として「抱く」ことのなかった男だからである。「切れば血が出るような言語」を紡ぎだす達人であり、その言霊はエロスに溢れて喚起力、起爆力が抜きん出ていたからだ。それはラボ以前のいわゆる反体制運動の革命的工作者であった頃から変らぬ雁の特技であり持ち味であった。革命、つまりは「命を革める」活動とその場づくりを求めての飽くことなき挑戦が雁の人生なのであり、彼もまたラボを通してグランド・セオリーを内包する教育革命をめざしていたからである。

さらに言えば、この二人を結んだカギは、「はじめにことばありき」という人間による世界認識の「原点」でもあった。例えば「机というものをあらしめているのは、全く人間に特有な観点であり、そこに机という〈もの〉があるように私たちが思うのは、ことばの力によるのである」（『ことばと文化』33）というふうな「ことばの力」に対する卓抜な洞察であり評価であった。雁の有名な殺し文句、例えば「原点が存在する」「世界の映像を裏返さないかぎり永久に現実を裏返すことはできない。イメージからさきに変れ！」「連帯を求めて孤立を恐れず」等々が今なお使い方によっては鋭い喚起力を保ちえているのもこれらを発した雁の知情意に本源的な「ことばの力」への心服があったからに他ならない。そして「ことばがこどもの未来をつくる」とのラボ不滅の名キャッチフレーズが雁の脳裏にひらめいたのもラボ・パーティ構想をめぐる誰あろう、孝夫との密なる対話の過程においてであったに違いなかろう。

また当時のラボは、孝夫が自らの研究をしばしば interdisciplinary 学際研究（即ち自分の専門をタコ壺的に閉して純粋を保つのでなく自在に専門領域を越境し侵犯し統合していく構えの総合的な研究）と称していたのを受けて言えば、他に類例がないほどその見本のようなトポス（格別な場）でもあった。例えば孝夫が「私はこの本（『ことばと文化』）の中で、日本の人文科学とか社会科学のいちばんの欠点は、狭い領域をタコ壺的に研究するところにあると言いたかったのです。自分の領域を狭く限定して純粋を保って、禁欲して、よそのことをしないという学者が日本には非常に多いわけです。私はその逆で、人類学者ではない、言語学者でもない、論理学者でもない、哲学者でもない、何でもないけど、こう、いろいろ並べるとすごく面白いことができるでしょ、と思ってやっている。これはアメリカが戦争中にやっていたいわゆる interdisciplinary です。学際研究と言って日本では戦後輸入されてちょっと話題にもなりました。でもあまり成功しなかった」（『鈴木孝夫の世界』第1集38）、「私の学問、私の研究のもう一つの特徴は、よく言われる interdisciplinary。つまり、一つの学問領域では覆いきれない幾つかの関連領域の学者が集まって、一つのテーマを論じたり、研究する在り方。そういう学問態度を私は聞いたり、覚える以前から、なぜか身につけていたのです。……だからものすごく面白く生きてくることができたし、学問的には、まあユニークなことを言うわけです」（第2集42）と語っている意味での学際研究の坩堝になっていたと言ってもいい。

何よりも東京言語研究所自体がそうであった。言語学者が多数出入りして「理論言語学講座」を全面的に展開したのは当然のこととして、それのみならず「言語科学公開講座」と称して、他の領域の専門家、知識人も数多動員して、幅広い分野の各種講座を活発に開いていたのである。講師陣とその演題の一部を紹介すれば、時実利彦（大脳と言語）、波多野完治（ことばの心理学）、金田一春彦（日本の方言）、梅棹忠夫（言語と文化）、伊谷純一郎（サルのことば）、大野晋（日本語の歴史）、中村元（論理と表現）、吉本隆明（詩とことば）等々、よくぞこれだけのメンバーを集めたものよとうなるほかない陣容だ。まさに「言語学を一つの手がかりに世界に切り込もうと」していた雁をはじめとする当時のラボ中枢の大志と使命感がみなぎる組立てと言えよう。

更にはこれと連動して、当時刊行していた『ことばの宇宙』という月刊の言語（学）研究誌（現在もこの誌名でラボが年四回刊行しているというラボっ子・ラボ家庭向け冊子とは別物）の執筆陣も半端ではない。服部四郎、鈴木孝夫、井上和子、川本茂雄らの言語学者は勿論頻繁に登場して書いているが、他の様々な領域から、瀬田貞二、宮本常一、三上章、遠山啓、吉本隆明、小松左京、鶴見俊輔、谷川健一、森崎和江、山口昌男、中野好夫、赤塚不二夫、谷川俊太郎、三木卓、沢田允茂等々が名を連ねて誌面を飾っているのだ。これまた殆どが雁主導で集めた書き手群であり、雁「工作」力の結果噴出ともいうべき豪華なラインアップである。学際研究・学際交流の極みと評することもでき、孝夫は(他では殆ど見ることのできない壮観でもあり)心底から感服していたことであろう。

孝夫には元々言語学は人文系諸学を統合する要の役割、つまりはグランド・セオリーの中核を担えるはずだし担うべきとの思念と使命感があり続けたのでラボ草創期に自らも雁等と積極的に協力したが故もあって生み出されたかかる諸学統合可能性を実感させる光景の現出には真実大喜びしていたことであろう。すでに早く『意味と構造』の訳者序文にも「〈意味〉の問題は現代の言語学の中心課題であると言っても過言ではないと思います。しかも〈意味〉は、ただ単に言語学だけでなく、哲学、倫理学、社会学、人類学などの他の諸科学においても、あるいはその理論的基礎づけのために、あるいは最も重要な手段という資格で、各方面から検討を加えられています」と記していることからしてもだ。「言語学には諸学をまとめる役割があるはず」(第2集 8)とは言語学を自らの専門と決めて以降晩年に至るまでの口癖でもあった。「言語学を一つの手がかりに世界に切り込もうとしていた」のは谷川雁だけでなく孝夫も百パーセントそうだったのであり、その凛たる構えにおいてこの時期の孝夫と雁は全身全霊的な同志だったのである。

ついでに触れておけば『ことばの宇宙』誌には中西悟堂と鈴木孝夫との対談「鳥づくし」までもが掲載されている(一九六八年六月号、曼荼羅本に収載)。野鳥の地鳴きとさえずりや人間と鳥との対比等をめぐって小学生時代からの鳥の師匠と孝夫が縦横に語り合っているのがまことに痛快な対談だ。これ又孝夫と雁との週に三日の日常的対話からものの弾みで思いつかれた企画に相違ない。

ともあれ、例えば右記のように草創期のラボにあっては、孝夫がめざすinterdisciplinary、つまりは学際研究・学際交流的な知的雰囲気が満ち満ちていたと言っていい。異種混交のカオスが渦を巻いていたのである。この創造的混沌がうねる熱気の只中からラボ・パーティも誕生し、一気呵成に全国展開していった成り行きというわけだ。そして、このようにすぐれて学際的であり得たとは、ラボが当時とりもなおさずグランド・セオリーの母胎になっていたということでもある。孝夫は、こうした渦の中でチョムスキーとも出会い、一時は共鳴し合いつつも彼との違いも意識化して実質的に離別し、以後ますます自らの学を自立的に深めていくことになる。また孝夫が雁に対して雁の死後（一九九五年二月）も一貫して好意と敬愛を保ち続けていた根拠もここにあると言っていい。そう言えば雁もチョムスキーに対して、その後関心を示した形跡がないところをみるとこの点でも孝夫との週三日対話が作用を及ぼしていたのではなかろうか。この流れでもう一言加えれば、interdisciplinaryとは孝夫にとって言語学専門バカの道は決して歩まないとの意でもあった。

アニミズム的感性・世界観と「子どもの革命性」
――ラボ・テーマ活動は「世界を人間の目だけで見る」のを超えた方向に進展

もう一点、孝夫と雁にはアニミズム的感性というかアニミズム的世界観においても響き合うものがあった。孝夫が鳥たちを子どもの頃から追いかけ、慈しみ、観察することを通して早々と近・現代的な人間中心主義を乗り越えてしまっていたことは先述の通りだが、そうした土台があってこそ折にふれて「生きとし生けるもの全て、いやそれどころか山や森といった無生物にさえ魂や精神性を感じる世界観こそ、日本人が持っている大きな財産であろう」（『日本人はなぜ日本を愛せないのか』11）といったメッセージを発し続けたのである。

一方、雁もまた例えば敗戦直後には宮沢賢治を読んで「〈失読症〉の渦巻から」回復したエピソード（『私の人生を決めた一冊の本』所収）を持つくらいに若い日より賢治作品に親しんで、賢治の骨の髄からのアニミズムを血肉化していた。日本敗戦後の青年期に日本共産党に入党したりもして（その後共産党とは異なる立場をとって脱党、除名）反体制運動の「工作者」として精力的に活動していた時期もそのアニミズムが消されることはなかった。当時多々存在した並の左翼系知識人とは次元違いと言っていいくらいに独特のエロスと深み、喚起力ある言動が可能だったのもそうしたベースがあったからに他ならない。

やや論をひねることになろうが、ここで敢えて触れておけば、六〇年安保闘争のピークとも言うべき時期において雁は「子どもの革命性」を語ってこんな文を書いていることにも目を凝らしておきたい。「学校と家庭の二本建てではどうしても子どものみならず社会の第二組合的心理を温存するところがある。子どもの革命性を信じるならば、二言目にはお父さん、お母さんなどと孤絶した血縁主義をふりまわすことをやめ、せめて複数の親たちという範疇に立ってみたらどうか。未来と接続する教育の観点からするなら、単数の親はなくなるべきである」（「教育は血縁と野合している」一九六〇年六月『教育』誌に発表）というふうにだが、ここにはこの五年後ラボに入社して「未来と接続する教育」創出へと向かう雁のその後が予告されてしまっているようでもあり、またラボ・テューターは「複数の親」の具現ではないかと言いたくなるところで、すこぶる興味深い一文だ。

さりながら、今、ここで特に刮目したいのは「子どもの革命性」ということばそのものだ。谷川雁が六〇年安保闘争のヤマ場においてすらこんなことばを書きつけているのが驚きであると同時に嬉しくなるというものだが、筆者が確信する「子どもの革命性」とは、端的に言えば「世界を人間の目だけで見る」ことがない知情意の謂である。子どもはよほど強制的に早期英才教育なるもの等を圧しつけられない限り欧米近代発人間中心主義に未だ汚染されてない段階にあり、その分世界（自分以外の外部や自然、他の生き物たち等々）を「人間の目だけで見る」ことがない存在だからである。雁が六〇年代後半以降否応なく経済成長主義、人間中心主義に根こそぎからめとられて浮かれがちな大人の日本人全般にはある種見切りをつけて子どもたちとの共同活動に、かすかではあれ「未来と接続する」可能性を探っていった秘密の肝もここにあったと言っていい。

そんな谷川雁が、「子どもの革命性」をラボ教育活動のどんなところに見定めていったかと問えば、例えば次の通りだ。六〇年代後半、「ことばがこどもの未来をつくる」と共に「5才から英語を始めましょう」（今から思うとかなり恥ずかしい表現だが当時は斬新だったのだ）というキャッチフレーズを掲げて日本列島のほぼ全域にラボ・パーティが誕生し、一気に全国組織化が進む中で物語作品の制作と使用も始まったのだが、その際ラボ経営幹部からすれば思いがけない成り行きに直面することになった。「ラボっ子」（ラボ会員）が英語・日本語のナレーションやせりふを発語するのを楽しむよりも先ずは物語に登場する人物の動きは無論のこと、それ以外の動物たち、せりふのない言わば端役の生き物たちの表現、さらには森の木々や海の波、川の流れや風の動き、岩の在りようまで嬉々として懸命に表現する現象が全国各地から報告されてきたのである。そこで当時ラボに関わる大人たちは概ね困惑し、たじろいだのだが、谷川雁は違っていた。子どもたちがその天然の発想と感性、論理と想像力で全身的に表現したがる、そうした一見破天荒ともみなされる表現（例えば当時の学校演劇ではあり得ないであろうという意味で）に思い切りのゴーサインと大評価を与えていったのである。当時の子どもたちが単に登場人物や主役的な動物の表現のみならず、それ以外の様々な生き物や自然の風物、光景等（要するに森羅万象だ）の表現にも喜び勇んで向かう流れに画期的な意義を感じとり、こうした表現も大事にすれば、それこそラボ・オリジナルの表現活動になり得ると直観し確信したのである。その後「テーマ活動」と名付けられる活動の誕生につながるわけだが、この時、雁にあっては宮沢賢治からも刺激を受けて身についていた豊潤なアニミズム的感性・世界観が十全に発揮されたと言ってもいいだろう。

いずれにせよ、こうした推移を経てラボはよくある子ども英会話教室などとは全く異なる「テーマ活動」（世界各国や地域の物語を子どもたちがことばと全身で劇的に表現する独自の言語体験・表現プログラム。トータルに物語世界に内在し、そのテーマを皆であれこれ考え、その世界を細部や背景も含めて全身全霊で表現することが物語を構成することば＝英語等外国語と日本語の体験としても深くなり、結果として心弾むことば習得の本道にもなるとの考え方に基づく方式）を中心に据えた創造的な言語教育事業体になり得たのである。雁からすれば、これでこそ「子どもの革命性」の発現・育成の場となり、敢えて言えば「世界を人間の目だけで見る」ことのない活動の具体化だと思えたことであろう。もとより優れた物語、豊かな物語は宮沢賢治を持ち出すまでもなく殆ど全て人間中心主義ではなく「世界を人間の目だけで見る」のを超えた質をはらんでいるであろうから、ラボが物語を文字通り命とする活動にこだわる限り、こうした方向選択は必然だったとも言えようが。

元々アニミズム的感性・世界観を体現していた孝夫がこのような物語を基にしたラボ・テーマ活動のめざましい進展に心から共感したのは言うまでもないし、当時子ども英語教育を表看板としつつも母語である日本語をとことん大事にした活動（ラボが活動で素材とする物語作品は全て英語・日本語両語対応で制作されている）であり続けたラボの作風にも全面的に賛同していた。米英との戦争中にも一〇代中盤から英語も大好き、ラテン語も鳥の学名を知るために勉強したほど飛びきりの外国語通（「私は一応は言語学者でありながら全世界に六千はあると言われる言語のうち僅か二〇数か国語しか理解できない」というのが謙遜に見えていささかイヤミな口癖であったが）でありつつ同時に日本語愛の強さでも無双であった孝夫からすれば日本語を大事にしない子ども英語教室など百パーセント侮蔑の対象でしかなかった。なので、この点でもラボ・パーティの考え方と孝夫は一致できていたのである。更に孝夫は後に日本語がいかにアニミズム的感性・世界観と一体の言語であるかを明らかにしていくことになるのであるから、若き日から孝夫の言語学的直観においてこの両者（日本語とアニミズム）は二つにして一つであったと記しておいても言い過ぎではあるまい。

鈴木孝夫と谷川雁——表層的な知見からすれば殆ど交点のないはずのこの二人は、ラボ草創期、五年にも及ぶ頻繁な対話を重ねる中で縄文時代からの日本に根づいてきたアニミズム的感性・世界観のかけがえなき価値の（既に高度経済成長期に入って日本中が所得倍増やら消費生活向上に浮かれていた時代状況において）いち早い再発見・再評価の一点においても共振していたのである。

念押しすれば、アニミズム的感性・世界観とは「世界を人間の目だけで」見ることのない眼差しに貫かれたものであり、孝夫と雁は、ラボにおいて互いにこうした眼差しと直観を共有しつつ密に交わり協働し、結果的にラボ草創期を豊麗に彩ってくれたのである。

『歌のすきな小鳥になろう』（We Are Songbirds）命名も両者合作のはず

ラボ草創期において、こうした二人の同志的連携から生まれた事績は多々あるが、中でももう一つ言挙げすべき大事がある。それは『歌のすきな小鳥になろう』というラボ・ライブラリー（普通に言えば教材）誕生に関してである。

ラボで、一九七四年一月に英語圏で子どもたちにも親しまれている歌を集めたライブラリー（日本の歌も一部収録）を制作して刊行したときのタイトルが『歌のすきな小鳥になろう』（We Are Songbirds）なのであった。ラボにほんの少しでも籍をおいたことのある子どもや父母で、「ソングバーズ」を知らない者はいないくらいによく馴染まれたタイトルなのだが、この命名も雁が主導したことは間違いない。そして、このいかにも子どもたちにとって心弾む雁的な命名の背後に小学生の頃から「日本野鳥の会」に入り浸っていた孝夫の嬉し気な笑顔があることも確実。第一章で詳しく見た通り孝夫は尊敬する先人の研究を受けて鳥の鳴声を三種に大別し、三番目に「音声による遊び、あるいは喜びの歌」「浮かれ歌」（voice play or joy song）を特筆する画期的初論文を発表しており、「歌のすきな小鳥になろう」とは殆ど鈴木孝夫作の殺し文句と言ってもおかしくないからである。

「最後に声による遊びであるが、音声をいわばもてあそぶ、つまりvoice playを行うのもやはり人間と鳥だけである。……このvoice playの問題こそは、動物の音声活動と人間の言語活動との興味深い関係について色々な示唆を与えるものなのである」（一九五六年、「三色旗」慶應義塾大学通信教育部）という誌に発表した「鳥の言葉」より。著作集8に所収）という孝夫の文字通り先駆的な文章と「歌は、私たちが出会うさまざまな言語体験の中で、とりわけたしかな浸透力を持ち、そして何よりも明朗な部分です。……ラボの子どもたち全員が、この歌い鳥を窓辺にとまらせてくれるよう願ってやみません」（ラボ教育センター名による「はしがき」）とは文字通り「明朗」に響き合っているといってよいだろう。このライブラリー発刊時には孝夫とラボの関わりは孝夫の諸事情（一九七一年八月から一年間米国イリノイ大学客員教授を務めたこと等もあって）から途絶えていたが、雁は孝夫との対話を重ねる中で何度も耳にしてきた鳥たちのJoy Song（あるいはVoice Play）の話を思い起こしつつ、「歌い鳥」「歌のすきな小鳥」という閃きを得たのに違いない。これまた両者のアニミズム的感性合致の所産だと言っておきたい。

なお、二〇二一年二月一五日に執り行われた鈴木孝夫告別式（神道式にて）では納棺の際、野鳥の声が流されたのだが、使用されたCDのタイトルは、Songbird Symphonyとのこと。ご遺族によれば、数年前、テレビの何かの番組のバックで使われていたのに接して、「おじいさんの葬式にはこれだ！」ということで、そのCDを購入しておいた由だが、これまたなんとも不思議な因縁を感じさせるエピソードではなかろうか。

もう一点つけ加えれば、これはラボ草創期に限った話ではないが、人類史の大局的な把握の仕方においても両者には相通じるところがあった。孝夫が、人類はすでに文明的に頂上を極めたのだから、これからは「地救原理」に則って賢く下山することを第一義にすえた価値観、生き方を選ぶほかないと説いたのは、もう三〇年ほど前からだが、雁もまた経済成長主義を基調にした大衆消費社会化が進むばかりの時代にあっては「蕭々（しょうしょう）たる虚無の声が渡ってくる」「現実にたいする積極性が物質への執着とぴったり重なっている局面には、私の口を出す余地はない」とほぼ見切りをつけた上で「幼いこどもたちともうすこし〈形而上的に〉つきあいたい（ラボのこと）とおもった理由はこの辺にあります」（「二つのモダニズム」）などと書いている。またラボの役割は経済成長主義に対する「一種のブレーキ」だとも述べ「縄文の心に戻っていこうとする心の動き」こそが求められるのであって「ブレーキのない車には乗れたものではありません」（「様式上の主題について」）とまで強調している。その遥か以前から雁には「〈段々降りていく〉よりほかないのだ。……下部へ、下部へ、根へ、根へ」（「原点が存在する」一九五四年）との不滅の言霊があるが、いずれにせよ経済成長主義の虚しさと愚劣をいち早く透視し、「下山」「下降」の意義を力説し続けた根本においても共通する孝夫と雁なのであった。

絶縁、離別、そして距離……服部四郎も相対化

このように孝夫と雁が通い合う点を挙げていけば切りがないのだが、ここでは一旦さておき孝夫と服部四郎との関係で触れておかねばならないことを記しておこう。

他でもない、孝夫は実は服部四郎についてもかなりクールに相対化しており実質において彼とも離別しているということだ。一八歳も年長で且つあれこれ世話になった人物でもあるからだろう、服部については殆ど批判的に語ることをしなかった孝夫であり、「服部先生が日本の言語学の発展・普及・交流に果たされた功績の比類ないほどの大きさ」（第2集 7）を充分認めた上でのことだが、しかし服部から学問的に影響を受けたことはないとは何度も聞いた話だ。その内実は、服部の「主著も『言語学の方法』というものですからね。あの先生はエッセイもお書きにならないし、脱線もない。私はまさに逆で、私は、音声学を抜いた〈音無しの〉言語学をやっているんです、なんていうと、先生は信じられないって顔してた」（『言語学が輝いていた時代』）といった発言から汲み取ることができよう。つまり言語の研究を音声学や比較言語学を中心に方法論的にやるのか、「切れば血が出るような生体」としてまっす

ぐ言語の本髄に迫る研究に向かうかの分岐があらかじめ両者の間にはあったということに他なるまい。意味論への関心は服部の中に大きくあり、それもあってミシガン大学での出会い始め時に当時のアメリカ言語学に対する違和と批判を共にしつつ両者は親交を結ぶことになったのだが、しかし「意味」のおさえ方の根幹での相違、そしてグランド・セオリーとしての言語学をめざすかどうかで、孝夫と服部の間には当初から越えがたい溝があったということであろう。（注：右記引用文に「あの先生はエッセイもお書きにならない」とあるが、服部には『一言語学者の随想』というエッセイ集があり汲古書院より一九九二年に刊行されていることが判明。その旨孝夫本人より訂正が入ったことを付記しておこう）

また本人から直接聞いた話によれば、実際にも決裂に近い出来事があったとのことだ。「世界言語学者会議」というのを服部が一九七〇年頃に企画して東京で開催したのだが、孝夫は一切協力しないことを明言して、その開催期間中も軽井沢の山荘にひきこもっていた由。事実、この一九七〇年頃から年譜的には孝夫とラボとの関係は切れていくのである。孝夫の側に慶應義塾大学言語文化研究所の教授になった上に米国イリノイ大学の客員教授になる等海外によく出かけたり、文化庁国語審議会委員になったりして多忙を極めていた事情もあったのだろうが、やはり服部との実質的離別が主因として大きく働いたのではなかろうか。それと前後して東京言語研究所が「理論言語学講座」一色に変って、学際的色彩が薄れていったことも孝夫のラボ（服部が責任者である東京言語研究所も主宰）への気持ちを萎えさせたに相違ない。

雁を回想する中で、孝夫が「谷川さんが、服部先生と彼自身を比較して、服部先生がきれいな乗用車だとすれば、自分はトラックでありダンプカーみたいなものだと語っていた」（『雲よ』創刊号所収〈谷川雁研究会、二〇〇九〉の一文より）と証言するときの口ぶりがどう見ても雁寄りに聞こえるのは、やはり孝夫の中に当時から服部に対する冷めた見方があったからで話はこう続くのだ。「まともに当たれば乗用車なんてひとたまりもないですよって、時々私に洩らすんですよ。言語学に関わることでは専門家である服部先生を一応は立てながら大抵のことでは言うことを聞いておくが、もしも何かでぶつかることでもあれば、あんな学者はいくらえらくてもどうってことないと言いたかったんでしょうね。つまりはお飾りに過ぎないのだと」

思えば、雁もまた「切れば血が出るような言語」そのものに命をかけたが、「言語学の方法」には殆ど関心がなかったはず。この点でも孝夫と雁は気脈が通じていたからこそ雁は孝夫相手にこんないささか屈折した辛口の服部評をも語っていたのであろう。

ラボ草創期のほぼ五年間、当時日本における言語学の最高権威とみなされていた服部四郎（言語学者にしては珍しく「文化功労者」に選定されてもいる）によく仕え、支えながら、しかしその服部とも距離をおいて自己確立の大道を歩んでいたのがこの時期の鈴木孝夫であり、その触媒役、同伴役を果たしたのが谷川雁なのであった。

この五年間での様々な出会いや経験を通して、孝夫は、ラボと関わる丁度一年前に生じた井筒との絶縁で迫られた自らの退路切断、即ち言語学者として生きのびるために強いられた自問と研鑽、集中学習によって獲得しつつあった閃きや発見を熟成させる機会を得たということでもある。

西洋基準、他者基準を排して自己確立へ

――鈴木孝夫には「連帯を求めて孤立を恐れず」（谷川雁）がよく似合う

『ことばと文化』の刊行（一九七三年五月）はそれ（ラボ草創期との関わりの最後）からほぼ三年後のことであった。このよく知られた名著が実は恩師井筒との決別と自立宣言の書であることは次の第三章で詳述するが、これまで見てきた通り孝夫が絶縁、離別したのはひとり井筒だけではない。井筒との断絶は決定的な大事となったので、それと同レベルで扱うわけではないものの慶應義塾大学文学部英文科に転部したとき最初に大変世話になった厨川文夫（当時の教授）とも孝夫は井筒と出会い密に交わることで疎遠になっているのである。このように学者としての出発点から孝夫の人生には決別、離別が付きものであったと言っても過言ではない。名の知れた言語学者では遥か後年になるが、先に触れた対論『言語学が輝いていた時代』の相手田中克彦とも日本漢字をめぐるその後の田中の否定的言動を知って激怒し絶縁を語っていた。その意味では言語学、人文学の世界で「連帯を求めて孤立を恐れず」との谷川雁の有名なフレーズに最もよく似合うのが鈴木孝夫だと言ってみたい誘惑を抑えきれない。もっとも孝夫にとって「連帯」の相手は人間のみならず鳥たちを始めとする他の生き物が多かったと付け加えておくことが不可欠であろうが。

そして決別、離別を繰り返すことによって他に類例のない自己確立を図りつつ打ち立ててきたのがグランド・セオリーとしての孝夫言語学なのであった。で、その際の原理原則が、（一）西洋の諸学によく通じた上での西洋基準の相対化、（二）いかに優れた他者の学問であってもそれに振り回されることは拒否する他者基準からの自由の二点に他ならない。「自分が面白いものを正面切ってやる勇気と思い切り。世の中で認められていようといまいと、私の学問は私のものと思い定めるまでは、迷いに迷った」とは、ある雑誌（『月刊言語』大修館書店、一九八二年第一一巻一月号）でのインタビューに答えた述懐だが、この「迷い」の数々は幾多の決別、離別とともにあったと読み取ってもいいはずだ。その上で

「日々面白くてしょうがないという喜びの連続で学問をしたい」と学問なるものに関わる初心そのままの宣言がなされている。このようにラディカルに大きく居直ることができるようになって創成された孝夫言語学の揺籃期がラボ草創期と重なった格別な縁を筆者としても大いなる喜びとするところだ。ラボ草創期への孝夫の深い関与は、不朽の名著『ことばと文化』誕生に至る不可欠の階梯でもあった。

（本章ではラボ草創期に限って孝夫の言動や活躍ぶりを見たが、ラボとの関わり後半の足跡は第七章にて。なお谷川雁は、この時期「らくだ・こぶに」の別名で『国生み』再話をはじめ多くの物語ライブラリー制作に中心的に関わっていることを付記しておきたい）

「先ず、私がなぜこんな本を書くようになったかという話からですが、実は大変悲しい物語がその前にありました。井筒俊彦先生との出会いと決別の物語です」――二〇一〇年五月二九日、東京・神田神保町の「サロンド冨山房フォリオ」にて開催された鈴木孝夫研究会（当時の通称「タカの会」）第二回のテーマは『ことばと文化』だったのだが、それに関連した鈴木孝夫の記念講演はこんな驚くべき前口上から始まるのであった。

この著作は井筒俊彦との絶縁・自立宣言の書だと三七年後に初めて公表

「私を二〇年近くにわたって、ありとあらゆることで面倒をみて下さり、現在の私の学問の基礎やその他全部、その先生に負っていると言ってもいいのが井筒俊彦という先生なのです。……コーランを日本語で初めて完訳されて、岩波書店から出された方です。〈完訳〉というのは、英語から重訳したとかいうことではなくて、原典のアラビア語から直接全訳したということです。そのくらい偉大な井筒俊彦先生という方と私は、さんざんつき合わせてもらった上で決別したのです。『ことばと文化』はその井筒先生と決別したショックとそこからの立ち上がりのために書いた本なのです。実を言えば、私の方から井筒先生を〈勘当〉したわけです。……破門とか勘当というのは、上の人が下の者にするものですが、私は、下のほうでありながら『先生とは、これより一生お目にかかりません。もう縁はありません』と言って決別したのです」（第1集所収の記念講演25、冒頭の前口上もここから引用）――孝夫と井筒との決別自体については既述につき話が前後することになろうが、『ことばと文化』等孝夫の著作に数多く親しんできた熱心な読者でもある当日の参加者にとって、こんな話を聴くのは勿論初めてのことであったため、この日の研究会は冒頭からある種異様な緊張感に包まれつつ進行していくこととなった。孝夫は、井筒との決別と『ことばと文化』との因果関係に関して、この会以前は一切どこでも公表してこなかったはずだ。井筒との決別話自体は慶應義塾大学内のごく近しい関係者等には知られていたようだが、それと『ことばと文化』とが色濃く相関しているなどとは本人が明かさない限り誰にもわからない話にきまっているが、孝夫の心持ちの中で機が熟す時間が必要だったということであろう。例えば、書かれていてもおかしくはない岩波版著作集第1巻の「著者解説」でも、マギル大学で「一世一代の猛勉強」に励んだとの記述はあるが、井筒との絶縁がその主因だとは記されていない。井筒はこの解説が書かれたであろう一九九九年の六年前に他界しているので井筒本人への気遣いはもう無用だったはずだが全く触れられていない。そうなると考えられるのは、井筒夫人（豊子さん。若き日の孝夫が井筒宅通いをしていた頃食事を作ってもらう等大変世話になった方。『井筒俊彦の学問遍路――同行二人半』という著書が二〇一七年慶應義塾大学出版会より刊行されているが孝夫もこの出版には少なからず尽力）がその時点では健在だったため彼女に配慮しての自粛なのであろうか。孝夫は井筒俊彦亡き後の夫人の動静等をかなり気にかけている様子だったので、それが一因であることは充分考えられようが、いずれにせよ、斯くも重大な秘話、しかもあまりに長く伏せられてきた「物語」をこの日の研究会で初めて披露してくれた孝夫の心意気を有難く、かつ厳粛に受け止めた次第だ。

「そんなふうに私は井筒先生にピタリとくっついて離れない日々でした。……そうやって先生が私を一生懸命教えて下さったんですけれど、私はある時はっと気がついたんです。私がどこへ行っても、偉い先生方……東大の主任教授、京都大学、東北大学、九州大学等の先生方が、みんな私に向かって最敬礼に近いお辞儀をされるんです。で、『井筒先生、いかがですか』と言われるわけです。先生方は、私にお辞儀をしているんじゃなくて、私の後ろにいらっしゃる目に見えない井筒俊彦にお辞儀をされているのです。……でも、ある日はっと考えましてね。私は虎の威を借りてる狐に過ぎないのではないか、後ろの井筒先生の光で私は光っているに過ぎない。私自身の光で光っているんじゃないんだ、と思いました。『井筒先生は富士山だ。でも、私はたとえ高尾〈たかお〉山であっても、鈴木孝夫ですからね、私自身の山を作りたい。……』というふうにある日悟りましてね。で、先生に『先生、もうそろそろ自分一人でやりたいと思います』と申し上げたんです」（第1集28～29）

ところが、せっかくそう思い至った時期に、井筒が三年ほど海外に出ることになったため決別するまでもなく離れることになり関係性としてはいわば小康状態を保つ形となる。そしてその三年後に井筒が帰国するやまた元の密なる関係に戻って、暫くの間は平穏だったのだが……「またはっと『これは俺の学問じゃないな。井筒先生がもしもいらっしゃらなくなったら、万が一お亡くなりになったら、私はこれを続けて自分の新しい境地を開拓できるだろうか』と反省すると、これはだめだ、と思いました。……先生と私とでは、人間に対する興味のベクトルが全く反対ということに気がついたのです」（第1集31）となり、更に「先生は、人間の持っている神性、神にどれだけ近づくかという、そういうベクトルで、文化・哲学・文学を研究されていて、人間を神の投影として見ている。つまり人間は神にどれだけ近いか、という視点で見ている。ところが私は生まれ育ちやいろんなことから動物や生物世界に興味がある。ですから私は人間がどこまで動物か、動物とどこが共通するかということを知りたい。後に私は『動物は本能だけど人間は文化なんだ、つまり人間のいろんな特徴は文化がそれを全部説明する、その中心が言語だ』という理論に辿りつくわけですが」（同右）というふうに『ことばと文化』の主題に真正面から近づく話となっていったのである。いずれにせよ孝夫の内面において独自の高尾山＝孝夫山構築への意思が強まるばかりだったのであり、井筒からの自立への思いに年季が入りつつあったという点が肝心だ。

カナダ・マギル大学図書館での背水の陣

そして、丁度その頃、井筒のカナダ・モントリオールに位置するマギル大学イスラーム研究所行き（正教授として）が決まり、孝夫も後から来るよう言われて、一九六四年九月、研究員として着任の夜、決定的な乖離が生じて孝夫から絶縁宣言となるのだが、その詳細は割愛してもいいだろう。具体的なきっかけがどうあれ、そして現象的にはある日突然の出来事に見えるとしても孝夫の内面では井筒との関係のとり方においてそれまでに実質的に分水嶺を越えていたからに他ならない。よって、ここから先、目を凝らしてよく見るべきは、その日以降の孝夫の過ごし方、生き方になるという次第だ。

「ですから、その後一年間マギル大学にいて、時々なんだかんだで同じイスラーム研究所にいる井筒先生とお会いしても話もしませんでした。周りの人は何かおかしいと思ったらしいけれども聞くわけにもいかず、という状況でしたね」「私はそうやって、本当にすごく世話になって、ただならぬ影響を受けている恩師を自分から切ったのです。……そこで私は何か自分でなければできない学問を築いて……井筒先生から『別れて良かったな』と言われるようなことをしないと、と思ったんです。でないと、さんざん教わり、食べさせてもらい、いろいろと面倒見てもらった挙句の末に、勝手にさよならして、あ

とは何も残らなかったでは話にもならないわけですから」（第1集 33）

「だから私はとにかく必死になって自分のこれまで少し興味のあったものをあれこれとまとめて何か新機軸を打ち出そうと意気込んで、あんまり本読むのが好きじゃないのに図書館に通い詰めました。……その時だけは本気で図書館に通って本を読んだのです。マギル大学の地下の図書館にはありとあらゆるヨーロッパ、東洋の本が揃っていたのです。そこで言語学と人類学、哲学と論理学、歴史などの文献を読みあさりました。あんなに朝から晩まで本を読み、ジャーナルを読み、ノートをとったことは一生にこの時だけというくらい勉強したわけです。そうこうしているうちに……ぱっと私のなかの隠れていたものが開いて、これなら私しかできない、世界最初、本邦初演だという自信をもてるものが見えてきたわけなんです。それが……人称代名詞の話なんです。人間と人間が向き合って話するという、もうどの社会でも、どの時代でもある現象について、インド・ヨーロッパ語（ヨーロッパ語とか西欧語、欧米言語などと書く場合もあるが言語学的にはこう呼ぶのが正式とのこと）の〈私〉〈あなた〉というのは実は非常に特殊な在り方であるという発見をしたのです」（第1集 34～35）――このように孝夫は「背水の陣」を敷いての「必死の」読書・研究・考察を重ねる中で、ついに後の『ことばと文化』で花開く着想、「新機軸」の萌芽を発見、獲得していったのだが、この年の孝夫が三八歳であったという事実も興味深い点だろう。普通に考えれば自立を目指し始めるにはやや遅い感がなくもないはずであり、そして更に注目すべきは、このマギル大学図書館での猛烈かつ集中的な仕込みから『ことばと文化』出版までには実に九年もの歳月が費やされているということだ。三〇代後半で発奮して何ごとか為そうと固く思い定めて背水の陣を敷いた割には年数がかかり過ぎとも思えるところであり、ここは見落とすわけにはいかない。つまり、それほどに「発見」した事柄の内部熟成と関連するテーマの考察に時間を要したということであり、かつその間に第二章でみた通り五年にも及ぶ草創期のラボ教育センター、ラボ関連の東京言語研究所、谷川雁との出会いと協働があったからに他ならない。この五年が実は『ことばと文化』執筆に向けての必要不可欠な準備期間になったということでもある。その証として孝夫はこの間にチョムスキー講演の通訳を務めたりする一方、テック（現在のラボ教育センター）発行の言語（学）研究誌『ことばの宇宙』に「ひとつのことばの可能性」「言語における規準と方向性」「呼びかけが決める一人称」「言語と表記」等、その後『ことばと文化』で発展的に展開される論考を多数執筆・掲載しているのである。また、その後の米国イリノイ大学での一年間の客員教授経験、文化庁国語審議会委員としての活動開始等も執筆への集中という点では妨げになった面も少なからずあっただろうが、『ことばと文化』という形での大いなる結実には、必要欠くべからざる前段活動だったに違いない。ついでに敢えて言えば孝夫本人からすると、やや遅咲きに見えようと「世界最初、本邦初演」との手応えを抱き得た「発見」「新機軸」の数々に自信を深めつつあったので焦る必要がなかったということでもあろう。

日本語の「私」や「あなた」を人称代名詞と呼ぶのは欧米流そのままで問題あり
――どんな言語研究でも「言語的事実」のみを尊重

さて、恩師井筒俊彦との決別、マギル大学図書館での一念発起の集中学習、五年にも及ぶラボ草創期との関わり等幾つもの「物語」を宿した上で、ついに一九七三年五月、『ことばと文化』（岩波新書）が発刊となるのだが、そこで打ち出された「新機軸」の概略をここで見つめ直してみることにしよう。

その一　日本語における〈私〉や〈あなた〉を欧米言語で一般的な人称代名詞（一人称や二人称とい

うふうに）として扱うのは日本語の事実から遊離した異質の西欧語文法概念の直訳的輸入に過ぎず考え

ものであることを敢然と明らかにしたこと。

「私はここ数年来、日本語の〈わたくし〉〈あなた〉や〈ぼく〉〈きみ〉などを人称代名詞とすることは、日本語と多くの点で構造の違う諸言語の研究から導かれた説明原理を無批判に鵜呑みにして取入れた結果であって、日本語に見られる言語的事実とは相容れない誤りであるという主張を各所で繰り返し述べている」（『ことばと文化』130）「要するに現代日本語は、ヨーロッパ語に比べて数が多いとされている一人称、二人称の代名詞は、実際には余り用いられず、むしろできるだけこれを避けて、何か別なことばで会話を進めていこうとする傾向が明瞭である。これと比較すると、一つまたは二つの、数少ない人称代名詞が、しかし口を開けば必ず繰り返し繰り返し出てくるヨーロッパの言語は、日本語とは著しく性格を異にすると言えよう」（同書133）「以上の事実だけでも〈わたくし〉〈おれ〉や、〈おまえ〉〈あなた〉などを人称代名詞と呼ぶことが、日本語の事実から遊離した、異質の文法概念の直訳的輸入に過ぎないことが明らかであると思う」（同書134）「現代日本語のいわゆる人称代名詞が、自分及び相手そのものを直接に指し示すことばを持たず、常に間接迂言的な表現を用い、しかも歴史的にも頻繁に交替してきたという事実は、正にタブーの性格を持っていると言わねばならない。たしかに日本人は、前にも述べたように、できるだけ会話の中で人称代名詞を使わないで済まそうとする傾向が今でも強いのである。この事実を、インド・ヨーロッパ諸語では同一の人称代名詞が何千年もの間、用い続けられていることと比べると、両者を同一の言語的範疇として、共に人称代名詞の名で呼ぶことの正当性が疑われるのは当然であろう」（145）等々というふうに、だ。

言わずと知れた鈴木孝夫の人称論、人称代名詞論の核心をなす明言の数々だが、明治以来、それまでの言語学者や日本語文法学者等で誰一人気がつかなったであろうことを鋭く問題意識化したこと自体が先ずは大きな功績だ。その上で日本語には西洋諸語に見られる人称代名詞なるものは西洋諸語と同じような形では存在しないとの揚言をすこぶる果敢かつ明晰に行なっているのだから文字通り「新機軸」である。もっとも「実際に調べてみると人称代名詞を使う場合は、むしろ極めて限られていることが分る」(132)とか「日本語の人称代名詞の生命の短さは……現代標準日本語のいわゆる一人称代名詞である〈わたくし〉〈ぼく〉などは古代日本語に遡ることができないばかりでなく…」(140)といった書き方をしているところを見ると日本語にはいわゆる人称代名詞が認められないとまで言い切っているわけでないことも確認できようが、しかし西欧語文法でいう人称代名詞とは基本的に異なるとは断じていよう。ここでわざわざ「いわゆる」と付しているのもそうした判断があってこそに相違ない。

それにしても孝夫にはなぜそんな驚くべき発見というか新認識への閃きがあり得たのであろうか。かなりの難問だが、何よりも孝夫が日本語に向き合う時、また欧米諸語に向き合う時も一切の先入観や偏見に囚われることなくひたすら「言語的事実」に対して忠実であり続けたことが決め手だったのではなかろうか。先入観や偏見の最たるものが欧米言語学の「優越性」や「普遍性」を無条件に認めるばかりかそれに拝跪してその物差しで日本語の在りようや特徴を考えてしまうという傾向だが、孝夫にはその種の欧米ボケや直訳的輸入癖があらかじめ皆無だったからではなかろうか。

そうであればこそ日本語の「言語的事実」に対して百パーセント自在に開かれた知情意で曇りなく真向かえたのであり、日本語と欧米諸語との間にある甚大な違いが自ずから見えてきたという成り行きなのだ。マギル大学図書館での苦闘の日々を通しての「発見」であるのは確かだが、孝夫が若くして鳥たちと共に欧米近代の人間中心主義的世界観を突き抜けていたベースがあってこその成果であるのも間違いない。孝夫は敗戦直後においてすらそうだったが、（軍事力や経済力についてはさておき）ことばと文化のあらゆる面において相違は激しくあるものの欧米が日本より上位にあるなどという迷妄に陥ることは金輪際あり得なかった。世界を人間の目だけでしか見ない欧米近代流の発想・世界観、その言語現象面での一つの現れである西欧語文法で言われる人称代名詞の在りようをも相対化する眼差しをこの時点ですでに自力で持ちえたのである。ここにおいても孝夫は鳥と共にあり、鳥たちに支えられていたと言っても過言ではなかろう。欧米諸語における一人称（主語）の極度の強さ（「我思う、故に我あり」に代表される）が他者との間に切れ目を入れて対立的になりがちであるとともに外界（自然環境、森羅万象）を客体化（ここでも切れ目だ）し、その分析・開発・破壊へと向かいやすい傾向をもつ特性も孝夫には遠からず見えてくるはずだ。

『ことばと文化』執筆の頃

日本語では自称詞、対称詞、他称詞と呼ぶことを提起
——「共感的同一化」もキイワードだ

その二　「その一」で明らかにした見地にふまえて孝夫が、日本語では自分および相手をどのように呼ぶか、その「言語的事実」をよく観察・研究した上で、欧米諸語における人称代名詞（一人称、二人称、三人称）とは別の呼称を考案し提起したのも歴然たる新機軸だ。

それが、「自称詞」「対称詞」「他称詞」である。「むしろ、親族名称、地位名称などと一括して、話し手が自分を表すことば、および相手を示すことばという広い見地に立って、それぞれ自称詞、対称詞と呼ぶほうが適切であると私は思っている。対話の中に登場する第三者は他称詞と呼ぶことになる」（134）というふうに。

その上で、孝夫は先にも一部を紹介した文だが、例えば「ヨーロッパ諸語の一人称、二人称代名詞が数千年の歴史を持っていることに比べると、日本語の人称代名詞の生命の短さは余りにも対照的である。現代標準日本語のいわゆる一人称代名詞である〈わたくし〉〈ぼく〉などは、古代日本語に遡ることができないばかりでなく、〈ぼく〉などは、口語に於けるその使用の歴史が僅か百年あまりという新参者に過ぎない。相手を指す〈きみ〉〈おまえ〉〈あなた〉〈きさま〉などもことばとしてならいざしらず、人称代名詞としてはこれまた、その歴史は古代にまでたどっていくことができないのである」（140～141）というように、これでもかとばかりに数多くの具体例を挙げて、欧米諸語における人称代名詞と日本語のそれと比定されることばがいかに異なるかを論証して、その筆致は今読み返しても驚くほどの鮮度と説得力を保っている。

この項に関連して更に続ければ、日本語では、妻が自分の夫を時にパパと呼ぶのはごく一般的な言語現象であるところ外国人言語学者からは、これではまるで近親相姦ではないかと言われたとの逸話は既によく知られていようが、このことに関連して孝夫はこう書いているのだ。「妻が子供の前で夫のことに、パパとか〈おとうさん〉と言及出来るのは、彼女が心理的に子供の立場に同調するからである。……子供から見て、パパと呼べる人だから、彼女からもパパと呼ぶのである。この際重要なことは、彼女は子供と心理的に同調し、子供の立場に自分の立場を同一化しているという点である。子供の立場、子供の視点へのこの歩みよりを、私は共感的同一化（empathetic identification）と呼んでいる」（168）

併せて、かかる考察を重ねた結果、次のような法則があることがわかったとして左記の二点を挙げている。

㈠　日本の家族内で、目上の者が目下の者に直接はなしかける時は、家族の最年少者の立場から、その相手を見た親族名称を使って呼びかけることができる。

㈡　ある場合に、話し手はこの人物を自分の立場から直接とらえないで、相手つまり目下の立場から言語的に把握する（例えば、「父親が子供と話す時、彼自身の父、つまり子供の祖父に言及する時は、父親は〈お父さん〉とか〈パパ〉と言わず、「おじいさん」と子供の視点からのとらえ方をするというふうに）。(171)

このようにほんの少しばかり孝夫の力説する人称論、人称代名詞論をのぞくだけでも、さすがマギル大学図書館での必死の研鑽時からひらめいたというだけあって生彩と迫力充分だが、筆者としては、日本語の親族名称使用において家族や親族内でいちばん年下＝弱い立場にある子どもに寄り添い、同一化しての呼びかけがなされるとの捉え方が何とも有難く、嬉しくもなるところだ。斯くの如く弱い立場の者に寄り添う優しさと懐の深さに裏打ちされた親族名称使用の法則に改めて光をあてて日本語の「言語的事実」とその特質、素晴らしさを浮き彫りにした孝夫の慧眼と手腕に何度でも敬服する次第だ。親族間にあっていちばん年下＝弱い立場に構成員全体が無意識的にであっても自己同一化した上で「パパ」や「ママ」、「おじいさん」や「おばあさん」が使われているとはなんと温かいコミュニテイであることか。その上、この「歩みより」を「共感的同一化」と表現しているのだから無上に心優しく、かつ鮮やかだ。孝夫は、こうした親族名称の使われ方自体にも日本人の至って柔和な心模様、親族共同性の望ましい在りようを見てとって、こう呼びたかったのであろう。

107　*日本語では自称詞、対称詞、他称詞と呼ぶことを提起*

日本語にはらまれる人間関係のとり方、そして日本語と共に生きてきた日本人の他の生き物や自然環境、万類に対する親和性を孝夫は若い頃から感知していたのであり、その核心を「共感的同一化」と表現したのであろう。この直観的把握の仕方はいずれ孝夫の内部で自ずから発展し、日本語の比類なき特質を自然、地球環境との「共感的同一化」というふうに捉えていくと言ってもよかろうが、勿論その後も日本語研究の手がかりは、あくまでも「日本語に見られる言語的事実」であり、それ以外は不要であり続けた。孝夫にとってこの「日本語の事実」こそが絶対の基準であり、その「事実」への百パーセント謙虚な対し方こそが唯一の戒律だったからである。

そこから「日本語をはかる尺度は日本語自体」との確信がますます強まっていった次第でもある。「私の考えでは、日本語を、そして日本的現実をはかる尺度は、日本語それ自体、日本的現実それ自体に求められるべきだと思う。もし西欧起源の尺度と対比させ、普遍化を目ざすならば、それは両者を共に含み、共に説明できる一段高い次元に於てのみ可能であって、西欧の尺度を流用しての安易な普遍化が可能である筈はないと思っている」(128)というふうにだが、孝夫の構えは、いついかなる場合も「西欧の尺度を流用しての安易な普遍化が可能」との錯覚に対する拒絶であり否定に他ならない。肝心要につき何度でも繰り返すが、孝夫にとって「西欧の尺度」や西欧基準は、あくまでも西欧を成り立たせてきた諸条件から生まれた西欧固有の尺度であり基準に過ぎないのであって、決して普遍性を主張しうるものではない。この確信、主張は今日から見れば至極当然とも思えようが、『ことばと文化』の初版刊行時(一九七三年)においては、「西欧の尺度」＝普遍性との思い込みは少なくとも言語学の世界等では大勢だったのではなかろうか。

「はじめにことばありき」の道理を明快に論述

その三　ものとことばの対応関係を深く考察し、「ことばがものをあらしめる」こと、「はじめにことばありき」と断言できる道理を明快に論述したこと。

「ものという存在が先ずあって、それにあたかもレッテルを貼るような具合に、ことばが付けられるのではなく、ことばが逆にものをあらしめているという見方である」（30）

「またことばがものをあらしめると言っても、ことばがいろいろな事物を、まるで鶏が卵を生むように作り出すということでもない。ことばがものをあらしめるということは、世界の断片を、私たちがものとか性質として認識できるのは、ことばによってであり、ことばがなければ、犬も猫も区別できない筈だというのである」（31）

「ことばが、このように私たちの世界認識の手がかりであり、唯一の窓口であるならば、ことばの構造や仕組みが違えば、認識される対象も当然ある程度変化せざるを得ない」（31）

「このようにことばというものは、渾然とした、連続的で切れ目のない素材の世界に、人間の見地から、人間にとって有意義と思われる仕方で、虚構の分節を与え、そして分類する働きを担っている。言語とは、絶えず生成し常に流動している世界を、あたかも整然と区分された、ものやことの集合であるかのような姿の下に、人間に提示して見せる虚構性を本質的に持っているのである」（33～34）「人間の精神が、人間をとりまく森羅万象の世界に働きかけて作り出すことばは、全てこの虚構性に支えられているのである」（40）

「人間は生のあるがままの素材の世界と、直接ふれることはできない。素材の世界とは、混沌とでもカオスとでもいうべき、それ自体は無意味の世界であって、これに秩序を与え、人間の手におえるような、物体、性質、運動などに仕立てる役目を、ことばが果たしていると考えざるを得ない」(40)ものとことばの対応関係、人間のことばが持つ大いなる役割、作用、働きをめぐってのこの尖鋭にして的を射た把握の仕方、論述に異論を唱えることができる人士は今日に至ってもおそらく皆無であろう。それほどに孝夫の洞察は明晰この上なく、人間固有の言語の働きをまるごと本質的に捉えて冴えわたっているのである。ラボ教育センターに働き始めて四～五年後に、刊行されて間もない同書と出会った筆者にとっても、この辺のくだりに接した時、真実目の奥底から新たに世界が開かれる思いをしたし、敢えて言えば「ことばがこどもの未来をつくる」との谷川雁創案のラボ不滅のキャッチフレーズが放つ深大な意味を心から了知できた次第でもある。さらに言い添えれば、以前から気にかかっていた新約聖書「ヨハネ福音書」の冒頭がなぜ「はじめ(太初)にことば(言)あり」との断言なのか、その深遠な謎も解けるのでは、とも思えたほどであった。

ことばの「意味」こそ言語学の中心課題

その四　「ことばの意味」について「音と結合した個人の体験および知識の総体」と掘り下げて規定し、その研究の重要性を力説していること。

「ことばは、それがどんな言語に属するものであれ、またどんな種類のものであれ、必ず二つの部分から成り立っている。第一に、ことばは音としての一定の形態を持っている。これを、ことばというものの持つ外形と考えてもよい。第二に、ことばには内容がある。俗に言うことばの意味がこれである。或る一定の音的形態と一定の意味が結合したものがことばである」(83)というふうに「ことばの意味、ことばの定義」と題した章をすこぶる丁寧に孝夫は書き出しているのだが、しかし、すぐさま「ところがことばを研究する学問では、ことばの音的側面の研究は長い歴史を持ち、従って非常に研究が進んでいるのに対して、ことばの意味の研究はひどく遅れている」「殊に今世紀前半の科学主義・行動主義的な色彩の強かったアメリカ言語学ではこの傾向が著しく、意味の研究はおろか、意味という言語の大切な構成要素それ自体が、非言語的な心的現象として、ことばの世界から締め出されかねまじき扱いを受けていた」と続けている。

かかる記述には第二章ですでに見たガリオア奨学金による留学生として派遣された米国ミシガン大学で孝夫が実際に接した経験も反映しており、そのようなアメリカ言語学当時の傾向に即座に（当大学到着後わずか一週間で）見切りをつけて言語学科から古典ギリシャ語科に鞍替えしてしまうのであった。それほどに我慢ができなかったということだが、しかしながら孝夫がここでなぜ音声研究ばかりがもてはやされ、意味研究が排斥されてきたのか、その理由として「音声は物理現象として、そこに存在する明瞭な対象としての性格を持っている。……自明の研究対象が始めから存在したのである。これに比べると、ことばの内容的部分は、人間の精神活動に関係するところが多く、具体的な対象性を持たないため、つかみ所がないのである」（84）と書いて一定の理解を示しているのも見逃せないところではなかろうか。孝夫の懐の広さを示す書き方とも言えようが、ならば孝夫はこの「つかみ所がない」研究テーマから身を遠ざけたのかと問えば勿論さにあらず、だ。「人間の精神活動に関係するところが多く」「つかみ所がない」からこそ逆に敢えて研究のやり甲斐と面白さを感じて、ことばの意味探求に努力を傾けていったのが孝夫に他ならない。なぜなら「つかみ所がない」「人間の精神活動」とことばとの相互関係性こそが孝夫にとって言語学に関わる上での最大関心事であり続けたからだ。

その上で、ことばの意味が音と結合した個人の知識・体験の総体である以上、「ことばの意味はことばでは伝達不可能」とも明言している。「たとえばチョコレートを食べたことがない人に、チョコレートの味を、ことばだけで伝えることはできない」（95）というふうに、である。

このあたりのことについては孝夫と様々な意味で縁の深かった泉邦寿氏（上智大学名誉教授。意味論、フランス語学、ヨーロッパ言語社会論専攻）が『鈴木孝夫の曼荼羅的世界』（冨山房インターナショナル、この名付け親も泉氏）の解説において「鈴木の言語学はことばの意味に関するものが殆どである。言語には大まかに言っても、音声、形態、文法、意味などといったさまざまな側面があるが、その中でも、意味に鈴木が興味を持ったのには、おそらく師である井筒俊彦の影響がなかったとは言えまいと私は思っている」と書いていることが前提として踏まえられるべきであろう。孝夫があれこれ大変な世話になったものの自分の言語学そのものには井筒の影響は殆どないし、むしろ影響のない方向で己の学づくりをめざしたこと、その関心のベクトルが井筒とは正反対であったと明言しており、決別まで敢行したことは先述の通りだが、しかし当時のアメリカ言語学の問題点と愚劣さを即座に見抜けた眼力と判断力のベースには、やはりその時点まででも既に二年近く師事していた井筒から学びとったものが大きく影響していたに違いない。

実際のところ孝夫がまだ井筒と蜜月時代の一九六〇年に井筒からの勧めもあって翻訳・出版したエルンスト・ライズイ『意味と構造』（研究社より。後に講談社学術文庫）の原本訳者序文において「〈意味〉の問題は現代の言語学の中心課題であると言っても過言ではないと思います」との文の後に「この本を邦訳した訳者の希望は、言語に関連を持つ諸科学の研究者諸氏に、言葉の〈意味〉の、非常に生産的な一つの捉え方を知って頂きたかったこと、および言語学の内部では、このような方法論に刺戟されて日本語を含むいわゆる東洋諸語の意味論的分析が促進され、意味構造の広汎な範囲の実証的比較研究が可能となることの二つなのです」とことばの意味研究にかける志を熱く書きつけているのである。その上で「また訳出にあたっては細部にわたる懇切な指導をたまわった井筒俊彦教授に心から感謝の言葉を述べさせて頂きます」との謝辞を記して結んでいるのだからこれはもう間違いあるまい。

併せてもう一点、この翻訳書刊行自体の意義は大きかったのだが、孝夫の翻訳書が生涯でこの一冊に限られているのは鈴木孝夫研究に際して見逃すことのできない事実と言えよう。なぜなら他の言語学者の多くは出版のあてさえあれば欧米の然るべき文献翻訳を主たる仕事の一つにしていたであろう時代にあって、これ又かなり異例なはずだからだ。この『意味と構造』出版の四年後には自ら井筒と決別し、言語学者としての不退転の自立が迫られたため翻訳などやる余裕が失せたという事情もあったのかもしれないが、しかし、より一層孝夫の内面に即して考えれば、やはりこれまで見てきた通りの独創的思索、研究、執筆に打ち込むことが最優先されたからではなかろうか。そしてその苦闘が『ことばと文化』、次いで『閉された言語・日本語の世界』等へと豊穣に結実していくや自らの考察、研究の大道をひたすら歩むことにますます自信と使命感を深めて、欧米等海外の言語学は孝夫の視界から遠ざかる一方となったからではなかろうか。もとより孝夫にあっては、その「言語的事実」の大きな相違からして日本の言語学は欧米言語学と異なって当然、更には何ごとにおいても「西欧に見習え」は見当はずれの最たるものとの認識が起点としてあったからであり、また受信型の学でなく発信型の学をめざす志向が後年になるにつれて強まっていったからでもあろう。

「無類の喜び」としての言語学
——古代ギリシャ語で鯨と蛾がなぜ同一語なのかの謎も初めて解明

孝夫の意味論へのこだわりが具体的にどのようなものであるか、さらに泉氏の解説に即して見ていけば、例えば、「鈴木の意味についての考え方には具体的な場面や状態での使い方に着目した捉え方が見え、一元的な説明にはこだわらない柔軟なものの見方が反映している」とした上で、「色彩語に関するこのような考え方をふまえれば、もう一つの論文で検討されている事柄、すなわち、英語のorange、フランス語のjauneといった色彩語が必ずしも日本語のオレンジ色や黄色とは合わないという現象の説明が理解できるのである。ただ、気を付けなければならないのは、鈴木の中ではこれらの説明原理とともに、いや、それ以上に、こういうわかっているようで実は全く気付かれなかった意味の違いの発見そのものに、無類の喜びを感じているところがあるということだ」（曼荼羅本掲載の解説）となるのだが、この「無類の喜び」こそが孝夫流意味論の原動力であり基調をなすとのおさえ方が核心を突いており、且つ悦ばしいところだ。もっとも「無類の喜び」は意味論に限ることでなく孝夫の言語研究、更には言論活動の全てに当てはまることだろうが、ここでは「無類の喜び」をばねとした孝夫流言語学の「世界的な大手柄」（孝夫自身の言い方）の一つを紹介しておこう。古代ギリシャ語において鯨をさす語と昆虫の蛾を意味する語がどうしたわけか全く同音同型だという大いなる謎を孝夫がついに解明したとの出来事についてである。『ことばと文化』そのものからは少し離れることになるが、そこはご容赦願うとして。

孝夫はいつの頃からか「もともと生物好きの私は古代ギリシャ語を大学で教えていた時、鯨を指すこのphallaina（古代ギリシャ語では*φάλλαινα*）という言葉が、同時に昆虫の蛾をも意味するということが不思議でなりませんでした」（「松原秀一さんへの弔辞」、曼荼羅本に所収）との疑問を長く抱き続けてきたのだが、あるきっかけからこの秘密が遂に解けた喜びをかなりあちこちで語っていたものである。やや大袈裟に言えばギリシャ語二千年来の謎を世界で初めて解いたとも揚言してきた。そのきっかけとは、ある年（一九八九年）の春、米国のテキサス大学を学会で訪れた際、「大学の図書館に入ったらそこにポスターがありましてね。そこに鯨の大きな写真が載っていました。鯨は海に沈む時に海面に尻尾を突き立てる。これを〈テーリング〉と言いまして、いろんな形で鯨同士のコミュニケーションに使うわけです。これを見たとたんに二千年来の謎が私の中で解けたわけです。ギリシャ人は三千年前までヨーロッパの奥の方にいたのです。それが徐々に民族移動してギリシャ半島の方に下りてきたわけですね。そこで初めて海を見たのです。そして当時は地中海に鯨がたくさんいました。ところで彼らが鯨の何を見たかというと鯨の尾。これだけなのです。……そしてこの尾っぽが何に似ているかというと、蛾や蝶の止まった時の格好なのです。そうするとそれまで山奥にいたギリシャ人は蝶々や蛾は知っていますから、初めて見た鯨に名前をつける時に自分の知っているものの名を、その名を知らない鯨に当てはめた。これは言語学の常識なのです。……ですから蛾のような形をした尾っぽを持った不思議な動物というので、元来は蛾を意味するファライナ（φάλαινα）という言葉が鯨という新しい意味を獲得したのです」（「人にはどれだけの物が必要か――慶應義塾創立一五〇年記念講演」より、曼荼羅本所収319～321。他にも大修館書店『鈴木孝夫　言語文化学ノート』所収の「ギリシャ語のファライナの語源に関する一考察」等あり）――テキサス大学内の図書館で、あるポスターを目にした瞬間にかかる謎解きの閃きを得たという知情意の働きにいつもながら感服するほかないが、同時にこうした語りの仕方自体に孝夫の「無類の喜び」が波打っているとも感じとれよう。あるいは無邪気にして得意満面の笑みが目に浮かぶというものだ。

　更に言えばギリシャ語の学習も始めは井筒俊彦から仕込まれたに違いなかろうが、第二章で触れた通り米国ミシガン大学にガリオア奨学金留学生の一人としてあちこち回った末に漸く辿り着いた際、言語

かの墓（都内青山霊園）

学科にわずか一週間で見切りをつけて移った学科が古代ギリシャ語であったことも大きく作用していたに違いない。そうと受け止めれば若き日の孝夫の大胆過ぎるとも思える学科の取捨選択は、かかる大発見とも結びついたのであるから、当時の馬鹿げた米国言語学と付き合わずにすんだことと併せて二重の意味で正解だったともなろう。なお、「はじめに」でも記した通り孝夫の墓の形はなんと鯨の尻尾なのだが、その秘密がこの「発見」逸話にあるという次第でもある。長女の由美子さんによれば必ずしも父親の明確な遺言というわけではないが、その思いを過不足なく汲んでの決定とのこと。いずれにせよ、この墓の造形にも孝夫の「無類の喜び」が埋め込まれているということでもある。

「西欧に見習え」は見当はずれの最たるもの

その五　近代化に際して許し難いほどの地球環境破壊、野生動物虐殺を行なったのが西欧であるにもかかわらず、その史実に対する無知もあってよく言われる「西欧に見習え」は全く以て愚劣な誤りとの見地をいち早く示していること。

『ことばと文化』に戻れば、日本と欧米との動物観の違いに触れた章において孝夫はこう書いている。

「現在のヨーロッパ諸国では、野生の動物植物の保護が徹底している。私たち自然保護に深い関心をよせるものたちにとっては、うらやましい限りである。しかしこれもヨーロッパ人の社会道徳性の高さから出たものではなく、むしろ逆なのである。ヨーロッパでは、近代に於てあまりに徹底した自然破壊、野生動物迫害を行ったため、絶滅種があいつぎ、大変なことになってしまった。その苦い経験に学んで、現在の段階に進んだに過ぎない。日本では人々が余りに豊富な自然に甘えて、ヨーロッパに遅れること二百年、自然破壊が今になって問題になってきたのである。日本人が『ヨーロッパ人の愚を繰返すな、前者の轍を踏むな』という意味で、自分たちの現状を認識するのならば分る。それを『ヨーロッパに見習え』とは見当はずれも甚しいのである」(115)

この著作が執筆されていた当時(一九七〇年代初頭)において、これほどに欧米をクールに相対化している眼差し、しかも欧米を内在的によく理解した上での批判的記述の仕方がやはり傑出していようが、その批判の眼目が「自然破壊、野生動物迫害」におかれていることが重ね重ねの肝心要と言わねばなるまい。孝夫は少年時代から野鳥(をはじめとする野生動物全般への関心を含めて)を追いかけ、鳥たちと交わることを通して自然環境を何よりも大切にする知情意を我がものにしながら、その破壊が進む時代動向への危惧を抱いてきたのだが、この初出版の著書においてもこうした見地が異例なまでに早く書かれている事実は見落としてはならない。この本の書名は『ことばと文化』だが、孝夫の全身全霊的主題は一貫してことば・文化・自然(地球)のトライアングルだったからである。この自然そして地球全体への関心と問題意識がその後次第に内実豊かに膨らみ発展して、最終的には、「世界を人間の目だけで見るのはもう止めよう」とのメッセージに至るのが孝夫の思想的歴程なのだが、それはとりもなおさず独自の言語学豊富化のプロセスでもあった。

さらに同書の同じ章において「また宗教的な理由も一役買っているに違いない。キリスト教は周知の如く動物には魂を認めないが、日本人の古来の宗教は、アニミズムやシャーマニズムの要素が強く、そこに加重された仏教には輪廻の思想もある。このような彼我の世界観の違いは一言にして言えば断絶の思想と連続の思想の対比である。前者の立場に立てば人間の優位は決定的であり、後者の立場では相対的なものでしかない」（121）と書いているのも今日からみてとりわけ刮目されていい。なぜならその後の孝夫の歩みを一言で言えば、欧米流「断絶の思想」批判を強めつつ古来日本流「連続の思想」を発展的に深めていく軌跡となったからである。

井筒俊彦との絶縁をめぐる後年の思い

さて、この章を結ぶに際して、あれこれ因縁の深かった井筒俊彦について後年の孝夫がどのように書いているかを見ておくことにしよう。既述と重なる部分もあろうが、『ことばと文化』そのものの誕生に結果的に深く影響した人物のことでもあるのでここで記しておきたい。

先ずは「私はなんとも幸運なことに半世紀以上前に、三田のキャンパスで行われた先生の授業の全てに学生として出席することができた。しかも授業が終わると先生の後について日本橋の丸善にいき、そこで輸入されたばかりの洋書を先生がたくさん買い込まれ、東京駅から中央線の満員電車で西荻窪のお宅にまでお供して、奥様の手作りの晩御飯をご馳走になりながら遅くまでいろいろと教えていただき、終電車で目黒の家に戻るのが常だった。やがて先生は、このような形では時間の無駄が多いから、先生のお宅の台所の一隅に私がベッドと机を持ち込んで寝泊りするようにとまで図ってくださった。なんとも弟子冥利に尽きる贅沢この上もない緊密な師弟関係が、ほぼ一〇年ものあいだ続いたのである」（『三田評論』二〇一〇年一月号掲載の「私の見た井筒先生」。曼荼羅本に収録）とあるように今から考えても信じがたいほど破格に孝夫が井筒から見込まれ面倒をみてもらっていた関係性が述懐されている。ところが孝夫はこれほど格別な世話になった恩師に対して、ある日突然の如く決別を宣言して絶縁していったのであるからこれまた異例中の異例だ。この一文自体は「『読むと書く——井筒俊彦エッセイ集』に寄せて」というサブタイトルを付けて書かれた言わば井筒追想のものにつき決別云々には触れていないものの結びではこう記されている。

「私の見る限り、先生の意識の在り方は、全てがすごい方で中心に向かって自己凝縮を続けていると表現できると思うが、お傍に置いていただいていた私の意識は反対に絶えず外に拡散し、あらゆるものに向かおうとする正反対のベクトルをもっていた」

この「外」が鳥をはじめとする他の生き物たちや自然総体であることは言うまでもあるまい。遥か後年の孝夫がふりかえってみても、やはり井筒と孝夫は殆ど始めから世界との向き合い方や知的関心のベクトルが「正反対」だったのであり、遠からずの決別は不可避だったと受け止めるほかない。この決別は弟子の側からの「破門」宣告というある種異様でふとどきな形となったが、しかし、かなり年長(一二歳ほど)だったにもかかわらず、この両者のベクトルの大違いに気づかなかった、というかまるで無頓着だった様子の井筒の方に、より大きな因があったと言ってもいいのではなかろうか。

いずれにせよ、一九六四年九月某日、カナダ・マギル大学での孝夫の側からの絶縁宣言となったのだが、この絶縁が孝夫をして名実共に完全自立の再出発という至高の苦難へと追い込んでいくのであった。

さらにもう一点、井筒の歿後、孝夫が著作集6の「著者解説」で次のように書いていることも共に確認しておきたい。

「このこと(決別)は私が自分の学問を確立する上で、万止むを得ないことではあったが、恩師の折角の期待をひどく裏切った私のこの行為は、長い間私を苦しめ続けたのである。だが井筒先生が亡くなられる直前、病院で二〇年ぶりに再びお目にかかった時、先生が君は結局自分の好きな道を選んでよかったねと言われたことで、私は長年の心の重荷がいくらか軽くなったことを感じた」

これと同じような話は直接何度も聞かされてきたことでもあり、真実この通りだったに違いない。「至高の苦難」には、この「心の重荷」がついてまわったということであり、それが同時に先ずは九年後の『ことばと文化』産出に至る創造的奮励の得難いばねとなった成り行きでもあろう。

「私は、欧米言語学が私の言語学より上位にあるとは思っていないし、まして欧米的文明や価値観が日本より優れているなんて全く考えていません。世界の中心が日本なのであり、私なのです。でも考えてみれば、そういう人間は私だけではありません。日本人以外の人たちは、どんな未開人でも、あるいはエスキモーでも（孝夫は理由を明確に述べた上で敢えてこの呼称を使用）、皆そうなのです。自分は世界の中心だとそう思わなければ生きていかれない過酷な条件下にあるから、そう思って生き抜いていくわけです。環境や条件は違っても中国人、アメリカ人もそれぞれに自分が世界の中心だと思い込んでいます。その点日本というのは海で囲まれて、歴史上外敵に侵略され長期間征服されたことがない非常に珍しい国だから、あまり過酷に生きてこなくてもすんだ。だから自分を世界の中心だと思わなくても生存できたし、むしろ自分がだめだと思うことがかえって謙虚に外国をまねて日本に発展をもたらした時期もあった。でも時代が変わってもまだ日本人が、俺ほど端っこの人間はいないと自信がもてない状態にいるのは間違いです。とりわけ立派な学問をやっている学者たちの中でも、まだ自分に自信がない、まだ欧米の言語学の方が上、欧米の学問の方が優れていると思い込んで、心の中で自信がないというのは情けない限りです。もういい加減正気を取りもどさなければいけません」（『閉された言語・日本語の世界』をテーマとした研究会記念講演より。第3集121）――本章以降これから叙していくのは「もういい加減正気を取りもどす」ことに寄与すべく孝夫が『ことばと文化』大好評の後も力戦し、次々と打ち出していった「新機軸」群についてである。

日本語は閉されているが実は世界有数の大言語

先ずは『ことばと文化』刊行後二年弱の一九七五年三月に出版された『閉された言語・日本語の世界』（新潮選書）から見ていこう。孝夫の日本語論を縦横に展開したこの一冊も大反響と高評価を得て新潮選書としては初めて出版後一〇年で一〇万部突破という実績を誇る「超ロングセラー」（その後長く表紙オビに使用された宣伝文句）となり、当時の新潮社社長も大喜びで記念にモロッコ革表紙の金文字特製本を三冊も作ってくれた由。「その背景には、戦後の混乱から立ち上った日本が、社会・経済の面で奇跡とまで言われた目覚ましい復興を遂げ、経済大国としての不動の地位を手にしたことによって、敗戦のために一度は完全に打ちのめされた日本人が、自分たちに固有の社会・文化に対する自信を取り戻し、改めて欧米人とは多くの点で異なる、日本人とは一体何者かを問う段階を迎えたことがある。私の『閉された言語・日本語の世界』は、このような日本の社会に漲る日本人の自己相対化、自己客観視の動きを、日本語という言語の分析を通して一段と加速させる結果となり、いわゆる日本語ブームを起すきっかけの一つともなった本なのである」（著作集2の著者解説329）――同書が著者自身も驚くほどに広く熱心に読まれていった時代背景をこう自己分析している孝夫だが、それにしても一見しただけではその意味がすぐには伝わりにくい「閉された言語」なる書名に込めた孝夫の意図はどのようなものであったのだろうか。日本語を敢えて「閉された言語」とややネガティブな響きも帯びる言い方で規定してみせた孝夫の思惑はどこにあったのだろうか。この選書の「後記」によれば、「はじめ私は、自分たちの言語がヨーロッパの言語に比べて劣っていると思っている日本人、日本語が世界の言語の中でいちばんむずかしいと信じている日本人の、言語というものに対する考え方、受け止め方を『日本人の幻想的言語観』という視点からまとめて見るつもりだった」(『閉された言語・日本語の世界』初版237。以下「同書」と記す)とのことだが、その後、「しかし多少謎めいているという反省もあって、もっと直截に内容を示す『閉された言語・日本語の世界』と改めた。この本の中で私は我国が言語的には未だ鎖国時代を脱していないという事実を指摘し、日本語と日本文化の運命共同体的な結びつき、および日本人の持つ属人主義的な言語観を明らかにすることに努めたからである」(同書238)と記して、この「閉された」が未だ実質的に鎖国状態にあることの意だと述べている。そして「属人主義的な言語観」とは「日本語は日本人だけのものという信仰にも近い思い込み」「顔が日本人でなければ日本語をしゃべるわけがないという思い込み」のことだとも。かつては(この本が刊行される前までは)そうした思い込みが相当に強かったため、明治維新以後も結果的に日本語がほんの一握りの例外を除いて殆ど日本人にのみ「閉された」状態が続くことにもつながったとの指摘であった。孝夫は、しかし過去のそうした傾向を必ずしも強く批判的に記しているわけではなく、かかる事実があったことを認めるところから「日本語と日本文化の運命共同体的な結びつき」をより開かれた形で発展させたいとの願いを込めて幾つかの新機軸を打ち出していくのである。

その一　日本語は世界有数の大言語であることを具体的に論拠を挙げて明らかにし、世界で初めて同書で公言したこと。

「閉された言語」と規定しながらのこの言挙げは矛盾しているようでもあり、孝夫自身も半信半疑の思いであれこれ調べてみたところ、どう考えても事実だと確信するほかなかった由。なぜなら世界には少なくみても三千余種はあると言われる言語（同書出版当時の言語学会ではこの数字が通説だったようだが現在は六千種ほどとされることが多い）の中で一億人を超す使用者をもつ言語はどんな数え方をしても十もないことが明白である以上、当時においても一億一千万強の人口であった日本人が使用する日本語は間違いなく十指に入るというわけだ。「このことを私が初めて明らかにしたのだけれども、しかし、その事実は私が言う前からあったたし、言った後もあり続けているのです。でも私以前に誰もそのことに気づいた言語学者はいなかったし、他の分野の学者にもいなかった。それはなぜでしょうか。日本語をそういう目で見た人がいなかったということです」（第３集109）——諸条件から日本語はそれまでほんの一部の例外は別として殆ど日本人にのみ「閉されて」いたのだが、それでもなおのかかる明明白白たる大事実を事実としてポジティブに認め直した上で、日本語の今後を共に考えていこうとの宣言であり新機軸でもあった。このような気づきというか「世界で初めて」の指摘が可能になったのは、本人も書いている通り「日本語をそういう目で見た人がいなかった」からだが、こうした新たな視点のとり方による新発見、新機軸はこれに限らず孝夫には数多あるので、読者の皆さんは今後も本著において繰り返し驚嘆と感服を強いられることとなろう。

志賀直哉の日本語丸ごと廃棄論を公然と全面批判

日本語は昔からそのような大言語であるにもかかわらず日本では奇怪なことに明治前半以来日本語廃棄論あるいは漢字撲滅論が繰り返し現れる流れがあり、そうした現象に対して一貫して厳しく批判してきたのも孝夫であった。

中でもとりわけ志賀直哉（「小説の神様」とまで崇められていた作家）の日本語丸ごと廃棄論に対す

る批判は苛烈を極めた。志賀の論は要約すれば「日本語は不完全・不便⇓だから戦争が起こり敗れた⇓もはや日本語の中途半端な改良案では埒があかない⇓この際ひと思いに日本語を放棄して世界でいちばん美しい言語と思われるフランス語を国語にしてはどうか」といった内容（一九四六年『改造』四月号に発表）なのだが、この論を同書において徹底批判的に問題化した心意気と見識も極めて大だと言えよう。筆者による簡略な要約紹介だけでは志賀直哉に失礼なので、彼の書いた本文も少々紹介しておけば、「私は六〇年前、森有禮が英語を國語に採用しようとした事を此戦争中、度々想起した。若しそれが實現していたら、どうであったらうと考えた。日本の文化が今よりも遥かに進んでゐたであらう事は想像出来る。そして、恐らく今度のやうな戦争は起ってゐなかったらうと思った。吾々の學業も、もっと楽に進んでゐただらうし、學校生活も楽しいものに憶ひ返す事が出来たらうと、そんな事まで思った」（原文のまま）となるのだが、歴史的文献として読み返してみても相当にツラくなるか、あるいは笑うほかない無残な駄文と言わねばなるまい。

なので、「あの志賀直哉先生がこんなことを本気で書くわけがない、あくまでもあの（敗戦直後の）混乱期に軽い気持ちで書いた呟きみたいなものなのだから本気でとりあげる方がおかしい」といったかなり無理押しの志賀直哉擁護ムードが強かった様子でもあった由。そんな中で、敢えて「これは志賀の本心以外の何ものでもない」と断じて、同書でその内容を詳しく紹介しつつ公式に全面批判した勇気と信念もやはりただごとではない。孝夫にとって志賀直哉が当時神聖不可侵に近い文壇の大御所であったかどうかなどは二の次の小事でしかなかった。それよりも「私は志賀のこの随筆ふうの論文を読んで、これまで幾度となく、いろいろな人、それも著名な人によって唱えられてきた〈日本語不完全論〉の一つの典型をここに見た気持がした」（同書 24）が故に、この極度に愚劣な論を敗戦直後という非常時に偶々吐かれた「老作家」（と言っても当時志賀は六三歳。いくら時代が違うとしてもさほどの老人ではなかったはず）のちょっとした失言あるいは軽口と受け止めて見逃すわけにはいかなかったのだ。それにより志賀の周辺等からどんな非難が寄せられようとも（実際かなりあったとのこと）孝夫の内面においては彼が全身全霊で愛し評価し、研究してやまない日本語の名誉と尊厳、そして何よりも存続を守ろうとする大志と使命感が優っていたということであろう。

日本語は「同音衝突」をむしろ楽しむ言語と初めて指摘

——福田恆存も「わが意を得た」「してやられた」

その二　欧米言語学の常識からすればあり得ない言語現象の一つ、即ち日本語は「同音衝突」を喜ぶ傾向をもつ言語だということを世界で初めて指摘し（孝夫の場合、どうしても「初めて」尽くしとなってしまうのだが）、欧米言語学では日本語の特徴や現象は殆ど解けないことを改めて具体的に明らかにしたこと。

「言語学はヨーロッパから始まったのですが、欧米の言語学を勉強すればするほど、日本の体質、日本語の特徴に合わないところがたくさん出てきます」（第3集 117）とした上で、「いちばん手近な問題は、同音衝突の原理と日本語の問題です」と続けて「つまり英語とかドイツ語、フランス語等では、同音語で意味が近い言葉というのは殆どない。……意味混同が先ず九九パーセントはないという場合には、ヨーロッパ語にも同音語があります。けれど意味が混同されるようなものは、絶対に両方の存在が許されないというのが、ヨーロッパの言語地理学から確立された同音衝突の原理という考え方で、日本にも紹介されたわけです。そうすると、それがあっという間に日本でも広がる。ところが、受け取った日本語の世界には同音衝突がもう山ほどあるのです。『私はシリツ高校に行っています』と言うと『どちらですか。イチリツですかワタクシリツですか』と尋ねることになるし、『今夜はスイセイが綺麗だね』と言うと『それは彗星？ それとも水星？』と聞かなくてはいけない。下手すると意味が衝突し、混同するような例が山ほどあるのです。しかも山ほどあるだけじゃなくて毎日のように増えてもいる。日本人はむしろ同音衝突が楽しくてたまらないと言ってもいいくらいで、洒落がその一種です」（第3集118）「日本人は表記が異なれば同音衝突を苦にしないのである。いや苦にしないどころか、すでに存在することばに音形をわざと合せて、類義の新語をどんどん作り出す傾向さえ見られる」（同書74）等々と力説が続き、なるほど、これ又言語学者としては孝夫が世界で初めて指摘したことなのかと感服するほかなくなるという次第だ。

ついでながら、この「日本人は表記が異なれば同音衝突を苦にしない」との指摘に関連して思い起こされるのが孝夫と一時親しいやりとりもあったらしいドナルド・キーンの次のような言だ。『日本を寿ぐ――九つの講演』（新潮選書）所収の「日本の短詩型文学の魅力」において、言語の「音」には殆ど無頓着な日本人の特徴を指摘して、例えば「名神」高速道路が完成した際、日本語をある程度理解する外国人の多くは驚き、「迷信」とは魔女などが道路に出没するのでは、と気にかけたところ日本人は誰一人おかしいと思う気配がなかったことを書きとめているのである。まさに表記が異なりさえすれば同音衝突など全く気にかけず軽々と超越してしまうことが可能な日本語の性格をさすがによく捉えた観察眼と言えよう。

併せて孝夫が講演や研究会時、さらには普段の対面会話や電話でのやりとり時においても洒落（ダジャレ）を愛用・多発していたのが懐かしく思い出されるところでもある。また孝夫を知る我が親しい仲間同士の間ではダジャレが繰り出されるとそれは「鈴木先生レベル」とか「それ以下」とかと評し合って戯れるのが習わしでもあった。「で、私がなぜこういうことに気がつくかと言えば、日本語では音も大切だが、音だけでなくて文字、とりわけ漢字が極めて重要であり、同音であってもどういう文字で書かれることばであるか、その文字の違いまでが日本語の実体をなしているのだという日本語の本質認識を抱いてきたからに他なりません」（第3集 119）との孝夫の日本漢字論を都度反芻しながらの戯れであった。このようにダジャレの日本語における格別な意味合いを広く知らしめ、かつ日本語が欧米言語とは違って「同音衝突原理」に喜んで衝突する言語であることを実践的に証明してみせるために敢えてダジャレの愛好者であり名人、いや時に迷人であり続けたことを思えば、ここでも孝夫流「無類の喜び」学の真骨頂がみられると強調しても可であろう。そう言えば孝夫は例えば自らの墓づくりについても筆者には「所詮人生はハカないのだから墓など要らない」とよく語っていたものでもあった。

さらにここで特に紹介しておきたいのは、かつて気骨ある鋭利な評論家、シェイクスピア作品翻訳、演出家等として各方面で活躍した福田恆存（一九一二年〜一九九四年）が孝夫の仕事を高く評価し、中でも同書を読んで「わが意を得たとばかり喜んでいる」と語っていた事実である（『二人の対談『日本語のわからない日本人』より、「三田評論」一九七五年五月号。曼荼羅本に収録）。日本語には漢字の同音異義語が「掃いて捨てるほどたくさんある」ということを福田が自著でも書いたことを伝えた上で「漢字の場合、漢語のまま漢音にしたがって話している時でも訓読みにした場合でも、いずれにせよ、その漢字を頭の中に意識しながらしゃべっている。しゃべっている時、その文字を見ているんだということを書いたことがあるんですよ」「たとえば『後悔』という時に、その後悔という漢字が無意識のうちにでも影に写っているからこそ、船旅の航海との区別がつくし、旅（たび）、度（たび）、足袋（たび）も耳で識別できて、少しも混乱が起こらない。それは文字を意識しているからだという意味のことを書いたことがあって、その時に紙数の関係で書き損ったことがあるんですが、それが今度の御本に出ておりましたので、これはしてやられたと思ったんですけれど、そのことを『あとがき』に書きました」というふうに、これはもう大絶賛なのである。この対談が行われた当時、福田はすでに保守系論客として、また『私の國語教室』著者として、更には演劇人としてもよく知られた大御所的存在であり、彼から見れば孝夫はまだ二冊目の著書を出したばかりで五〇歳未満の「若手」大学教員に過ぎなかったにもかかわらずのこの謙虚な誉め方、認め方はかなり異例なはずだ。福田の優れた人徳を示すものとも言えようが、それほどに日本語に関わる「世界で初めての」言語学的指摘の説得力とインパクトが強かったことの証でもあろう。これ又、同書が天下に示した不滅の新機軸の一つだ。

なお福田恆存は同書初版の裏表紙にもやや長めの推薦の辞を寄せており、同書で書かれている日本語論には「どんな石頭でも忽ち改宗せざるを得なくなるだらう」と記した上で「著者はそこから今日流行の閉鎖的な獨善的日本人とは異った開かれた國際的日本人論を展開しながら、日本における外國語學習の目的と方法まで論じ、日本語再確認への道を示唆してゐる。日本人なら誰しも一讀すべき得がたい書物である」（原文のまま）とまで熱く称賛している。福田が『私の國語教室』（新潮社）等で主張してきた内容を孝夫が言語学的に裏づけ、深めてくれたことへの謝念と共感が波打っていると言えよう。一方孝夫の福田恆存評価も一貫しており、例えば『日本語と外国語』（岩波新書214）において「戦後の漢字問題をめぐる詳細に私はここで立入るつもりも、またその準備もない。しかし関心のある方は、そこに

1975年オーストラリアにて夫人と共に（『閉された言語・日本語の世界』刊行を果たして後）

表れた全体として浅薄で無知に基づく漢字悪玉論に対し、終始一貫して痛烈な批判を加えることをやめなかった文芸評論家の福田恆存氏がまとめられた『國語問題論争史』があるので、ぜひ読んでいただきたい」と書いて日本漢字の絶対的擁護者としての福田に対して心からの敬意と連帯のエールを送っている。

さて、その上で、孝夫が「私の考えでは、同音衝突に関して西欧諸語と日本語の反応がこのように違うのは、言葉というものがどういうものかという考え方、つまり文字観、ひいては言語観が違うからなのである」（同書72）と断言していることを念頭におきつつ、次の新機軸を共にみることとしたい。

日本語は世界でただ一つのテレビ型言語である

その三　文字も言語そのものであり、漢字語は音声と文字の交点に成立するものであることを改めて力説し、日本語は世界でも例を見ないテレビ型言語であることをこれまた世界で初めて揚言したこと。ここでもあくまで「言語的事実」にのみ忠実に従い、欧米言語学の常識や論法からは自在に解き放たれて、だ。

さて、孝夫は欧米言語学で常識とされる同音衝突原理に関わる事柄でも日本語にはその原理は当てはまらない、というより根本から反対の原理が働いていることを指摘し、日本語の本質認識の鋭さを改めて示したのだが、ほぼ同時期、根底においては共通する認識から、かの有名な日本語は世界でただ一つのテレビ型言語であるとのこれまた世界で初めての鈴木孝夫テーゼを言挙げすることになる。その考察の跡を概略辿ってみることにしよう。

「私の見るところでは、いかなる言語も、ひとたびなんらかの文字表記を持つようになり、そしてある程度の時が経つと、その言語は文字表記が原因で、それがなかった場合には考えられない具合に変化していくものである。この意味で文字表記は単なる音声の代用品でもなく、また受動的でおとなしい容器でもない。文字と音声言語には密接な相互作用があり、文字は言語に喰い込んでいくものなのである。……ただ表記の性質によってこの言語と文字の本質的な結びつきの程度にはかなりの相違がある。文字表記が原則的に表音主義によっている場合には、私の言う表記の主導性はきわめて弱く、そのため西欧諸語の場合など、一見したところ文字は言語の本質と無関係に見えるに過ぎない。日本語は表音的な仮名と表意的な漢字、それも日本語特有のはたらきを持った漢字の両者をあわせて文字化されている。ところがこの漢字表記の部分が世界の言語に例を見ないような独特の構造を持っているために、日本語においては表記も言語そのものを構成する重要な要素となっており、それが今なお日本語を積極的に変化させていく力の一部ともなっているのである」（同書 57～58）――ここで「それも日本語特有のはたらきを持った漢字」が、日本語で使われる漢字の大多数が音と訓という二通りの異なる読み方を持っていることの謂であるのは言うまでもなかろうが、念のため添記しておけば、「日本漢字の音（オン）とは、その漢字がもともと古代中国で持っていた発音の後裔であり、訓とは、その漢字が表す意味に対応する、本来の日本語（大和言葉）」（同書 62）なのであり、「私たち日本人にとっては、格別珍しくもないこの訓と音の読み替えとは、実はとても素晴らしいことなのである」（同右）との記述と重なるところでもある。

さらには「しかもこのような同一の表記をめぐる音と訓の対応関係が、日本語では非常に徹底しているため、平均的な教育を受けた日本人にとって、宇宙の森羅万象を表す基本的な概念は、全て水（スイ・みず）、火（カ・ひ）、風（フウ・かぜ）、雨（ウ・あめ）、草（ソウ・くさ）、虫（チュウ・むし）、鳥（チョウ・とり）といった具合に、本来の日本語と外来の借用語である古代中国語の対応という形で記憶されているのだ」（同書83）とも述べているが、こうしたいわば天然のように備わることになった言語感覚の豊かさが古来日本人の自然界・森羅万象に対する共感的な関心、愛着を育む源になってきたということでもあろう。

そして、「私はかねてから日本語は伝達メディアとしてはテレビのような性格を持っていると主張している。音声を使って話している時でさえも、使われている漢字語の視覚的な映像を同時に頭の中で追っているのである」（同書75）とし、他方「日本語に比べると、表記が原則として表音である言語では、話すことはラジオのようなもので、全ての情報が音声という聴覚的刺戟に託されている。そこで音形が同じで、意味に関連性があるような二つ以上の語は極端に嫌われ、互いに衝突するものとして一方が排除されてしまうのである」（同書76）というふうに今一度同音衝突原理を特徴とする欧米諸国の言語との違いを明確に記した上で、更にこうも展開している。「私は決してテレビ型の言語伝達方式が、ラジオ型よりすぐれていると言っているのではない。両者の得失は、いろいろな問題が絡み合って簡単にどちらが便利とも言えないと思う。私の言いたいことは、全く異なる原理で動いている日本語と西欧語（そして中国語）を、同一次元で扱うような粗雑な考え方は正しくないということである」（79）というふうにテレビ型、ラジオ型の相違を強調しつつ日本語がなぜテレビ型と言えるのか、その核心に迫る論述を展開していくのである。

中国から漢字を借用した上で全く新しい文字体系をつくった古代日本人の奇跡的叡智

次の二点を挙げて、その核心に迫っていくのだが、ここで示される孝夫の洞察と筆致が明晰の極みと言うほかない。じっくり味わうこととしよう。

「第一に日本人は、漢字という文字を中国から、そのまま多数借用しておきながら、その漢字から仮名という独特な文字を同時に作り上げてしまったことである。阿と安から〈ア〉と〈あ〉を、伊と以から〈イ〉と〈い〉をという具合に、元の漢字の意味を全く無視して、日本語の音節を書き表す音標記号に漢字を換骨奪胎して、日本語の音節全てを書き表すことのできる、全く新しい文字体系を作った点である。……日本語の仮名のように、借用した文字を全て痕跡を止めないほど改変して、自分の言語の音韻体系に合致した新たな文字体系を作り出した例は少ないのみならず、元の素材である文字をも、そのまま用い続けるという二重構造は他に例を見ない」（同書 81～82）

「第二は、このようにして作った仮名をもって、元来の日本語の単語を表記しただけでなく、借用語として取入れた漢字を、もとの中国の発音通りそのまま（もちろん日本語の音韻上の制限や癖によって、かなり修整歪曲されてはいるが）用いることに加えて、その同じ漢字、漢語を、それに意味が対応する日本単語の発音をあてて、読み変えることも同時に行なったのである。言うまでもなく前者は、いわゆる漢字の音読であり、後者が漢字の訓読と言われるものである」（同書 82）——これが日本語を世界中見渡しても極めて稀なテレビ型だと（この頃はまだ世界でただ一つのとは言っていない）孝夫が言挙げする根拠であり、背景でもあるのだが、それにしても斯くもよく考えられた、というか人知を超えたとしか思えない「全く新しい文字体系」を一体全体、この日本でどんな人士（たち）が、どんな文化的環境、どんな曲折・試行錯誤を経て「作った」のであろうか。

筆者のこれまでの限られた知見では、名前や作成年代を特定できるリーダー（層）や研究・創出集団が存在して一定期間で意識的・計画的に作られたわけではなく（韓国語におけるハングル文字は十五世紀の中期、李朝四代目の王である「世宗大王」が言わば国家事業として発案し、有能な学者たちを集めて一気・集中的に研究・創出したとされているが）、おそらく数世紀かけて古代日本人の集合的叡智（近・現代人の「英知」とはレベル違いとの思いを込めて敢えて「叡智」としている）と共同努力の累積によりいつの間にかあたかも天与の賜物のように「作り上げられて」きたとしか受け止めることができないのだが、それにしてもあまりにもよく出来ているし、見事過ぎるではないか。

もしかしたらどんな言語にもこの種の人知を超えたような奇跡が働いての諸々の言語現象があるのかもしれないし、あるいは第六章で触れる「社会的黙契」という用語とも絡めて考察すべき事柄なのかもしれないが、いずれにせよこの孝夫の説得力に満ち満ちた論述を通して改めて感じ入ることになる日本語文字体系成立時に生じた奇跡は別格であり奇跡中の奇跡なのではなかろうか。それほどにいくら讃嘆してもし足りないほど有難くも豊饒な叡智と努力の集積結果であり、それを支えた天の計らいであったと今更ながらに繰り返し感謝するほかない。

そして、こうした古代日本人の計り知れない叡智の働きを受けて生まれた全く新しい文字体系の在りように新たな光を当ててその意義のとてつもない大きさを言語学的に可視化したのが鈴木孝夫に他ならない。後年の研究会での話だが、孝夫は自分の受け止め方にますます確信を深めつつ、例えばこうも語っている。「私は、漢字が悪いと言ってるのは、言ってる人間の頭が悪いと断言できます。……日本人は馬鹿じゃないから紀元四、五世紀の漢字伝来以来、数百年の間に万葉仮名漢字をああでもない、こうでもないと試行錯誤しながら練り上げていって、日本語という中国語とは全く系統の違う言語にすり合わせて、しかも日本人の都合のいいように変えていった。だから中国の漢字と日本の漢字はいろいろと違うのは当たり前なのです。言語というのは広まるときには必ず変わるし、変わらなければ広がらないのです。英語だって世界に広がったという事実は、英語が世界中で変わっていったことの証明にほかならない。英米の英語がそのまま世界に広まったわけではない。……だから漢字が日本にきて変わったのは当たり前のこと。で、日本人は漢字を、中国人に対しては、これはもうあなた方のものでなく我々のものなんですと言っていいし、言わなければならない。日本人が漢字を音だけでなく訓でも読むから面倒なことになるので、漢字は音だけで読むことにして訓読みをいっさい廃止すれば日本語はうんとすっきりすると文化勲章までもらった大学者の梅棹忠夫さんが主張しましたが、大間違いです。日本の漢字は音と訓と二通りあるからこそ安定しているのです、これが私の漢字論の最も重要なところです」（第4集45）というふうに、ここで梅棹の訓読み廃止論を敢えて取り上げ、遠慮なしに「頭が悪い」人間の一例として批判しているのだが、この孝夫流日本漢字論の主柱である音訓両読み絶対堅持の主張が正しかったことは既に歴史が証明していよう（梅棹の論については本章後半でより詳しく点検）。

この項についての理解を一段とわかりやすく促すためにもう少し引くことにすれば、「一般に言語学では、文字は言語の実体とは関係のない、人間の着物みたいなものとされています。私はこの考えに反対している。例えば、同音衝突という原理があります。……そこで私が注目したのは漢字というもので、音の情報の他に、文字に情報を言わば分担させているという結論に到達した訳です。普通の言語は耳だけで聞いたらわかりますから、ヨーロッパの文字組織というのは、耳で聞いたものしか表していない。日本語の場合は耳では捕らえられない情報の差を、見ることによって、言わば音声と映像という二つのチャンネルの刺激を合わせるテレビ型のコミュニケーションになっている。こう考えれば、同音衝突の原理は、ヨーロッパで成り立つと同時に、日本語でも説明できる訳ですね。同音衝突は言語がラジオ型の時にのみ起るのです。だから日本語でも話しことばでは起る」（著作集6、222～223）となるのだが、これで充分であろう。

さて、同書において日本語＝テレビ型言語というテーゼを明快に打ち出した孝夫だが、この時点では世界の言語の中でただ一つと言い切っているわけではない。先の引用に「……元の素材である文字をも、そのまま用い続けるという二重構造は他に例を見ない」と書いているところに既に予兆はうかがえるが、この時点では未だ世界で唯一と断言する確証が得られていなかったためかやや慎重な趣きでもある。しかしながらその後の考察と研究の進展があってのことだろう、例えば鈴木孝夫研究会では、「先ほど、現在世界には六千種の違った言語があると話しました（先述の通り『閉された言語・日本語の世界』執筆当時は三千余種とされていたが）。もちろん実数はどんどん変わります。滅んでいく言語もあれば、新しく発見されたり、生まれる言語もあります。けれども大体六千種のうち日本語という言語一種だけがラジオ型じゃなく、テレビ型だということを私は世界で初めて主張したのです。日本語という言語の特性をよく考えて、そうした確信をもつに至ったのです」（第3集 72）と明言している。ここでも例によって「世界で初めて」と豪語しているが、これは別に自分の手柄を誇示しているのではない。「日本語という言語の特性」を生み出した古（いにしえ）からの日本人の集合的叡智が世界で初めてであること、自分はそのあまりに奇跡的な事実がはらむ言語学的意味を敬服と感謝の思いを込めて再発見しているに過ぎないとのすこぶる謙虚な認識表明なのである。

いずれにせよ孝夫は古代日本人の数世紀に及ぶ畏るべき集合的叡智（「社会的黙契」とも言えるのかもしれないが）の働きとその結果として産出された日本独自の全く新しい文字体系の凄みと有難さに改めて言語学的観点から強い光を当てたということであり、この功績も大きい。ついでながらこの関連で孝夫のもう一言をかみしめることにしよう。「ところが日本語だけが音をなぞるだけじゃつまらないということで、意味を表す文字をもつことになった。日本語の文字というのは本当に独特で、全世界の中でたった一つだけ、日本語だけが、たとえて言えばテレビ型の言語になっているのです。日本語以外の全ての言語は文字を持っているとしても全部ラジオ型なのです。……日本語というのは文字を知らないと話がうまく通じないようにできているのです」（第4集 110）――日本語がなぜ世界で唯一のテレビ型言語と言い切れるかについての極めてシンプルかつ明快な語りと言えるだろう。

なお、念のため追記しておけば、ここで「古代日本人」と言う場合、気をつけなければならないのは単一の民族や人種ではないということだ。日本列島に縄文期から先住していた縄文人に、これまた数世紀かけて主には朝鮮半島や南方経由でやってきた様々な人種の渡来民、そしてその渡来民と縄文人との出会い、混血で生まれた人間も多々含む弥生人が増大し、さらにその後も数多渡来した朝鮮系等の帰化人も加わる等かなり多様な民族、人種の交流・混合・協力によって成り立っていたのであり、だからこそ孝夫も絶賛する共同の叡智が数世紀にわたって累積的に発揮されたということであろう。古代日本人は単一民族だから優秀、聡明であったなどとゆめ考えてはならない。このように孝夫が明言しているわけではないが、筆者としての確信を敢えて記しておく次第だ。ともあれ、自然環境、生物、人類文化、言語等全てにおいて多様性が何よりも肝要であることを力説し続けていた孝夫からしてもこれは自明の理であったはず。数多くの人種や民族の経験や知恵が合成された多様性の威力が数世紀の間に自ずから発現されて初めて全く新しい文字体系が生み出されたのだというふうに。

音訓両読みの日本漢字「常用」化確定にも貢献

——鈴木孝夫は敗戦後日本漢字を守りぬいた功労者でもある

その四　古代日本人の共同的叡智の結晶として数世紀かけて産出された日本独自の文字体系、音訓両読みの日本漢字が一九四五年の敗戦後、極めて危うい存亡の危機に際した時、国語審議会において「当用漢字」⇒ローマ字化という当初は米軍司令部の意向でもあったらしい方針に真っ向から異議を唱えて議論を逆転させ、日本漢字の「常用」化確定に著しく貢献したことも歴史に残る偉業だ。この大恩も我々は忘れてはならない。

もう一点、日本漢字に関連して我々が後世にも伝えなければならない鈴木孝夫の大功績がある。それは、一九七二年から最年少で文化庁国語審議会委員となった際（三期六年間）、当時検討されていた「当用漢字」問題において、その「常用漢字」化を徹底して主張し続け、その方向を確定させたという功績である。勿論これはいくら孝夫であっても単独でなしえたことではなく孝夫の主張に対する強力な賛同者が存在していたからとは孝夫本人から直接何度も聞いた話だ。当時の財界推薦のような形で委員になっていた長老格の木内信胤（きうちのぶたね）（一八九九年～一九九三年、経済評論家）という人物である。熱心な日蓮宗徒でもあったせいか自らの信念と見識を貫く一点においては孝夫に勝るとも劣らない強さで力を尽くし、「常用漢字」化実現に大きく貢献してくれた由。

孝夫は孝夫で、この六年間は丁度『ことばと文化』、続いて『閉された言語・日本語の世界』執筆時期と重なっていたこともあり、その明晰度抜群の主張には誰しも抗い難かったのではなかろうか。いずれにせよ主要には鈴木孝夫と木内信胤、この二人による「当用漢字⇒ローマ字化推進」路線絶対反対論の展開を通して、日本語における漢字使用、日本独特の文字体系は基本的に守られたわけであり、この功績もまた永久に不滅である。孝夫は木内の加勢も得て音訓両読日本漢字の守護神になったと言ってもいい。

ここで二〇二一年一〇月に行なわれた孝夫遺品（蔵書・資料類中心）整理の際に見つかった当時の木内信胤の文章を紹介しておこう。旧仮名・旧漢字で記されているが、そのまま引用するとして「戦後の國語政策は、ローマ字化が司令部の思想であったこともあって、漢字全廃を目指してゐた。幼稚な話ですが、當時としては無理もないとも言へます。立派な國語學者や文學者が、あの頃は漢字全廃に同調していたわけです。漢字ばかりではなく、假名遣も、話す通りの音を寫せばいいといふ考へ方でした。何でも簡単にすればよい、簡単にしなければ能率があがらない、能率があがらなければ經濟發展はできないといふ、甚だ浅薄な考へに支配されてゐたのであります。ところが、まだ漢字が廃止されないうちに、日本の經濟が復興し、漢字が邪魔になるといふことは言へなくなって、戦後の國語政策はをかしいのではといふ批判になってくるわけですね」（一九七五年二月刊行の國語問題協議會會報『國語國字』第八十六号に掲載の「最近の國語審議會の動向」より）と書かれていて当時の国語審議会の様子がありありとよく伝わってくる一文だ。

それにしても戦争大敗北という最悪事態を受けて、やむを得ない面もあったとは言え日本語と日本漢字の運命は実に危うい局面にあったものよ、と今更ながらに慄くばかりだが、ここで日本語、日本漢字を守るべく大奮戦したのが他ならぬ鈴木孝夫であり木内信胤であった事実は何度でも繰り返し強調されていいことだ。まるでその確実な傍証であるかのようにこの『國語國字』誌目次では木内論文の隣りに鈴木孝夫の名があり、しかも論文名が「漢字のあまり知られてゐない特性について」なのである。全体でわずか六名の執筆者の中でのこの並び方であること、そして木内が当時この研究誌を発行している「國語問題協議會」の理事長でもあったことからして、この理事長がいかに当時まだ若い孝夫を高く評価し、頼りにもしていたかがよくわかるというものだ。日本語と日本漢字を守りきるとの根本的な一点において木内と孝夫はこの時血盟的同志であったと言っても過言ではなかろう。

この木内についての孝夫後年の述懐も見ておけば次の通りだ。「私が国語審議会と聞いていちばんに思い出すことは、木内信胤先生のことだ」と書き出した上で「その頃私が幾つかの英文論文において、主として戦後、米国の学者が口をきわめて非難し、使用をやめることを求めた日本語における漢字を、新しい理論的な角度から擁護し、日本語にとっての利点を言語学的に明らかにしたことを、木内先生が高く評価してくださり、何かとお話を伺う機会があった」「私が木内先生と漢字擁護の立場で一致した最大の理由は、日本語の漢字が複雑であるとか、ヨーロッパ語と違い過ぎる、国際性がないなどという理由で否定的に見るのは当たらない。なぜならば、日本はその『良くない』とされる文字組織を持つ日本語を使って、曲がりなりにも非西欧圏唯一の近代資本主義国家を建設できたのだから、日本の漢字は全体としてはうまく機能していると見るべきだということであった」「私が審議会にいる間に、出された議題のそもそもの前提がおかしいと思うことがよくあって、そのたびに私は場所柄もわきまえず発言して、審議の進行を妨げるという『若気の至り』を発揮したものである」（「当用漢字から常用漢字へ」

二〇〇三年三月、文化庁の『国語施策百年の歩み』に掲載。曼荼羅本に収載）――当時の審議会最年少（四七歳から計六年間関わる）の委員ながら孝夫がいかに度々「審議の進行を妨げて」まで奮闘したかがよく伝わってくる一文だが、その度に重鎮の一人である木内が年の功も働かせつつ上手に味方していったのであろう。孝夫がずっと後年に至っても木内に対する謝念を大事に保ち続けたことからしてもこの両者の連携、共闘が実に見事であったことが確認できよう。

日本漢字の危機を何とかしのぐことに貢献した事績に触れて、もう一言孝夫の述懐を記しておこう。「現代国語を書き表すのに日常的に使用する漢字を千八百字選んで〈当用漢字〉としたのが昭和二一年一一月のこと。この考え方の基本は、漢字という悪者をできるだけ早く日本社会からなくしたい、でも今日明日になくすと社会が混乱するから、なくすまでの当座の用として少し使いましょうという意図が明白に働いていた。それが〈当用〉漢字だったのです。いずれ近い将来日本語はローマ字化するということが大前提でした。だから小学校でローマ字教育を急いで進めたのです。当時まだローマ字を殆ど知らない国民が、ローマ字を使えるようになったら漢字をやめてローマ字にするという計画だったのです。私は、これに猛反対して、この言い方を変えさせる運動を他のメンバーと協力して起こしました。で、六年かかって〈当用漢字〉を〈常用漢字〉と名称を変えさせたのです」（第4集54）――遥か後の鈴木孝夫研究会（二〇一二年二月四日）での講演の言だが、音訓両読みの日本漢字「常用」化確定に果たした孝夫と木内の貢献の大きさに何度でも思いを寄せ、繰り返し感謝したいところである。

この項に関して、ややくどくなる感もあるが、更にもう一点、どうしても同書からとり上げておかねばならない事柄がある。それは孝夫が重視する漢字の音訓二通り読みに対して、「漢字の訓読を一切廃止したら、日本語はすっきりするのではないかという提案を行い、かつ自分でそれをある程度まで実行している学者がいる」（同書 87）ということだ。少しばかり先述もしたが社会人類学者の梅棹忠夫（一九二〇～二〇一〇年）で、一九六九年四月、エッソ・スタンダード石油株式会社発行の季刊誌 Energy に「現代日本文字の問題点」という論文を寄せて、「今日の世界の言語の中で、その表記法において、日本語ほど複雑な構造をもっているものはほかに例がないのではないか」との問題意識から論を始めて次のように述べている。「漢字かなまじりという、現代の日本の表記システムを保持したままで、正字法を制定しようとすれば、どうしたらよいのか。おそらくは、可能な唯一の法とおもわれるのは、漢字の訓をやめてしまう、という方法である。漢字は、音だけにしてしまうのである。こうすれば、おくりがなの不統一も何も全部なくなってしまう。おくりがなという観念が不必要になるのである」（同書 90、孝夫の引用からの再引用だが、見ての通り訓読み漢字は使われていない）と主張しているのだが、この背景にあるのは「日本語に正書法が確立していないことは情報産業の観点から大問題だ」という梅棹なりの危機感であった様子。ここで、一見正論に思えても結果的には影響力をもち得なかった梅棹説を詳しく振り返る必要はないが、そうした愚論を言わば粉砕するのに強力だった孝夫の反論はしっかり見ておくことにしよう。「先進諸国の言語は、いちはやく正書法を確立したのに、日本語だけが、いまだに正書法を持たず、これまで正書法なしにすませてきたことは驚きであると梅棹氏は言われるが、日本語は漢字仮名交じり文という性質と、漢字の音訓両読という特殊な性質のために、画一的な正書法が本質的にできない、そして必要のない言語なのであって、だからこそこれまで正書法なしですんできたのである。これを語構造の違う西欧の言語の場合と比較し、遅れているとか混乱していると考えるのは非常な間違いである」（同書 94）、「言語というものは歴史的文化的な産物であって、全ての面ですっきりと効率よく整理できるものではない。日本語が全体としてそれほど効率が悪い言語でないことは、日本という国がともかく日本語だけを使って、近代的な大国に成長できたという、アウトプットの点から見ても明らかだとすべきであろう。近代的な大国で日本のようにただ一つの言語だけで、一切がまかなえるという国が、世界広しと言えども他にないことも、言語の効率の問題を考えるとき、忘れてはならない大きな問題である。……日本だけが正書法の面での効率の悪さのために世界で遅れをとるというような思い込みは、あまり生産的であるとは言えない」（同書 96）――どうであろうか。欧米言語の常識や「欧米基準の普遍性」信仰にとらわれて日本語や日本文化の在りようを「遅れている」とか低くみてしまう悪癖から（『文明の生態史観』等の著作で当時権威ある大学者とみなされていた）梅棹忠夫ほどの人物でさえもが免れていないとの真っ向からの批判だが、誰が相手であろうと見過ごすことができない謬論は敢然と批判し、正す孝夫の明断ぶりが相変わらずきらめく論評ではなかろうか。梅棹がかかる批判を受けた後も自説にこだわり続けたかどうかについては筆者として不知だが、この論争の勝敗は明白だ。

英語はもはや「英語」ではないと断じて「イングリック」を提唱

その五　第五章「日本の外国語教育について」で、英語はもはや英米の「英語」ではないと断じて「国際補助語としてのイングリック」をこれまた世界で初めて提唱していること。

先ずはいきなり「英語はもはや単に英米のものではない」と断言しているのが何とも鮮やかであり、かつ心地よいというものだ。孝夫は同書において自分がこうした見解を初めて発表したのは一九七一年一月に雑誌『英語教育』（大修館書店）に寄せた「English から Englic へ」という論文においてだとことわった上で、こう書いている。「私たちが相手とし、研究しなければならないのは、今や全世界であり、そのときに利用度の高い言語が〈国際補助語としての英語〉なのである。……私はこの……英語を、イングリック Englic と呼んで、英国の英語、アメリカの英語を基本として考えるイングリッシュ English と区別すべきだと主張したのである」「English と Englic とは、たしかに歴史的、発生的には密接な関係があるが、今では別なものと考えてよいほど、語学的にも機能的にも別のものになっている。私たち日本人の大多数（つまり少数であるべき専門の英語学、英文学徒を除いて）が習得しようとしている言語を、英語と呼ぶから、英語だと思うから、イギリスではそうは発音しない、アメリカではそうは言わないというような、微に入り細を穿った小うるさい無味乾燥な規則を覚えることが、英語に上達する唯一の方法だと思われてくる。そしていつまでも不完全感に悩まされることにもなる。だが今日私たちが国際的な場面で、実際に出会う英語は想像を絶するほど多様な性格を持っている」（同書214～218）――今となっては、この項に関してはこのくらい紹介しておけば充分と言っていいほど「英語」に関する共通認識になっているだろうが、しかし、この言挙げが今から五〇年以上も前になされているという驚くべき事実、その先駆性の輝きと凄みには改めて敬服する必要があるのではなかろうか。孝夫にはそれだけの慧眼が具わっていたという又々の証だが、その背後にはそれまでにアメリカ（ミシガン大学、イリノイ大学中心）、カナダ（モントリオールのマギル大学）に合計すれば三年余滞在して学習、研究に励むとともに世界中からそれらの大学に集ってきていた人士と交わる「国際的な場面」体験が少なからずあったからでもあろう。また一九六五年九月から五年ほど深く関わったラボ教育センター（当時の社名はテック）においても当時は英語講師役の諸国人が多数出入りしていたので、その観察を通しても「英語は想像を絶するほど多様な性格を持っている」事実を確信できていたのに相違ない。

ともあれ孝夫がこう提唱してくれたことにより、日本で英語を学ぶ人たちがややもすれば囚われやすい英米人に比べての発音等に関する不必要な劣等感、「不完全感」からの解放を促したのは間違いなく、その点でも孝夫の貢献は偉大なのである。草創期のラボ教育センターにおいて谷川雁が事あるごとに「英米人の発音など真似する必要はない。英語も自分の魂を込めて表現することが肝心」と語っていたのも孝夫との意思一致があってのことだったろう。「この点で私が最も強い印象を受けたのは先年来日された世界的な言語学者ロマーン・ヤーコブソン博士の講演であった。この偉大な言語学者の口から出る英語は、博士の母国語であるロシア語の調子、発音の干渉が歴然としている。すでに三〇年以上アメリカに住んでおられて、これなのだから、昔はもっとひどかったと思われる。文法もあとでテープで調べてみると、〈英語〉としてはかなりの間違いがある。しかし博士の講演を聞くと、はじめは奇異に感じ、聞きにくかったものが、いつの間にか気がつかなくなり、素晴らしい内容と親しみある人柄に、こちらがすっかり取込まれてしまう。まさに忘れ得ぬ人という印象を、聞く者の胸に残して日本を去っていかれたのである」（同書223～224）——これは一九六七年七月、テック（ラボ教育センター）が当時ハーバード大学教授であったロマーン・ヤーコブソンを招聘して講演会や研究会を東京で開いた時のことに触れた文だが、まさしくヤーコブソンは（彼の場合はロシア語なまりの強い）イングリックの先駆けであり達人であったということに他なるまい。

このように孝夫は日本の「英語」教育についても画期的にして的を射た問題提起、提唱を行なうことにより英語教育界や学校の英語教師等にも多大の影響を及ぼしていたのだが、しかし、この「イングリック」という造語自体はその後広範に使用されるようになったであろうか。この表現に込めた孝夫の意図なり考え方はかなり共感と理解を得たはずなのだが、この用語そのものは広く愛用されるには至らなかったのではなかろうか。そして孝夫自身もそうした現実を認めてのことであったか、後半生（筆者がラボ教育センター時代に孝夫と直接出会い親しく接することができるようになった二〇〇二年後半以降と限っても）においては、この語をあまり使うことはなかったように思われる。孝夫としては、この造語を通して訴えたかった事柄がそれなりに認められるようになった成り行きをもって良しとしつつ別な言い方（「国際英語」等）を選ぶようになったからでもあろう。筆者としては、しかし、今こそ改めてこの「イングリック」という用語に光を当てて、日本中の中高生をはじめとする若い世代が自分たちが学んでいるのはイングリッシュではなくてイングリックだと胸を張って言える状況になればいいと切に願うところでもある。「国際英語」といった無難な言い方よりも「イングリック」の方が遥かにインパクトが強い表現だし、「イングリッシュ」に対する不要なこだわりや劣等感を直接消去する作用力をはらんでいるからだ。いずれにせよ、もはや日本人の大方にとって「イングリッシュ」への囚われは時代錯誤でしかない。

『閉された言語・日本語の世界』執筆中も鳥たちの運命に思いを寄せ続けて

さて、本章の結びにあたって忘れてはならない大事なことを念のため書いておこう。それは、孝夫は同書出版の頃（一九七五年前後）は己の言語学創成に向けて全エネルギーを傾けていたのだが、しかし序章でみた通り「節約のすすめ」のような環境問題に関する文章も同時に欠かすことなく書いているということだ。孝夫にとって言語学と環境問題はコインの両面のように一体関係にあるとは既に記したことだが、この当時の別な文を紹介しておけば次の通り。「…ところがオナガは別として、西郷山がなくなると共に、私の身辺から小鳥たちが消えていった。近所の家の庭も、車庫が出来たり、マンションになったりして私の庭は孤立してしまった。今くるのはキジバト、ムクドリ、シジュウカラ、そしてスズ

明治神宮でヤマガラと見つめ合う孝夫

メとカラスである。見るかげもなく変ってしまった環境の変化に、適応できる少数の鳥だけが残ったことになる。オナガも変った。木の実の多い時はまだいい。柿の実の赤いうちは安心であろう。だが食べるものが少ない時は、この都会でどうして暮しているのかと思うことがある。（この後、オナガがスズメを捕えて殺し、毛をむしって食べるシーンが記された上で）……だがオナガが生きた雀をタカのように襲って、食べるのは少し違う。正常な適応とは言えない。私はいかにも日本の鳥らしい優美な姿と、落着いた色彩のオナガを見るたびに、これからの小鳥の運命のこと、人間の未来のことなどを考えるのである」（一九七四年八月「三田評論」掲載の「オナガのこと」。著作集８に収録）
――孝夫がいつ如何なる場合も鳥たちをはじめとする人間以外の生き物たちの側に寄り添いつつ「環境の変化」に対してすこぶる敏感であること、「正常の適応とは言えない」適応の仕方に、たとえばオナガを追い込んでいる環境悪化を憂慮している姿がよく伝わる一例と言えよう。このように『閉された言語・日本語の世界』の執筆を進めている最中でも、鳥たちの運命に思いを寄せる文章を書いている孝夫はやはりどう見ても人間中心主義、人間だけが世界の主人公という発想、考え方ではない。

　孝夫が言語学を志した当初から欧米基準や欧米言語学を上位におく考え方に囚われていなかったのは当時の世の大勢からすれば相当に異色であり格別なことだが、その秘密は実は人間の言語について考察を進めるのと鳥の生態、鳥たちが生きる環境（変化）に関心を寄せることが同時一体関係にあり続けたからに他ならない。換言すれば欧米基準、欧米学問の基底に色濃く流れる一神教的観点とはあらかじめ充分距離が保てていたということである。キリスト教に代表される一神教が唯一絶対の神からこの世〈地球全体〉の管理を任された〈神に似せて作られた〉人間を他の生き物とは区別された特別な存在とみなす人間中心主義のかたまりであるのは言うまでもない。既に何度も見てきた通り子ども時代から鳥たちと共に生き、最初の言語学研究論文が「鳥類の音声活動」であった孝夫にとってこの種の一神教、欧米基準とはハナから無縁だったのである。孝夫はあくまでも鳥と共に鳥たちから学びながら己の言語学も創っていったのであり、そうであるかぎり鳥たちにも「正常な適応とは言えない」環境との適応の仕方を強いるような環境変化に対して無関心でいることはあり得なかった。孝夫にとって「小鳥の運命」と「人間の未来」は密につながっているのであり、かつ等価だったと言っても言い過ぎではない。

〈付記〉江守徹氏（俳優）もかつて『閉された言語・日本語の世界』を高く評価

二〇二一年一〇月に、一〇日ほどかけて関わった孝夫遺品整理時に見つかった貴重な資・史料の中に、『閉された言語・日本語の世界』にからむ極めて注目すべき新聞記事（切り抜きコピー）があったので紹介しておこう。今では大ベテラン俳優である江守徹氏が一九七五年九月五日付の日本経済新聞「読後感」という欄にこんな一文を寄せているのだ。「先だってあるラジオ番組で知り合ったマレーシアの青年から『日本語は美しい。例えば、きれいですね、という話し言葉が文字通りきれいだ』と言われて、いささか意外な気がしたことがあった。私たちの会話は、彼の独特な発音の、しかし非常に豊かな英語と、発音はマアマアだが、非常に貧しい私の英語とで交されたのだが、日本人であり、まして俳優という職業にありながら、日本語に対してなんと鈍感なのだと、われながらがっかりしたものである。そんな折、この本を読み、なぜ昨今の日本には私のように、自国語である日本語の認識もおろそかならば、外国語ももちろんからきしダメという人間が多いのか納得できたのである。明治以来の日本語蔑視的傾向を批判し、漢字の音と訓による表現という日本語特有のすばらしい魅力を力強く説き、さらに歴史的、地理的条件による日本語の単一性と、そのことがまさに日本に特有な文化を展開させていること等に触れ、日本語及び日本人の性格を深く考えさせてくれる実に知的な本であった」――同書刊行後まもなく書かれた文章で、もう四七年以上も前のこと故、江守氏も相当に若かったはずだが、この本がどのように受け止められ評価されたか、が具体的によくわかる興味深い事例と言えよう。おそらく江守氏はその後日本語認識を一段と深めつつ俳優としての表現力をより一層磨いていったに違いあるまい。氏とは我がラボ時代、宮沢賢治作品の日本語語りをお願いし、一緒に仕事したこともあるだけに筆者としてひとしお嬉しい資料の発見であった。

第五章　『武器としてのことば』『私の言語学』『日本語と外国語』等に見られる独自言語学の進展

これまで見てきた通り鈴木孝夫は『ことばと文化』、『閉された言語・日本語の世界』の二冊の執筆・出版によって、恩師井筒俊彦と絶縁した際、彼とは異なる言語学樹立へ向けて自らに課した「新機軸」群創出に成功したと言っていい。それは同時に言語学の世界でも支配的であった欧米基準、西欧中心主義、そのベースにある一神教的世界観を相対化する学問的見地、思想的立場の確立をもたらすものであり、結果的に名実共に井筒からの自立を果たしきる精神過程でもあった。

以後の孝夫に求められたのが、この達成をもとに独自の言語学的地平をさらにおし開き、充実させていく営為であったのは当然。その意味で第三章、第四章でかなり詳しく吟味した両書はいわば孝夫言語学における基軸作品であり、その後の著作群は応用編とみなしてもいいのではなかろうか。ついては、この第五章以降は、孝夫がこの二作の後に書いて世に問うた著作に見られる数多の言語論、言語哲学、メッセージのうち現時点から見て改めて特に光を当てたいと筆者が願う事柄を中心にとり上げ、共に考えていくこととしたい。ただし、『人にはどれだけの物が必要か』については、主要著作中の最主要だが、序章等で既にかなり触れているので、これ以後の取り上げ対象からは外すことにしよう。

朝鮮語（韓国語）学習の必要性をいち早く自らも実践しつつ力説

その一　孝夫本人が五〇歳半ば過ぎから「朝鮮語」（韓国語）を学び始めながら慶應義塾大学英文科

での教え子でもあった韓国人学者との共著という形で『朝鮮語のすすめ』という新書本を出版していること。朝鮮語学習の必要性をいち早く、自らも実践しつつ熱弁していること。孝夫の仕事の中では重視されにくいかもしれぬが、これ又大きな功績だ。

それでは基本的に出版の時系列に沿って個々に見ていくことにするが、先ずは刊行時期としては『閉された言語』のおよそ六年後である共著『朝鮮語のすすめ——日本語からの視点』（一九八一年四月、講談社現代新書）を見てみよう。渡辺吉鎔（キルヨン）という韓国で生まれ育った言語学者が在日一五年時に朝鮮語（韓国語。この本で「朝鮮語」としたのは当時日本の大学に設置されていた朝鮮半島の言語の講座がほぼ全て「朝鮮語」という呼称を使用しているのに従っただけで他意はない由）の面白さを紹介すべく書いた一冊との触れ込みだが、この著者が慶應義塾大学に学生として在籍していた時期、孝夫の薫陶を受けた縁から孝夫がこの新書の第一章「朝鮮語のすすめ」を執筆している次第だ。なぜ敢えてこのような執筆を引き受け、かつ彼女との共著という形で同書出版に積極的だったのかの弁が実に興味深いので紹介しておこう。

「その結果、私は日本と西欧の出会いの問題を、日本を原点とし、日本人の立場から考えていく必要を痛感しはじめたのである。このような視点から、私は『閉された言語・日本語の世界』のような本を書き、日本人の意識の隅々まで浸透した西欧中心主義の原因を探ると同時に、その逆さうつしの映像として、私たちの心の中に根強く巣くってしまった〈遅れたアジア〉に対する嫌悪、侮蔑という偏見の構造に、遅まきながら気がつき始めたのである。私が朝鮮語を五十も半ば近くなって、勉強しなくてはと思い立ったのは、このような私の心の中に起った一連の変化の、いわば理論的帰結でしかなかった」（『朝鮮語のすすめ』15。以下同書と記す）――このようにかなり痛切な自己覚醒を踏まえた上で、孝夫はかつての教え子でもあるキルヨンさんから直接朝鮮語を学ぶ関係を結ぶのだが、その胸中を「それから半年、一年と、毎週欠かさず、多忙の中を研究室で個人教授を引き受けて下さった共著者の渡辺氏に、私は本当に感謝している。こんな面白い言語、こんなに素晴しいことばを、どうして今まで知らずに年をとってしまったのだろうかというのが、私のいまの偽らざる気持ちである」（同書16）というふうに驚くほど真率に反省に近い弁を記し、自ら朝鮮語学習を通して知った面白さと喜びを綴っているのである。日頃自分が理解できる言語は二十数か国語くらいと語っていた孝夫が、ここまであけすけにある一つの言語を五〇歳過ぎて以降ハナから学ぶ己の心情と感想を公表するのは極めて珍しいのではなかろうか。

この真率さは更に続いて「日本語を考え、日本文化を論ずる時、朝鮮語を無視して、よくも本が書けたものだという、恥かしさと無念さを感じない時はないほど、朝鮮語と日本語は文法といい、発想といい、瓜二つの言語なのだ」（同書16）とまで書いた上で、「しかし私が自分のこれまでの無知を、この許し難い怠慢を敢てこのような形で告白するのも、実は私のような人間が、現在の我が国では決して例外的存在ではなく、むしろ大半の日本知識人のごく普通の例に過ぎないことを確信するからである」（同書18）となるわけだが、孝夫は、自らの朝鮮語学習を通して、ある種の使命感に駆られるようになった様子なのである。だからこそ彼にしては稀に見る「告白」めいた文章まで書いた成り行きなのだ。

同書出版時（一九八一年春）の「日本知識人」（こんな用語が恥ずかしげもなく使われていた時代があったとの記憶を反芻するとともに、それほどに同書刊行は昔の事だったのかと思い返すところでもある）の隣国言語に対する態度は確かにこの通りであったに相違なかろう。孝夫は、かかる状況を何としても打破しなければならぬとの使命感を燃やして、このような「告白」を言わば逆用しながら先ずは自分が

鈴木孝夫研究会にて

勤務する慶應義塾大学において「機会あるごとに学生たちに向って、朝鮮語を勉強しなさい」と勧め、かつ「自分の大学に朝鮮語の講座を増設する努力を重ね、今年はじめて専任の教員を採用して」もらうところにまでこぎつけているのである。さらに幾つかの放送局にもテレビ・ラジオ番組で朝鮮語講座を入れるよう粘り強く働きかけたりもした様子だ。

その上で、孝夫は歴史的事実の一つとして「日本も朝鮮も共に長い間、中国文明の強い影響の下にあった」ことを前提的に指摘しつつ「両者とも物質文化の点で中国文化の多大な恩恵を蒙っていることはもちろんであるが、そのうえ、朝鮮半島経由で仏教、儒教を受けつぎ、さらには言語表記の手段としての漢字まで貰った日本が、朝鮮半島の諸国と精神文化や道徳的思考といった文化要素まで共有する結果となったため、現在私たちが目にするような言語や文化上の類似性が出現したと言えよう」（同書 34）と書いているのだが、ここでは第四章で詳しくみた「言語表記の手段としての漢字」、孝夫が殊の外大事なことと力説している音訓両読み日本漢字の原形もまた朝鮮半島経由の渡来であったという歴史的事実に改めて粛然と感謝したくなるところだ。

いずれにせよ孝夫が一九七〇年代後半にはキルヨンさんに就いて自ら朝鮮語学習を始めると共に朝鮮語と朝鮮半島への関心と認識を深めていったこと、その新たに獲得した視点と洞察力をもとに孝夫の欧米基準相対化、欧米中心的価値観・世界観超克の構えはますます研ぎ澄まされ、堅固なものとなっていった行く立てを見落としてはならない。ここから『武器としてのことば』等に表現された一段と切れ味を増す実りへはあと一歩となるからでもある。
なお蛇足ではあるが敢えて記せば、ラボ教育センターが二〇〇一年より諸事情から長らく中断していた韓国ラボとのホームステイ交流を再開したことにより、ラボが韓国との交流プログラムをもっていることを孝夫は勿論高く評価してくれたものである。そして、その再開に向けて当時のラボ本部責任者としてそれなりの役割を果たした筆者自身も韓国での日本ラボを代表しての公式挨拶くらいは韓国語で、と決意して韓国語をそれこそ五〇代半ば過ぎから密かに半年ほどテレビ講座等で独習したとの裏話には更に喜び、わざわざ韓国料理店で慰労会食の席まで設けてくれたものであった。

非戦を貫きつつ国を守る「武器としてのことば」に大志を秘めて
——孝夫は憲法九条堅持の積極派なり

その二　敗戦によるとは言え、せっかく世界の大国で最初に非戦を宣言し、非戦を貫くと決めた以上日本の武器はことばであり、ことばしかないと明言したこと。鈴木孝夫は憲法九条の積極的な尊重者でもあった。

さて、次は『武器としてのことば』(一九八五年九月、新潮選書として書き下ろしで出版)から、今日改めて想起し今後に向けて伝えていきたいメッセージを取り上げることにしよう。先ずはこの著書をテキストにした研究会での孝夫自身の述懐は次の通りだ。日本は一九六四年の東京五輪以後、敗戦後の苦境から復興していわゆる「先進国」に再び仲間入りした上、その後も順調に発展を遂げて、この著書発刊時点(一九八五年)では世界でも四、五本の指に入る主役級の国になった事実に触れつつ「日本は、その持てる力と現在の世界に占める比重の大きさからして、もっともっと前に出て、世界に向かってメッセージを発信していく立場にあるというのが、私の考えです。しかもこの大国である日本が戦争はもうしないと宣言している。そんな宣言は撤回しよう、もういっぺん戦争できるくらいに軍備を強化しようという道もあるし、そういう主張を唱える人たちもいるけれど、私はそうではありません。せっかく世界の大国で最初に戦争をしないと宣言し、その宣言を守ってきた国なのですから、その延長で発信力を高める道を考えたい。戦争をせずに生きていくことのできる道を考え、かつその道を世界に広めていかなければいけません。で、その道は何かというと、言語です。……つまり、ことばが日本人の武器なのです」（第3集 23）と明快かつ高らかに宣言したのである。

このような「武器としてのことば」との基本認識に立って孝夫は同書において、そのために日本がとるべき「言語戦略」をほぼ四点に絞って提案しているのだが、その前に心して着目しておきたいのは、孝夫がこの点では日本国憲法九条の極めてポジティブな尊重者だということに他ならない。既述の通り孝夫は政治的には保守派の論客とみなされがちであり、そうである限り日本国憲法は敗戦時に米国から強要されたおしつけ憲法と断じて一刻も早く廃棄し自前の憲法制定を、という立場の論客ともみなされていたかもしれないが、実はそんなよくある保守派では全くなかった。ここでみる孝夫は惚れ惚れするほどに九条堅持の非戦論者なのである。しかも受動的な九条擁護派にとどまらず九条を足場として積極的な「武器としてのことば」戦略を提言する優れてクリエイティブな論客でもあったのだ。例えば「私は日本が守り抜こうとしている非武装平和国家という路線自体は、必ずしも非現実的であるとは思わない。非常に困難ではあるが、やり甲斐のある実験として、行ける所まで行って見るべきだと考えている」（『武器としてのことば』42。以下同書と記す）と述べた上で、「私が無責任で非現実的な夢想主義であると非難するのは、軍備強化に反対し、平和を声高に唱えるだけで、武力に替る国家防衛策の具体的な代案を何ひとつ提示しようとしない人々である。……私は日本人は今こそ、ことばを武器と考え、国家的な見地からの言語と情報に関する総合戦略を打ち建て、巨額の国費を投じるべきだと主張したい」というふうに、だ。「不戦を念仏の如く唱和し、ひたすら平和を祈願する念仏主義」に留まるのでなく不戦を貫きつつ国民を守る現実的な代案提示にも踏み込む立論であり、日本国憲法の要たる九条にとって斯くも力強い援軍、有難い味方はいないと言ってもいいくらいではなかろうか。

しかも孝夫のこの主張にはかなり年季が入っており、同書刊行の九年前（一九七六年一〇月）には「言語、言葉は武器なのだ、という発想を、われわれは持つべきである。憲法第九条で戦争放棄を規定しているわが国では、原則として武力を持つことが出来ない。いかなる紛争解決にも武力を用いず国連中心主義の外交を推進すると明言している以上、何を武器とすべきか？　私に言わせれば、それは言葉しかないことになる」（『言論人』言論人懇話会）と書いているのであり、この点でも孝夫は並の保守派、ましてや右翼とは全く次元を異にしているのだ。

さらに孝夫はこうも語っている。「……本当はとっくに世界の表舞台の中心に立っている国であるのに、日本はこう考える、日本人は人類の未来に向けてこういうふうに提案する、アメリカ流の文明には未来はないし、中国みたいな経済成長至上主義でも立ちいかなくなるといったマニフェストが出せていないのは情けない限りなのです」（第2集 81）

この情けない状態は現在もなお続いているというか、国際社会における日本の存在感はより一層希薄になっているであろうが、以上を総論として、孝夫の非戦を貫く立場からの言語戦略を具体的にみていくことにしよう。なお付言しておけば、孝夫が同書において何度も用いている「言語戦略」という表現は当時かなり新鮮なインパクトをもちえたからであろう、『現代用語の基礎知識』によるその年の第二回流行語大賞の新語部門・表現賞を受賞し、記念品として高級時計を授与されているとのこと。その前提としては同書が当年相当な反響を呼び起こし、かなりよく読まれたという実績があったはずだ。孝夫はしばしば孝夫自身がとり続けたある行動、態度表明から自分は間違っても日本国家（関係筋）から賞をもらうことはあり得なくなっている「しょう（賞）がない」学者だと冗談半分、矜持百パーセントで公言していたものだが、それだけに民間の組織からこんな賞を受けていたとはいささか意外であり且つ面白い出来事でもある。今から振り返っても「言語戦略」とは、やや硬めの表現だし、一般受けするとは思えないが、この賞の審査委員の中によほど骨のある目利きが加わっていたのであろうか。かつての国語審議会における木内信胤のような得難い重鎮が、である。

日本を守り世界に貢献できる具体的な言語戦略とは

さて、その上で孝夫が同書で主張している「永久に戦争を放棄した日本、しかも経済超大国として全世界規模のつながりと影響を持つようになった日本」（著作集4 326）が「捨てた武器に代る国家防衛の手段としては言語と情報の力に頼るほかない」と判断し「言語力こそ防衛力だ」（第2集 82）との根本認識から打ち出した「国家としての言語戦略」の具体策はどのようなものであったのだろうか。

やや乱暴になることも恐れず要約的に四点にまとめれば次の通りだ。

㈠　日本語の国際普及を本腰入れて推進すること。

「日本人が国際化するためには、全ての日本人が英語を上手に話せるようになることを挙げる人がいるが、心得違いも甚しい。これは不可能であるばかりか、この方向に向っての努力は好ましくない数多くの影響を次々と生むだけである。日本語が日本以外では通用しないという現状を、変えられない宿命と受けとる敗北主義を捨てなくてはならない。日本人が国際化するためには、強烈な自己主張が求められる。日本語を国際化することで、世界の多様性を現実のものとする努力こそ、日本人の国際社会への真の寄与であり貢献なのである」(同書117〜118)というふうに、だ。ここで「敗北主義」などという当時左翼の間でよく使われていた用語をわざと用いている孝夫の茶目っ気が痛快だし、世界の多様性を守りぬくためにも英語がやたらはびこる傾向を阻止すること、そのためにも日本語を国際的に広げることが不可欠との主張も筋が通っていよう。この主張は孝夫にあって以後年を追うごとに強まっていくことになる。併せてそのためにも日本語を国連の公用語に加えるべきであり、その働きかけを日本は国として総力傾けて粘り強く行ない続けるべきだというのが孝夫年来の提言だ。

㈡　学校やテレビ、ラジオなどで学べる外国語の種類を、もういいかげん英独仏中心主義はやめて現在(同書出版当時)の日本の国際的な立場、即ち防衛上の観点や隣国との共存、生命線確保の必要性等をよく踏まえて見直し拡充すること。具体的にはロシア語、朝鮮語、アラビア語、ペルシャ語等を使いこなせる人材を一定数計画的に育成することを提案。

㈢　いわゆる英語を「国際共通語」と捉え直し、その共通語を日本から情報発信する際の手段(道具)として重視する教育改革を行なうこと。

「つまり英語は英米を専門に研究する少数の人以外の一般の日本人にとっては、完全に手段であり道具でしかない時代になっている。前者にとっては言うまでもなく民族語(英米のイングリッシュだ)が目的としても必要であるが、後者にとっては手段としての国際英語が、しかも必要悪として必要なのだ」（同書186）――ここで敢えて「必要悪」と言い放っているところに欧米基準を一貫して相対化する眼差しを磨いてきた孝夫ならではの卓見の輝きがある。手段としての国際英語、国際共通語としての英語こそがこれからの日本人にとっては「必要」な時代になっているのだが、しかし、そうだとしても孝夫には英語はどんな名で呼ばれようと日本人にとっては基本的に「悪」だという認識が手放されずにあり続けたことを忘れてはならない。孝夫における欧米基準、欧米的価値観相対化の執念には筋金が入っていることの改めての証でもあるからだ。併せて「（慶應義塾）大学で英文科の教師を勤めていた時代には、学生の発音や文法の細かい所まで、それは英国風ではない、アメリカ人に笑われるぞ式の厳しい教育を行いもした」（同書152）恥ずべき過去をもつことへの深甚な悔恨があればこその自己批判的認識深化でもあったのだろう。孝夫はその頃（一九五八年四月～六四年三月）既に欧米中心主義的発想から脱しつつあったはずだが、なまじ英国風、米国風いずれのイングリッシュにも発音含めて充分過ぎるほど通じていたため、ついその方向で「厳しい教育」に走ってしまう悪癖を制御できなかったのではなかろうか。まだ三〇代で若かったことでもあるし、だ。

そうした苦い過去への反省も秘めた上で、「国際英語の所有権は日本人にもあるのだという意識を持ち、相手に世界各国の様々な風俗、文化、宗教をもった人を考え、出来るだけ日本人としての自分の生活や感情、思想を表現することに努めながら英語を修めていけば、そこに自ずと生れて来るものが日本式国際英語なのである」（同書200）との不動の確信に至ったという成り行きだ。このベースには、日本人にとって本当のところは「悪」であろうとも英語は「人類がもった初めての国際語だと言えるのです。つまりイギリス人が全員死んでもアメリカ人が全くいなくなっても最低でも百年くらいは英語は残るし、必要であり続ける」（第2集86）との冷徹にして現実的な見極めがあったということでもある。だからこそ日本式国際英語＝イングリック教育（日本人が出来るだけ快感と自信を感じながら学べる英語だ）の普及が不可欠だというふうに。二流、三流、四流のアメリカ人を育てるような英語教育はきっぱり止めた上で、だ。「この国際言語としての英語を、しかも発信型で使いこなすことのできる人材を少数でいいから早急に育成していくことが求められているのです。交流言語としての英語は、日本語を広めて世界中の人が日本語が理解できるようになるまでは、まだまだ必要なのです」（第2集 86）――この主張が次の（四）とつながる次第でもある。

㈣　右記三点を受けて孝夫がその後、例えば研究会で強調していたのが、日本を守り、かつ世界平和にも貢献できる「防人」的人材育成・創出論だ。主には、くだんの日本式国際英語を駆使して、「ことばを武器に、語る相手次第で、その相手の国の文化、文物にも触れて、とうとうと硬軟取り混ぜて臨機応変に語ることができる、そういう人間をもしも百人でも育てたら、日本は持っている力がうんと違ってくるし、格段に存在感を増すのです。日本全体が活性化できるのです」（第3集 39）というふうにであり、この「百人」が時に「千人」になったりもするのだが、いずれにせよ「国民全部にチーチーパッパの英語を教える」ことの愚劣さに警鐘を鳴らし、いい意味での知的エリート、つまりは「武器としてのことば」を駆使して活躍できる真実有能な「防人」的集団の育成が急務であることを唱えたのである。「やはり、ことばを武器に戦える外交官、政治家、学者らを集めて外に張りつける陣形構築が必要なのです。つまりは防人、近代的な防人集団で日本の防衛と国益を守ることが不可欠なのです。日本語を国連公用語にすることも重要なその一環になるはずです」（第3集 95）という具合に、だ。先に見た通り既に立派な大国になっているにもかかわらず世界に向かって時代を動かすようなマニフェストを何一つ提起し得ないできた「情けない」現状を打破する役割もこの防人集団に期待したいということでもある。

孝夫が同書で熱を込めて力説した「武器としてのことば」論を、その後のこれに関連した言説も含めて見てきたが、では、彼の主張、提言等は実際の政治や外交、あるいは教育現場等で少しでも活かされ、具体化したかと問えば、孝夫自身も認めていた通り殆ど活かされてきたとは言えない。日本語を国連公用語にとの提言は実現していないどころか、その具体化に向けて日本政府や外務省が動いた形跡もみられないし、防人集団的な「陣形構築」が進んだ兆候も全くなかろう。個々にはそれなりに優秀な外交官や政治家、官僚、学者が生まれてきたとしても孝夫の構想した陣形として組織化されてきたわけではない。またイングリックという考え方そのものは英語教育の現場で誠実に働く教員有志をはじめかなり広く共感を呼び起こしたであろうが、そうした方向へ向けて英語教育改革運動が起こり中学・高校等での教育の在り方が変わっていったようにも思えない。唯一つ、日本語教育はその後携わる人士や学校が相当に増えてかなり進展したとは言えようが、しかし国際普及が格段に進んだレベルにまでは至っていないのが現状ではなかろうか。日本政治や外交のどうにも「情けない」状態も周知の通りというよりますます劣化していると言わねばなるまい。とりわけこの一〇年以上続いている日本の現政権(自公連立の)による政治言語の無意味化、空洞化、抹殺行為は目を覆うばかりであり、「武器としてのことば」の一欠片すら認めることができない。

いずれにせよ、こう見てくると要するに孝夫が同書等で提起した戦略の個々は殆どが絵に描いた餅に終わっており、現実との落差がうんざりするほど大き過ぎると言わざるを得ないということなのだ。

ならば、孝夫の言説は殆ど無意味だったと断じるほかないのであろうか。そうだとすれば孝夫にとってかなり不名誉な話となるが、勿論そんなことはない。むしろ逆で、孝夫があまりにも真っ当にラディカルであり先駆的であったが故に生じた現実との乖離なのであり、これからこそリアリティを発揮しうる可能性を秘めていると言っていいのである。なぜならこれまで見てきた通り、ほぼ半世紀前からの孝夫の危惧と警告が的中したかのような時代、「はじめに」でも触れた三重にも非常事態まみれの現実が今や日本に限らず地球と世界全体に生じつつあるからに他ならない。

孝夫が力説してやまなかった「武器としてのことば」が政治や外交、教育をはじめあらゆる分野でトータルにありありと想起され、活用されて然るべき非常事態日常化の現実が既に日本も含めて地球と世界全体を侵蝕しているのであり、そうである限り「武器としてのことば」をはじめ孝夫の主張、言説が注目され、（再）発見されるのはむしろこれからだとひと先ず言っておこう。

グランド・セオリーとしての「私の言語学」
――猿の中で「空（から）の記号」で歌うタイプの猿だけがヒトになった

その三　「細分化された問題を専門的に扱うことに比重が傾くあまり、ことばというまさに全人間的なつながりを持つ対象を総合的な視点から見ようとする姿勢が弱い」（大修館書店『私の言語学』178）当時の言語学の在りようへの疑問と批判から、動物学や生態学、そして人文系諸学を統合するグランド・セオリーとしての言語学をめざす「私の言語学」の核心を表明。孝夫言語学創成の柱の一つである「空（から）の記号」について明快に語ると共に欧米は一つの特殊形態、地理的変異に過ぎないと重ねて断言。

さて、孝夫は、『武器としてのことば』刊行後二年足らずの一九八七年七月に『私の言語学』と題する著書を出版しているが、若い頃から「遅筆自慢」の気味が見られる孝夫にしては異例に早い次作公刊だ。これには実は理由があって、孝夫の抱える諸条件を勘案の上、版元である大修館書店の担当編集者が何度か孝夫の話を聴いて、そのテープ起こし稿を基にまとめた言わば口述筆記本だからこそあり得た比較的早めの出版なのであった。どんなテーマであれ必ず天衣無縫、縦横無尽の極みとなる孝夫の語りのテープ起こし稿から、すらすらと読めて、しかも孝夫の言わんとする内容を質的に落とさずまとめて文章化する作業の難しさは（その後筆者自身、鈴木孝夫研究会での記念講演のまとめ等で数多く経験した当事者として文字通り痛いほどわかるところだ）筆舌に尽くしがたいと言っても大袈裟ではない。にもかかわらず、「あとがき」に記された孝夫の謝辞からしても当該編集者がすこぶる根気よく頑張りぬいた上でよくまとめられた立派な鈴木孝夫本になっていよう。だからこそ孝夫は岩波版著作集の1に『ことばと文化』と一緒に本書を丸ごと収めることにも同意したのに相違ない。

そして、孝夫が自分の言語学の特長として先ず語っているのが、「私が日本の他の言語学者がやっていないことを随分考えたり思ったりしているのは、一つはやはり動物学をやったからですね。言語とは、要するに人間を含めた生物が使っているたくさんの記号体系の一つだということを、いち早くそういう面で分析したのは私だと思う」（『私の言語学』32。以下同書と記す）ということであり、その文脈で孝夫の初めての学術論文『鳥類の音声活動——記号論的考察』を発表した際の孝夫の志や当時受けた極度に無理解な反応等を振り返っているのだが、これらについては既述のこと故、ここでは次の三点をかみしめておきたい。

(一) 独創的な孝夫言語学の柱の一つである「空(から)の記号」についてかなりまとまった考察が同書で記

されていること。鳥と人間の子どもに共通する「言葉としての意味を持たない場合も多い」「単なる音声を用いての遊び」、更には「浮かれ歌（Joy Song）」への着目が孝夫初の学術論文の大きな功績であることは第一章で見た通りだが、その着目から「空の記号」↓「人間の言語記号だけがもつ重要な性質」という人間言語発生・進展の秘密に迫る道程が明かされているということだ。「記号が恣意的になるためには、記号だけが独り立ちして、空の記号ができなければいけない。……記号だけが遊離して、記号だけをもてあそぶという、そういう段階が出てこなきゃいけない。ある記号を社会的黙契によって、これを今日から〈水〉にしよう。これを〈猿〉という意味にしようというのは、内容が〈空の記号〉があって初めて出来るんです」（同書42～43）となるのだが、その記号成立の前提として孝夫が強調するのが次の二点というわけだ。

㈡「人間の子供と鳥を比較してみると、無償の行為として音声を出す具体的な必然性がない時にも、音を出すのが生理的に楽しいという段階が人間と鳥にはある。……子供はお腹いっぱいになるとペチャクチャ音声現象を行う。鳥もお腹いっぱいになると歌を歌う。それは何か。実は音声が楽しくてしょうがないということの表現です」（同書43）。つまり人間の子どもは満たされた時等、先ずは「空の記号」をもてあそびながら成長していくのであり、それが社会的黙契としての人間固有言語習得の前段で不可欠という次第だ。

㈢そして人類誕生史的には、「とにかく森林性の猿の中で、声で遊べるタイプの猿が人間になったということは間違いない。今のチンパンジーやゴリラ、オランウータンには歌と呼べるようなものがないというのも、歌を歌うような猿だけが人間になったと考えれば納得がいく。人間のようになるためには……音を出すことが快感である必要があった」（同書 51）との仮説提示となるのである。

第一章でも同様の言い方には触れているが、かかる孝夫の仮説は今日に至ってもなお驚くほかないほどの鮮度に満ちているのではなかろうか。うまいものを食したりして嬉しくなると歌うように音声活動を行うのは人間と鳥だけであり、この喜びを何らかのきっかけで知った例外的な猿だけがヒトになったとは、なんとそれこそ嬉しくなる推察であることか。なんと大胆極まる言挙げであることか。少年時代から野鳥を全身全霊で愛し、観察し鳥たちと共に生きてきた孝夫以外の何びとにもなし得ない独創仮説だ。

島泰三氏も孝夫の独創仮説から閃き

さて、ここでこのように類まれな孝夫仮説に触発されたというある傑出した研究者（理学博士）がいるので、その人士の言を紹介しておこう。その名は島泰三氏※で日本野生生物研究センター主任研究員、日本ザルの生息地保護管理調査団主任調査員などを経て、現在は日本アイアイファンド代表を務めている方だ。氏の著書『ヒト、犬に会う――言葉と論理の始原へ』（講談社選書メチエ）からの引用だが、「ヒトは、先行する人類種である王獣ホモ・エレクトゥス類や格闘者ネアンデルタールの生態的地位の辺縁、川辺と湖沼周辺、海岸域を魚介類を求めてさまよう裸の直立二足歩行類人猿だった。ただ、ヒトは他の直立二足歩行する王獣たちやゴリラ・チンパンジーという大型類人猿たちと全く異なるひとつの性格を持っていた。ひっきりなしのおしゃべりである」（90～91）とやや意外なことを書いた上で、「注1」として氏の「シンギング・エイプ（歌う類人猿ヒト）の着想は、言語学者鈴木孝夫氏の著書に触発されている」と明記しているのである。で、孝夫の『教養としての言語学』から「（人間が独自の進化を歩むようになったのは）人間の祖先の猿だけが音声を出すことに異常な興味を持ち、声を出すことそれ自体

※日本アイアイファンド代表。『安田講堂 1968～1969』の著者でもある。

に快感をおぼえるようになった偶然の変化であると考えている」(同書56) という一文を引用して全面的な賛意を示しているのだ。そして、更に島氏は「だが、大きなグループを作って生活するタイプの鳥たちに鳴鳥と呼ばれる常におしゃべりをする一群があるように、小型のサルたちにも常に鳴きかわしているものがある。ヒトは、ひたすらしゃべりかわすタイプの直立二足歩行大型類人猿である」「ヒトはこのニホンザル以上によく声を出すシンギング・エイプであり、鳴鳥たちのようにふんだんなおしゃべりである。言葉を発せない赤ん坊に対する集中豪雨のような呼びかけや歌、そして語りきかせは、乳児期から始まっている」(『ヒト、犬に会う』92〜93) と続けているのだが、孝夫の影響がますます顕著に認められる文章と言えるだろう。島泰三氏のように志の高い在野の自立した研究者(二〇〇五年一一月、中公新書として出版された氏の『安田講堂 1968〜1969』も「生きている間には義を貫かなくてはならないときがあるが、そのときを得ることは誰にもあることではない。そのときに出あえることは、むしろ幸運なのだ」(336) との思いを基調に書かれた東大闘争、その頂点としての安田講堂での闘いを三六年の歳月を隔てて克明に熱く伝えて無上に貴重な証言だ) からも孝夫のこの独創仮説が高く評価されていることを知って個人的にもとりわけ嬉しく受け止めた次第だ。氏もまた、犬に対する敬愛と感謝に溢れた描き方一つとっても「世界を人間の目だけで見る」ことがない研究者であることは言うまでもない。氏がかつての闘争の同志に『知性の叛乱』という著書があることに対して「著者への尊敬心はありながら、わけもなくその本の題名が嫌いだった」(『ヒト、犬に会う』144) と率直に記しているのもその証であろう。

『私の言語学』そのものからはややそれたが、孝夫が同書で更に強調しているのは、「私の姿勢の特長は、外国の学説をそのまま有難く頂戴したり、真面目に信じたりしない点です。何しろ日本語は西欧の言語と違う点をたくさんもっているのだから、日本語を出発点にすれば、西欧の言語学に欠けている点をいくらでも見つけられるのです」（同書59）との揺るぎない確信であり、言語学も含めてあるゆる面で「ヨーロッパというのは一つの特殊形態、地理的変異」（同書119）に過ぎないとの基本認識である。「ヨーロッパが普遍にいちばん近くて、ヨーロッパ的になることが普遍への早道だというそれまでの考えを先ず壊す、これが私の言語学です」（同書119）と明言した上で、ヨーロッパ的文化・文明の最新の凝縮形態であるアメリカの在りように触れて「ですから、地球の農業とか、物質文明その他がアメリカを中心とする世界集中管理に入っていくということは、端的に言えば、たしかに一時的にはみんな豊かになる。けれども、長期的に見ると、地球という生態系の危険度が増す方向を向いている」（同書121）とも指摘。アメリカ的なるものは「普遍への早道」どころか地球生態系壊滅への早道でしかないことにいち早く警鐘を鳴らしているのである。併せて同頁で「精神文化も同じだ」との見地から米国風の世界化は何としても食い止めて「いろんな生き方がいろんなところに保存され、多種多様の価値観が共存するのが望ましい」との持論も展開している。

孝夫からすれば、ヨーロッパ近代的なるものの根幹、あるいは起点には自然を対象化して管理・開発を強力かつ効率的に進めること＝人類文明・生活の進展に役立つ絶対的善という図式が抜きがたくあり続け（遅まきながら地球の有限性とその破壊が人類にとっても深刻な問題として広く意識化されるようになって以降それなりに変わってきているとは言え）、その図式を一段と悪方向へと強めたのがアメリカに他ならない。そうである限りアメリカ的なるものとは、地球生態系にとって最も危険な敵、との認識が早くから孝夫の脳裏に宿っていたことの今一つの証とも言えよう。しきりに言われてきた国際化、グローバリゼーションがアメリカ的なるもので「世界が一つになっていく」方向だとすれば、それこそ世界は終わりだというふうに、である。孝夫がこう考えていた当時と違って今日では中国が米国に拮抗するほどに世界全体への影響力、存在感を増してきているが、政治体制等の違いがあるとは言え、その文明原理、経済・技術第一の考え方はアメリカ的なるものと共通しているので、地球生態系の危機を何よりも憂慮し問題視する孝夫の立場からすれば本質的には殆ど同類でしかない。

地球の危機的現況からしても人文知・哲学の重視・復活を

いずれにせよ、そうした危うい世界全体の流れを少しでも食い止めるために孝夫は学問の在り方において「私は戦後の理科優先を今後は文科の復興、哲学の復活ということに方向転換すべきだと思う」(同書122)とも語っている。この半世紀余、文科系軽視の風潮が強まるばかりの時勢において、今より三〇年以上前からかかる反時代的というか超時代的主張を語っていた構えがやはり相当に異色であり眩しく輝いているのではなかろうか。このような今こそ人文知の重視、哲学の復活を、と説く物言いはその後も飽かず強調されることになるので、その代表例を見ておこう。

始めに人類はこのままいけば遠からず滅亡の危機に瀕するとの現状認識を述べた上で「こうした現状を見ていると、私はとにかく人類絶滅を少しでも先延ばしするには人間が本当に賢さを取りもどすことを急がなければならないと思うのです。そのためには大学を再建することが先決でしょう。その再建の核心は何か？　何よりも哲学科を大学の要に据えることです。とは言っても今さらソクラテスとかアリストテレス、あるいはカントやヘーゲルやマルクスがどうしたこうしたとかをやっている場合じゃない。この人たちはみんな地球が有限なものであり人間がそのうち滅ぶかもしれないという命題を全く知らなかったのですから。今の差し迫った問題、状況を前提に新たなグランド・セオリー、ビッグ・ピクチャーをうち立てる哲学の再建が急務なのです。考えてみれば、もともと大学の中心は広い意味での哲学だったのです。つまり文科系がユニバースティの始めであり、中枢だったのです。その原点に大学を戻さなければならない。今の大学は、薬屋の出先、自動車屋の丁稚、IT企業の代理人、原子力村の犬みたいなのが研究室のボスになっていて大学全体を牛耳っており、およそグランド・セオリーを考える雰囲気などあり得ない。……いずれにせよ理工系中心の大学になってしまっている。……こうした現状が変えられないのであれば、そうした大学は全て専門学校にしたほうがいい」（第3集 92～93）――ここでも孝夫の言は現行大学の実際の在りようからすれば著しく現実離れしているように見えようが、しかし地球と人類の現況と近未来を一切ごまかすことなく直視した上での孝夫の切迫した危機認識からすれば、これまた圧倒的に真っ当な提言ではなかろうか。グランド・セオリーとしての言語学をめざす「私の言語学」の立場からしても当然の大学論だ。今、こうした孝夫の言を非現実的戯言と笑って無視する人たちも「武器としてのことば」論に拠っての諸提言と同じく、さほど遠くない近未来においてその先駆的妥当性を痛苦な反省と共にかみしめざるを得なくなるのではなかろうか。

この関連で思い起こされるのが宇宙物理学者の池内了氏が『科学と社会へ望むこと』（而立書房）と題する著書で「科学を過大評価しても過小評価してもならない」と述べた上で書いている言葉だ。氏は、今日人類が抱えている深刻な諸問題、例えば「地球温暖化」や核兵器、原子力発電、地震等自然災害を挙げて全て科学に関係するものの科学だけでは解決できない難題ばかりだとして、どんな対応をとるかについては「哲学や倫理や思想」の観点からの検討、考察や議論が不可欠だと提言しているのだが、自然科学者の中からも遠からず孝夫の主張と共振する流れが現れてくる前触れと受け止めることもできようか。

ついでに付け加えておけば、後年の孝夫には「自称『哲学者』の暴論――不況回復は目標とすべきことか」と題する一文もある（「三田評論」二〇〇三年八・九月合併号。人文書館から刊行の『私は、こう考えるのだが』に所収）ことからすれば、孝夫自身自らを哲学者でもあると思っていた、あるいは思いたかったのであろう。グランド・セオリーとしての言語学をめざすという構え自体が既に充分哲学的であったのだから決して思い違いではあるまい。

ついで話の続きみたくもなるが、もう一点、本書の中の「私の流儀」という項で孝夫という人物の特徴というか生き方の流儀を示す興味深いことが語られているので見ておこう。次の通りだ。「私は他人といつも一緒にいるのは嫌なんです。……だから、私は義務として学校へ来たり何かする会合では、非常に社交的にみんなと付き合うようだけれども、一遍集団を離れると誰とも付き合わない。だから学校の仲間のところへも殆ど行ったこともないし、家へ呼んだり呼ばれたりそんなことはしません。自分のペースで一人で行動するのが好きですから、学生や友達と一緒に泊ったり、飲みに行ったことは一度もありません」（153）――孝夫が現役の大学教授等の頃には斯くの如く余計な人付き合いは一切しない方針を貫いていたらしいことは、孝夫と多少なりとも関わりがあった学者等を通して筆者もしばしば耳にする話であった。また「これまで飲み屋などに行ったことはない」とやや誇らしげに語るのは筆者自身孝夫と直接会う関係をとり結んだ際（二〇〇二年後半）すぐに聞かされた話でもあった。

当時ラボ教育センターにあってそれなりの立場にあり、滅法多忙な日夜を過ごしていたが、それだけに毎晩仕事の後は西新宿の馴染みの居酒屋やバーで気心の知れたスタッフ等と酒杯を交わしながら談論を交わすのを習わしとしてきた筆者とは、人間のタイプや人生観、生き方の「流儀」が根本から違う御方だと受け止め、さて、どのように付き合っていけばいいものか、多少は悩んだものであった。とは言え、たとえば研究会や講演会の終了が夕刻以降になれば、そのままお帰りいただくわけにもいかず、はじめのうちは孝夫が嫌がりそうもないレストラン等で夕食を共にすることに。そうなれば当然筆者はビール等飲むことになるのだが孝夫は頑として受け付けなかったことが数回はあっただろうか。しかし、その後仕事上の呼吸が合うにつれて活動を共にする機会が次第に多くなり、勢い夕食付き合いも増えるばかりとなる中で、歓談しながらさりげなく孝夫のグラスにもビールを注いだりしているうちに、いつの間にか彼の方でも一緒に飲むことへの抵抗感が減じていった様子なのである。言ってみれば余計な付き合い、居酒屋やバー等で共に乾杯することへの免疫が自ずからつきつつあったということであろう。

孝夫もビール等を飲みながら語り合うこと、あるいはしばしば一方的に語りまくることの快楽を知ってくれた様子で、この点に限って言えば、筆者の「流儀」が優っていたと言ってもいいのではなかろうか。筆者と付き合う時は必ず乾杯するという心ぐせをつけてくれたおかげであろう、筆者がラボ退社後、鈴木孝夫研究会を立ち上げた際（二〇一〇年三月）も、神田神保町「サロンド冨山房フォリオ」での研究会の後は必ず孝夫を囲む二次会で乾杯を共にしてくれるようになっていたのである。更にそれにとどまらず孝夫は自宅からさほど遠くない渋谷駅近くに馴染みの居酒屋まで長女由美子さんの協力を得て持つことになり、筆者も何度も誘われてご馳走になる果報にまで恵まれたのであった。今から振り返れば孝夫の後半生は（晩年というべきかもしれないが）、以前の孝夫からすれば「余計な」人付き合いも厭うことなく、アルコールを共に飲みながらの談論風発を楽しみ、時に人生の哀歓をそこはかとなく感じ合うことができるますますの大人物になったと言っても百パーセント失礼ではないと確信するところだ。毎回乾杯を交わす瞬間に拝ませてもらった孝夫の茶目っ気に溢れた笑顔を忘れることができない。

考えてみれば日本の居酒屋は、孝夫が愛してやまない日本文化の最たる精華の一つなのであるから、遅まきながらその文化の醍醐味を孝夫自身が体感する機会を共に持ち得たのは我が誇るべき大記憶でもある。

更に誤解を恐れず言えば、こうした懐の深さの兼備もまた孝夫が人文知・哲学の復活を唱える際の少なからぬプラス要素になったのではなかろうか。

諸外国語と対比して日本語の特長を明らかにした『日本語と外国語』

——「虹は七色か」も秀逸

その四　日本語と幾つかの外国語を然るべき単語を基に独特の手法で並べ合わせた時、そこに表出してくる意味のズレや文化的な考え方の違いを次々と具体的に明るみに出してことばがそれぞれの国や地域の文化と密接不可分の生き物であることを新たにありありと描出。

『日本語と外国語』が岩波新書（この新書での孝夫の著作としては二冊目）として刊行されたのは一九九〇年一月のこと。日本語と外国語（と言っても幾つかに絞らざるを得ないことから日本人に比較的馴染みのある西欧語として英語、フランス語、ドイツ語、そしてロシア語の四つを選んで）の比較を主としてよく知られた単語レベルで行ない、日本人のそれまでの常識や通念をこれでもか、とばかり次々に覆す手法が驚きであり新鮮だったからでもあろう、この新書も出版と同時に大きな反響を呼び起こしてロングセラー本となっていった。

例えば「orange はオレンジと限らない」ことや「リンゴが緑の代表例だったり、太陽の色が白と考えられている言語もある」「足が恥部の国もある」「アラブのイスラム系諸国で国旗に月、それも特に三日月が取り入れられているのが多いのはなぜか」等をめぐって具体例を豊富かつ明快に挙げながら記した論述が意表と的を突いていて、とにかく面白いのである。「ことばとは、要するに人間が世界を認識する手段であると同時に、その認識結果の証拠（あかし）でもある。この面に焦点を当てる研究が、意外なことにこれまでの言語学では比較的少ない。私は自分の好みとして、人間はことばで世界をどう把握するのかという問題にいちばん関心があるので、この本の中で日本語と外国語、とは言っても全ての外国語を視野におくことは出来ないので……(右記)四つを選んで、日本語との比較を試みてみたい」(『日本語と外国語』3）との試行が見事に成功したということだ。

個々に詳しく触れることはできないが、先述した鈴木夫妻の墓の造形とも関係する事柄でもあるので具体的な一例として「蝶と蛾」についての記述はみておくことにしよう。「フランス語では、ことばとして蝶と蛾を区別しないということを、私は何年か前に同僚の松原秀一氏から教えられたことがある。ラルース百科大事典の papillon（パピヨン）のところで、色刷りの頁一杯に、いろいろな蝶と蛾が雑然と混ざり合って出ているのを見た時の驚きを、今でもはっきりと憶えている。それまで私は、フランス語では蝶が papillon（パピヨン）で、蛾は papillon de nuit（夜の蝶）だとばかり思っていた」（同書49）と記した上で、「夜、電灯などに来る蛾を見たときなど papillon とだけ言えるのである」としている箇所である。そして。これは「私たち日本人は、自分の言語では蝶も蛾も、一応近縁の昆虫であることは知っていても、日常生活の中で明瞭に区別して使うものだから……つい他の言語でも当然この二種の昆虫は、ことばの上で区別されているはずだと思ってしまうのである」と続けて、ドイツ語でも普通はこの二種を区別しないことを説明している（後にロシア語でも同様と記述）。

この一節に敢えてここで触れたのは他でもない、これが、かの尋常ならざる墓の形とも関わる孝夫の大発見とつながるからである。「そしてこのように、松原さんの指摘によって『言葉としての蝶と蛾』の問題に敏感になった私は、なんと思いがけなくもその後、古代ギリシャ語の鯨を意味するphallainaということばの語源をめぐっての、これまで謎とされた問題を解くことができたのです」(「松原秀一さんへの弔辞」、曼荼羅本に収載)と記して本書第三章で叙した該当箇所へと続けている次第なのだ。その上で、「そして私のこの自慢の発見(?)も考えてみれば、松原さんが蝶と蛾の区別は日常のフランス語にはないという、私の知らなかった興味ある事実を教えてくださったことが、そもそものきっかけとなっているという意味で、これも松原—鈴木コンビの共同業績の一つだと間違いなく言えるわけです」と書いてこの弔辞を結んでいるほどなのであるから、この蝶と蛾の言葉としての問題は孝夫にとって決して些細な問題ではなかったのである。

『日本語と外国語』前半の第三章までで、同じく出色なのが第二章「虹は七色か」であろう。先ずはアメリカでは虹は一般的には六色だと記して七色が常識の日本人を驚かせたうえで、しかし、その後ある経過をへてアメリカや英国の百科事典や辞典には七色という記述があることもわかって、「いったい全体、英語の虹の色は幾つが本当なのか、私にもわからなくなってしまったのである」(同書71)と困惑しているページまであって、そんな途中の心模様まで敢えて公表する姿勢がまた読ませるところでもある。で、その後集中的な調査の結果、物理科学的な分野の本(百科事典もここに入る)では七色とされているので「これに従う学校教育の現場でも少なくともイギリスでは七が正しいと教えているらしい。しかし、民衆レベルの知識では六が普通であり、……絵本や童話、そして虹の図柄をもつデザインや商品など、直接学問に関係しない生活分野では。六色の虹が主流を占めることになる」(同書78~79)と結論づけており、なるほど、となるのだが、しかし孝夫の偉さと凄みは実はその先にあると言わねばならない。斯くも丹念に調べていった末に辿り着いた結論が英米では六もあれば七もあるというのでは、いささか拍子抜けの感がなくもないのだが、それについての言がまたふるっているのだ。「ただし、六にせよ七にせよ、英語国の人々は日本人ほど、虹の色の具体的な数を、日常あまり話題にせず意識もしないという文化習慣をもっているため、いざ人に聞かれるとはっきりしないことが多いのである」（同書79）——日本人は、昔から例えば「七色の虹が消えてしまったの」といった演歌を愛好したりで、虹の色に対して比較的敏感だが、英米人にとってはさしたる関心事でないとおさえていくのである。なるほど、こうであれば拍子抜けどころか英米人の「文化習慣」へと論点を差し替えてこのように書けてしまう国際的認識力の豊かさに、やはり感服するほかなくなるという次第でもある。

なお、こうした虹の色の数について孝夫はかなり以前から関心を抱いて調査・研究を行なっており、例えば次のような文章を一九七八年に書いて公表している。本書刊行に先立つこと一二年も前のことだ。

「虹は……本当は色の数を七とか五とか数えることが出来ないものなのです。それを特定の数に区切って、虹には色が七つある、いや五つあるという具合に言うのは、見る人々の使う言語の習慣、つまり特定の文化によって決定される解釈に過ぎないのです。日本では虹は昔から七色と決っており、親子代々この知識が伝わり、そのことが絵本や辞書にも示されているために、日本人ならばいつの間にか虹は七色だと覚え、しかもそれが客観的な事実だと思い込むようになるのです」（『ことばの人間学』56〜57）——孝夫の虹の色への関心には相当な年季が入っていることの証だが、ここでこの後すぐに「実を言いますと、このことは日本で私が初めて言い出したので、まだ余り知られていない事実なのです」と書いているのも改めて注目されていいことだ。孝夫の言説や仕事には、これまでも見てきた通り日本や世界で「初めて」がつきものだが、そのように書いても、それが不快な自慢話や吹聴に聞こえないところが人徳と言うべきなのであろうか。その論述が逆らい難く明晰で筋道が通っていて、なおかつ文章に尊大な自己宣伝や威張りの色合いが希薄だからでもあろう。

孝夫は実は『日本語と外国語』という書名がやや平板な印象を与えかねないのでは、と同書出版前後には少しばかり心配していたようで、「このテキストは本の題名だけとると、ちょっととりとめない感じがするのではないでしょうか。何か具体性が乏しいし、インパクトも弱いかもしれない」（第3集 55～56）とも語っていたのだが、後に「でも、今となってみると、やはりいい題だなと思うのです。……（日本語は）欧米語とは非常に異なる言語ではあるが、世界のどこに出しても恥ずかしくない立派な言語なのです。だからこそこの日本語で生き、日本語を使ってきた日本が、その後（明治以来）異例なスピードで欧米に負けないどころか、それを殆ど上回る文化力、経済力、国力というものを身につけてしまったということを思えば、この『日本語と外国語』という並べ方は決してとりとめないものではありません。むしろ日本語と他の外国語を対比させて、堂々と日本語の特質と魅力、独自の構造を天下に明らかにしようとする心意気が感じとれて、結果としては、実にいい題をつけたものだなと我ながらあらためて感心しているところでもあります」（第3集 56）と語っており、まさにその通り納得できる一冊でもある。

日本漢字は世界に誇れる偉大な文化である
——音訓両読みは「ヤーヌス的双面性」と名付けても可

その五　日本語は「漢字の知られざる働き」により音声と映像（文字のイメージ）という二つの回路

を併用する（世界で唯一の）テレビ型の言語であり、それが日本語の格別な長所でもあることを改めて明快かつ周到に論述。

第四章でかなり詳しく見た通り孝夫はその独自の言語学創出の歴程当初から日本語における「漢字の知られざる働き」に着目し続けてきた。その視座は同書後半でも貫かれており、例えば古代ローマのヤーヌス神を引き合いに出して次のように書いている。「ギリシャと並んで多神教で知られた古代ローマでは、数多くの神々が人々の日常の暮しの中に入り込んでいたが、その中に、ヤーヌスと呼ばれる面白い神さまがあった。この神には、ひげの生えた顔が、頭の前だけでなく、後にもあり、そのため日本語では双面神と訳されている。……私は早くから、日本の漢字の多くに音読みと訓読みという二通りの読み方（音声形態）があるという事実をヤーヌス的双面性（Janus duality）と名付けて、その重要性を強調してきた。双面神の前後二つの顔が一つの頭から切り離せないのと同じく、日本人の使う基本的な概念要素を視覚的に表現した漢字という記号は、いわばヤーヌスの頭であり、音と訓が前後二つの顔なのである。つまり漢字という文字表記は、古典中国語から引きついだ音と本来の大和ことばである訓という相互に言語の系統上全く無関係の言語形式を、日本人の言語意識の中で結合させる一種の連結器の役目をはたしていると言える。その際重要な点は、……音という形式は多くの場合、それ自体では独立完結性が一般には弱く、特定の漢字を媒介として訓という固有の形式に対応させられるとき、初めて具体的に安定した意味をもつということである」（同書143〜145）とし、古代日本人が数世紀かけて「日本人の言語意識の中で」音と訓を結びつけた何とも卓抜な集合的叡智の働きを可視化できるよう説明している。孝夫としては日本漢字が独自にもつ音訓両読みという特長の素晴らしさを何度でも可能な限りわかりやすく伝えたいとの願いからであろう、この記述はさらに続き、「この日本漢字のもつ双面神的な仕組みを……別の比喩を使って表現すると、音という言語形式は日本人の言語意識という港を訪れた外国の船にたとえられる。いつ立ち去るかも知れないこの外来船を、訓という固有の基礎語の形をした錨に、漢字表記という鎖が、しっかりと固定し摑まえているのである」（同書145）とも書いているが、音という古代中国からの外来の「言語形式」が訓という錨によって「日本人の言語意識」という港につなぎとめられるというおさえ方が涙ぐましいほどによく考えられているのではなかろうか。ここでもカギとなるのはあくまでも「日本人の言語意識」に他ならない。古代における数世紀に及ぶ「日本人の言語意識」という「港」が港として立派に整備され機能し活性化していればこそ、漢字の音訓両読み成立という奇跡がこの日本に起こり得たと比喩的に描き出しているのである。

日本固有の自然環境、文化風土、歴史等に即しつつ長年月かけて古代日本人共同の智的営為の積み重ねから生み出され定着してきた音訓二通りの日本漢字こそ日本語の中核をなすものであり、これはもはや中国からの借り物レベルを遥かに超えていると改めて強調しているのである。孝夫日本漢字論の真骨頂だが、それにしてもヤーヌス的双面性といい、港における錨と鎖といい、この比喩力も際立っているのではなかろうか。

孝夫がその特質を力説してやまない日本漢字論は以後の著作においてもますます進展し、二〇一四年九月に新潮選書として書き下ろし出版された『日本の感性が世界を変える――言語生態学的文明論』ではわざわざ「日本語は世界で唯一のテレビ型言語だ」との独立した章を設けて第七章としているほどなのである。で、そこでは「それではこの欧米の言語学が見落とした漢字の隠れた働きとは一体何でしょうか。それは、日本人はその言語活動の重要な部分において、音声という聴覚的刺戟だけではなく、漢字という文字のもつ視覚的刺戟をも併せて伝達に利用する、世界の他の言語には見られないきわめて独特の仕組みを活用しているというものなのです。これが私の『日本語は世界で唯一のテレビ型言語だ』という主張なのです」（当該書186）と念押し的に書きつけている次第だ。そしてこの章の結びが「以上述べてきたように、漢字という文字は音訓二重読みという日本語独特の仕組みのおかげで、日本語の感性的特質や言葉遊びの面白さ、総じて日本語・日本文明の力の源となっていることを、私はあらためて強調したいと思います」（213）である。ここで音訓両読みと「日本語の感性的特質」を結びつけているのが新たな把握と言えようが、それについてはさておき日本語は世界で唯一のテレビ型言語だと文字通り世界で初めてそう断言した孝夫の（毎度のことながら）天下無双ぶりを改めて確認したいところでもある。

さらに孝夫は、二〇一二年二月に開催された『日本語と外国語』をテキストにした鈴木孝夫研究会において『日本の漢字は世界に誇れる偉大な文化である』と題した記念講演で、こうも語っている。「日本の漢字というものに、ひけ目を感じるなんてことは全く必要ありません。今の中国の文字に比べても遥かに上等だし、欧米にはないと言っても漢字をもたない向こうがむしろかわいそうだくらいに思えばいいのです。漢字を今のように保ち続けていることに、逆に精神的優位をもって今後ともどんどん光を当てていけば、いいところがますます見えてくるでしょう。今日の話で先ほど日本がもっている世界で誇れるものは何があるだろうかということで幾つか挙げましたが、漢字を古代中国から輸入して、それを日本風に独自のものに変えながら継承・発展させてきたこと、その上で現在日本ならではの漢字をもっていることも日本が世界に誇ることができる偉大な文化だと確信しています」（第4集 55）――日本の漢字そのものを偉大な文化だとする言い方もおそらく世界で初めてだろうが、いずれにせよ、なんと晴れ晴れとした揚言であることか。そして、これが孝夫『日本語と外国語』（後半）の内容的核心であり、その後ますます強まる確信でもあった。

なお孝夫は、本書出版と前後して、一九九〇年春、慶應義塾大学を退職し杏林大学外国語学部教授に転じている。

第六章　『教養としての言語学』以後の著作に示された新提起

第三章から第五章にかけて鈴木孝夫の主として言語学に関わる仕事を一九九〇年までに刊行された著書個々の吟味を通してかなり克明にみてきたが、これからは少々執筆の仕方を変えることにしたい。これまでで言わば孝夫の全体像を描く基礎作業はほぼ終えた感がなくもないので、以後の孝夫の歩み、人生後期における孝夫の歴程をトータルに見つめ返しつつ未来へ向けての特に大きな問いかけや新たな提起等を主に取り上げていくこととしたい。年譜的には一九九六年以降の著作となる。

人間言語の「恣意性」をめぐり有名なソシュール説に加えて「第二の恣意性」が存在すると初めて提起

その一　先ずは『教養としての言語学』（岩波新書）で詳しく論述されていることだが、人間言語の「恣意性」をめぐってスイスのF・ソシュールが再確認した有名な定説に加えてもう一つ別の重要な恣意性が存在することをこれまた世界で初めて唱えた功績。人間言語が自由に何でも話し、書けるのは個々の記号が恣意的であるだけではなく、記号どうしが構造的な写像性を全くもたないからとの新たな考えを提示。

この事柄についてまともに内容紹介すればかなり長くなるので必要最小限、つまり相当強引な要約を行いつつ記せば次の通りだ。

㈠「人間の言語と、それが示す対象との関係は、自然的でも必然的なものでもなく、ほとんどが単なる社会的な約束事に過ぎないということを、近代になって改めてはっきりと指摘したのはスイスの言語学者F・ソシュール（一八五七—一九一三）であった」（『教養としての言語学』9。以下同書と記す）。一般に幼児語とされることばの中にあるニワトリをコッコ、牛をモーモーと言ったりするオノマトピア（擬音語、擬声語）等例外もあるが、その数は決定的に少ない。

㈡ ソシュールは「恣意的契約というフランス語の用語を使って、言語と対象の関係を説明した。……日本語では普通これを『恣意的』と訳している。……具体例で言うと、犬という動物は日本語では現在イヌと呼ばれているが、このことに必然的な理由は全くなく、何か別の名称でもかまわなかったのに、たまたまそう決まったに過ぎない」（同書10）

㈢「この取り決めは他の普通の社会的な約束や契約とは違い、人々がそのことを特定の時点で意識的に話し合って決めたわけでも、また規則や法律でそうと定められているものでもないから、それはしばしば「社会的黙契」と称せられる。社会的黙契とは、ある集団の成員どうしの間で、誰言うとなく、いつとは知れずにそのようになっていて、だからと言って個人的にそのきまりを破ることも、変えることも簡単には出来ない社会慣習の一種なのである。そしてことば以外の慣習も、時が経つと少しずつ変ったり、あるいは何かをきっかけとして突然別のものに変化することがあるように、ことばも同じく変化することのある慣習なのである』（同書11）

㈣「ところが人間の言語には、いま説明した恣意性の他に、もう一つ別の重要な恣意性が存在するというのが私の考えである。このいわば第二の恣意性とも言うべきものを、私は構造的非写像性（structural non-iconicity）と呼んでいる」（同書11）。例えば「巨大な象を表す言葉が、小さな鼠を指すことばに比べて、大きくないどころか逆に小さいなどということは、人間のことばという記号体系には、……構造的写像性が欠如しているからなのだ」「（ソシュールの説いたように）個々の記号と指示対象との間の恣意性（非写像性）を指摘するだけでは、〈ゾウ〉が〈ネズミ〉より、むしろ小さなことばになっている理由を説明するには不充分なのである」「さらにもう一つの重要な恣意性が加わっている」のであり、「それは複数の記号どうしの相互関係に、指示対象間の相互関係が全く反映されていないという、構造的な写像性の欠如である」（同書16）

(五)　そしてこのことが人間の言語にとって持つはかり知れない重要性は、蜜蜂のダンス＝ことばのもつ構造的写像性の原理と突き合わせてみると瞭然としてくる。オーストリアの生物学者カール・フォン・フリッシュの『ミツバチの不思議』という研究書に拠って、例えば花蜜の在り処を探索に出た蜂は「踊りの持続時間によって蜜を採りにいく仲間の数を示すのである。少しだけ踊ればわずかの蜂が、長い間踊り続ければたくさんの仲間が出ていくといった具合に、踊りの長さは必要な蜂の数に対応している」（同書45）というふうに「蜜蜂のことばの仕組みは……大きいものは大きい記号で示され、小さいものはそれなりに小さい記号で表されている」のであり、「そのどれもが人間言語とは違い、構造的な写像性の原理が機能している」「踊りの速度という記号の場合にも、距離が遠くなるほど遅く、近くなれば速くなるという具合に構造的に対応している」（同書47）と孝夫は読み解いた次第なのだ。

右記のような蜜蜂のダンス＝かなり高度に発達したことばの在りように先ずは舌を巻くところだが、その驚くべきことばの仕組みを長年の観察・研究で解明したオーストリアの生物学者に対して最敬礼するのが先決であろう。その上で、かかる研究成果を見逃すことなく自らの視界に捉えて大胆に活用し、ソシュールの定説に独自の新説を加えていった孝夫の眼力と閃きも毎度のことながら畏るべし。鳥への愛は別格としても鳥のみならず他の生物に対してもいつも広く関心と愛を捧げて生きた孝夫であればこその『ミツバチの不思議』との必然的にして特権的な巡り合いであり、そこからの決定的な学びと発見であった。

「世界を人間の目だけで見る」ことなくミツバチからも学んでソシュール超え

——これまた「空（から）の記号」論あってこそ

「人間の言語には古典的（ソシュール的）な意味での恣意性があるだけではなく、さらに……構造的な非写像性（構造的恣意性）の存在することが重要であるという考えに到達したのも、実は蜜蜂の『ことば』の仕組みに興味を抱いたことがきっかけである。もしも人間の言語だけを研究の対象としていたならば、おそらくこのような考えは浮かばなかったことと思う」（同書 48）——言語学的視座においても若き日から「世界を人間の目だけで見る」狭隘（きょうあい）さから解放されていた孝夫ならではの歴史的業績だ。それにしても鳥や猿等の動物からのみならずそれらとはいささか異なる生き物であるミツバチからも決定的な大事を学ぶことができたとは、やはりこの一点、このただならぬ目配りの広さ、心持ちの謙虚さにおいてだけでも孝夫は桁外れの哲人と言わねばなるまい。近代的人間中心主義などあらかじめ突き抜けてミツバチとも「連帯」できていたが故のソシュール超えだ。

　念のためつけ加えておけば孝夫は一九五八年五月刊行のある研究誌に「動物のコトバ」と題する論文（曼荼羅本に収載）を発表しているが、そこで早くも「ミツバチのコトバ」についてもかなり詳しく書いている。先述のオーストリアの生物学者フリッシュ等の研究成果を受けての論考だが、『教養としての言語学』上梓に先立つこと何と三八年も前の話であり、この年季の入り方もただごとではない。さすがに「第二の恣意性」という提起というか発見には至っていないが、その寸前までの思考も記されており、すこぶる貴重な初期論文だ。

そして更に言えば、この新提起は、既述の「空の記号」という着想があったればこその収穫でもある。この記号については『教養としての言語学』前半でかなり書かれており、例えば第一章の結びは「人間の言語記号とその中身、つまり対象との関係が恣意性を持つためには、時間的に先ず主のいない空の貝殻としての、内容がゼロの音声が用意されていなければならない。動物の発声のように どれも特定の内容が既に詰まっている音声だけしかなければ、他の任意の中身が入りこむ余地がないからである。ところが……人間の祖先の猿だけは音声を具体的な目的や必然的な裏付けのないときに、ただ音声を発することそれ自体の快感の故に、内容が空の遊びとしての発声をしきりに行うようになった。これが歌の原型であると同時に、このような中身のない殻だけの音声が、次々と特定の条件づけのもとに、契約的つまり恣意的な意味を獲得していくようになったと考えられるのである」（同書58）というふうに締めくくられている。ここにおいて「空の記号」論と人間言語の恣意性をめぐる孝夫のソシュールを超えた考察、更にはヒトの祖先になりえた例外的な猿（音声を発することそれ自体の快感を知った猿）という想定仮説の三つが一つに結びついたと言ってもいいのではなかろうか。そして、そうであればこそ人間の言語は限りなく自由に話したり語り合うことができ、かつ（文字を持てば）自在に書くことも可能となる翼を持ち得たと孝夫は胸を張って言挙げしているのである。繰り返せば、記号同士が構造的な写像性を全くもたないという圧倒的身軽さ故に人間言語は無限に使用可能となったり創造力をもちえたのだ

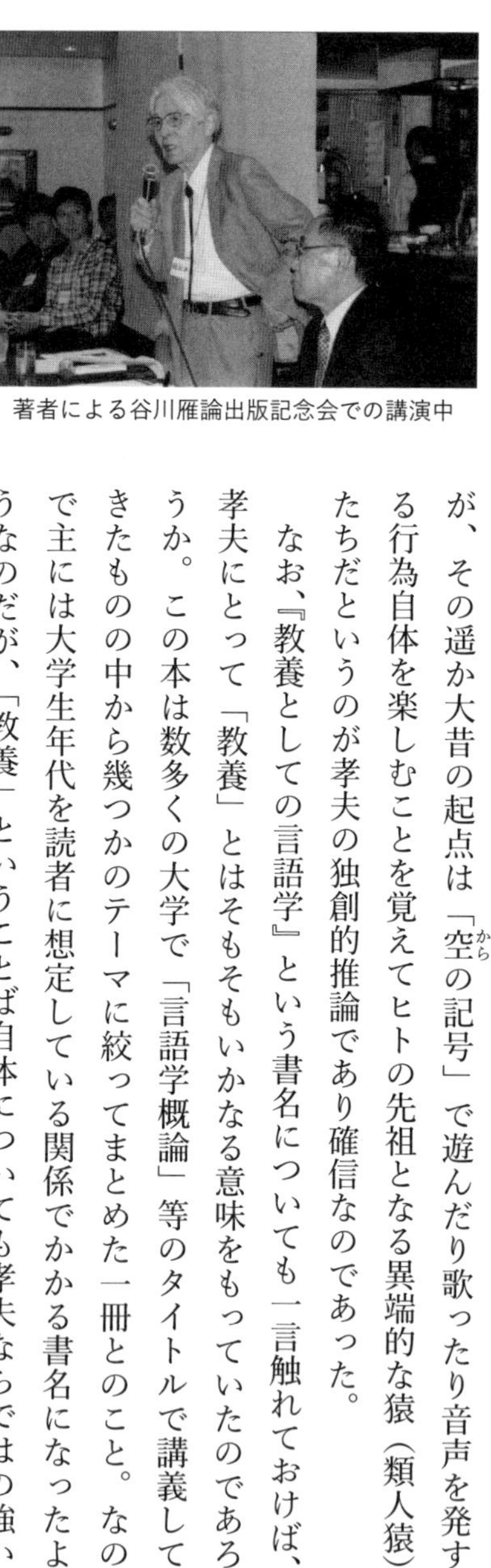
著者による谷川雁論出版記念会での講演中

が、その遥か大昔の起点は「空（から）の記号」で遊んだり音声を発する行為自体を楽しむことを覚えてヒトの先祖となる異端的な猿（類人猿）たちだというのが孝夫の独創的推論であり確信なのであった。

なお、『教養としての言語学』という書名についても一言触れておけば、孝夫にとって「教養」とはそもそもいかなる意味をもっていたのであろうか。この本は数多くの大学で「言語学概論」等のタイトルで講義してきたものの中から幾つかのテーマに絞ってまとめた一冊とのこと。なので主には大学生年代を読者に想定している関係でかかる書名になったようなのだが、「教養」ということば自体についても孝夫ならではの強いこだわりがあった様子なのだ。

「学問を人間いかに生きるべきかといった哲学的背景を抜きにして、ただ客観的没価値的に多くの〈事実〉のみを教えるという姿勢は、ただでさえ物事を深くつきつめて考える機会が少なく、またそのような教育も受けてこない若い人にとっては弊害の方が大きいのである」とした上で、「これからの長い人生、それも人類が未だ経験していないような新しい段階を生きていくことになる学生たちに、教師が自分はこう考える、このように生きているという姿勢でのぞめば、一見多様な学問も全て一つの根本的な共通点に収斂し、他との関連が見えてくる。……教養とは自分でものが考えられ、自主的に行動できる人間をつくる準備作業なのである」（同書「まえがき」）――ここでも「哲学」が語られ、教師自身の考え方、生き方を前面に開示した講義こそが肝要であり、かつ教養とは孝夫の説くグランド・セオリーの「準備作業」との捉え方が鮮明に打ち出されている。孝夫の講義がどの大学でも大好評を博し人気の的であったことの秘密の一端が明かされているとも言えようし、いずれにせよ「教養」もまた孝夫にあっては哲学、生き方と密につながる実践知の謂なのであった。

明治開国後、日本は雑種文化でなく世界に稀な併存文化の国になった

『教養としての言語学』の最後に置かれている「西欧文明と日本」と題する短文も今日から見て示唆に富んでいるので見ておこう。

その二　明治維新後の日本は、強大な欧米文明の大波をもろに受けて急激な変容が迫られたが、日本は雑種文化の国になることなく併存文化の国になったとして、そのユニークさを強調。又その点でも日本漢字があったことの貢献の大きさを力説。

「この日本の急激な西欧化の過程について特筆すべきことが二つある。第一は、日本があらゆる点で西洋の文化文明を取り入れたにもかかわらず、日本は結局雑種文化の国になることなく、世界に類例の少ない併存文化の国になったことである」(同書233)として、具体的には殆どの中南米諸国のように雑種文化と化した国では「二つの異なった文化が融合して、第三の新しい文化が生まれ、宗教、言語そして習俗に至るまで、どちらのものとも違う新しい文化が生れている。これに対し日本の場合は、もちろん両者が合体してどちらでもない新しいものが生れもしたが……全体として見ると、西欧文化と在来の文化は、個々の文化領域を二分する形で、両者が併存関係を保つ結果となっている」――この短文では、どちらが好ましいかの判断が示されているわけではないが、孝夫が、明治開国以後押し寄せてきた急激な西欧化の大波を日本がこのようなしのぎ方によって日本語も含めて固有の文化を守ることができた推

移を大いに喜び、評価しているのは間違いない。そのことは次に続く文で明白となろう。

「第二の点は、日本には漢字という便利な言語手段が既にあったという事実である。あらゆる点で伝統的な日本文化とは異なる欧米の文化を、明治の開国とともに一気に、しかも広範囲に輸入し消化するとき、高度の文化文明を簡潔に表現する力を既にもっていた漢字という言語要素が日本にあったということは、本当に幸運なことと言わねばならない」（同書234）――この漢字があればこそ当時の日本としては絶対的に必要不可欠であった緊急にして大量の欧米文物の日本語への翻訳が「簡潔に表現」される形で可能となったと孝夫は言いたいのであろうが、確かに西周等による抽象概念の翻訳をはじめ、もしも漢字がなかったとすれば翻訳作業自体が困難を極めたに違いない。その意味では孝夫が以前から熱弁してやまない日本漢字の存在自体、その働きの有難さと利点はいくら強調してもし過ぎることはないのである。

そして、このような大量翻訳・文化輸入の「簡潔」にしてスピード感溢れる遂行を通して「このように日本人は、イギリスの文豪R・キップリングをして『東は東、そして西はいつまでも西であって、両者は決して合致することはない』と言わせた、融合することが不可能と思われていた西欧文明と東洋のそれを、大変な苦労と少なからぬ犠牲を払って、巧みにしかも短時日のうちになし遂げた最初の国民になりえたと孝夫は揚言（この場合の「融合」はあくまでも「併存」という形で、だ）。さらに勢いをつけて「今後の日本人の国際的な使命の一つは、西欧文明の国々の人に向かって、かつて日本が必死で自分の国をみずから半ば西洋化することで、当時厳然として存在した彼我の落差、異質の溝を埋める努力をしたように、今こそ西欧の人々が相応の努力を、彼らの国、彼らの社会そして彼らの文化の東洋化に尽くすことが、未だに見られる東と西の異質性に由来する国際的な不和対立を小さくする最善の道であることを、あらゆる機会を捉えて自信をもって主張することである」（同書236）とまで書きつけて、『教養としての言語学』全体の結びとしている。

同書出版（一九九六年）の時点で、欧米人に向かって今やそちらこそ「東洋化」の努力をなすべきと訴えているのが何とも先駆的に勇ましく公平であろう。こうした自らの物言いも受けて、孝夫はその後世界で果たすべき日本の使命、役割、そして日本の特長をめぐる考察と立論を次第に深化・発展させていくことになる。その際、日本が必要に迫られて自らを急激に西洋化し近代国家としての自己確立を図りつつ、しかし一方では「在来の文化」、つまり日本語は勿論のこと縄文期以来のアニミズム的感性や世界観も含めて「併存」的に残し続けることができた格別な好運、その他にはない東西二枚腰的あるいは二刀流的文化の特長と可能性（後に強調することになる「連続型世界観」とも通底する）を強く打ち出す流れとなったのであるから、ここで敢えて「併存」にこだわった知略には大きな意味があったのではなかろうか。これまた孝夫ならではの新機軸である。もしも歴史的に他の国から占領・支配される時期が長々とあって雑種文化の道を強いられたとすれば、例えば縄文期からのアニミズム的感性は摩滅したか、あるいは別種のものに変質し、いずれにせよ日本にとって大きな不幸と損失になったとの言でもある。

「消費水準を下げよう」「不況は真人間に戻るチャンス」等々「革命的な方向転換」を提唱

さて、鈴木孝夫略年譜をみればわかる通り孝夫が『教養としての言語学』を上梓すべく執筆に励んでいた時期は『人にはどれだけの物が必要か』（飛鳥新社　一九九四）刊行前後あたりからであろう。そうだとすれば執筆やその仕込みに勤しむ時期が重なったこともあったのではなかろうか。これまでも指摘してきた通り孝夫にあって言語学と環境問題は常にコインの両面の如く一体であり続けたので不思議はないが、孝夫はこの二冊の本を順次出版する（『人にはどれだけ』の方が先）のと殆ど期を同じくして『人にはどれだけの物が必要か』で主張した内容をさらに大胆かつ過激に力説するようになっている。先ずはいずれも一九九五年前後、幾つかの雑誌等に発表した文章（全て著作集8に収載）の中から特に印象に残るメッセージを見てみよう。

その三　二十世紀末の時点で、人類の過剰な経済活動、開発行為等でますます危機が深刻化する地球（環境）を守る立場から経済至上主義等への批判をこれまで以上に過激な言い方で論述。いわば既述の通り「人新世」（「人悪世」と言い換えた方が言わんとすることがよく伝わって好ましいが）認識の並外れた先覚者としての切迫した使命感からだ。元々は「革命嫌い」（本人が時折そう語っていた）の孝夫が人類の今後の在り方に触れて「革命的な方向転換」とまで訴え始めているのだから驚きであり特筆すべきことでもある。

「いま日本の政府が絶対額では世界一という巨額の資金を提供して行なっているＯＤＡ、つまり開発の遅れた貧しい国々に対する援助も、先進諸国との経済格差を縮める目的の下になされているのである。ところが不思議なことにこのような全世界的な視野の下で行われている経済成長促進の考え方には大きな矛盾が含まれていることが、公の場で真剣に議論されることはほとんどない。と言うのも、今のレベルの世界全体の経済消費活動でさえも、既に地球という一つの閉鎖循環系の持続的安定ラインを、二酸化炭素の放出量や森林資源の減少、過放牧による砂漠化といった多くの点で、遥かに超えてしまっているという事実である。もし現在の平均的アメリカ人のような物質やエネルギー多消費型の生活を、全ての人がおくるとすれば、地球環境の安定持続のためには世界の総人口が約三〇億を超えては無理だという試算がある。……多くの開発途上国が次々と今の先進国並みの生活水準に近づくことを放置すれば、地球の資源や環境が更にひどく悪化することは目に見えている。そこでかけがえのない地球を壊さずに人類が安定して生き続けるための道は一つしかない。現在の先進諸国の生産消費のレベルを大幅に下げ、途上国の経済達成目標をこの切り下げた水準に定め、両者の合算量が今の世界全体の生産消費量を、とりあえず上まわらないような低い水準を設定しなければならない。現在日本ではバブル経済の崩壊で縮小した経済を何とか以前の水準に回復しようという必要が各方面で叫ばれている。しかしいま日本や西欧先進諸国に求められていることは、実は更に大幅な経済消費レベルの切り下げなのである。そのためには既に三〇年以上の歴史をもつ、絶えざる消費の拡大、資源の浪費を社会の進歩であり発展であるとする社会常識を破る必要がある。人類の進むべき道についての革命的な方向転換を始める時がきているのである」（著作集8、308〜310）——長い引用になったが、いわゆるバブル経済崩壊後間もない時期の孝夫の時代状況認識がよくにじみ出た一文だ。せっかく、というか当然の如くバブルがはじけて経済が低迷しているのだから、これを更に低迷させ続け、同時に日本人全体の消費レベルも一気に落とす好機とすべきだと主張しているのだからまさに「革命的」であろう。ある面では筋金入りの保守でもあるだけに元々は左翼的な響きをもつ「革命」嫌いで通してきた孝夫が、「革命的な方向転換」を本気で唱えているのだから、その危機感たるや半端ではない。なので、この後には「何とか始めなければ、極めて近い将来に地球は確実に取り返しのつかない段階に突入する。今こそ私たちは地球を守るために立ち上がらなければならないと思う」と続くのだが、これはもう百パーセント「人新世」（人悪世）認識の先取りそのものではなかろうか。人類が生み出し発展させてきた資本主義（中国も今や同類だ）による無制限の経済活動、開発行為、そして過剰な消費欲望が地球の在りようを歯止めなく損壊し改変してきたのであるから、この資本主義の暴走、その根底を支える人類（しかも「産業革命」当時に比べて異常に増殖して今や八〇億もの人口だ。孝夫がこの一文を書いた一九九五年時点では約六〇億と言われていたが、それでも地球には過剰過ぎる数）の果てしない欲望に何としてもブレーキをかけなければならないというふうに、だ。

そこから孝夫はさらに「私はこの不況というのは、神が与えたいいチャンスだと思うんです」と語り、「だから、今日本人は真人間に戻るいいチャンスなんだというふうに考えるんです。だって、もっと物が欲しい、もっといい家に住みたい、もっといい洋服が着たいということにストップがかかっているわけですからね。そして、そのこと自体が、地球の危機的状況をせめて加速しない、足踏み状態にする、場合によっては安全圏まで戻すことができるかもしれない。拡大した戦線を縮小するいいチャンスだと思うからです」（著作集8、319〜320）――地球全体への負荷やその生態系に及ぼす甚大な悪影響を顧慮することなく経済第一主義や限りない消費欲に囚われている限り地球損壊の進展と共に人類も他の生き物たちを巻き添えにして破局を迎えざるを得ないのだから、もういい加減考え方、価値観を根本から変えようとの変わることなき提言であり警告だ。

そして、この言が国の在りように及べば、経済大国路線などという馬鹿げたことはやめよ、となる次第だ。「そこで私は次の二点を主張したい。第一に日本は近未来の国家目標として、いまの経済超大国路線を降り（その後この辺は変わっているが原文のまま）、身のほどを知った『経済中国』を目指すきである」「第二に、日本が経済中国を目指すべきだと私が言う根拠は……遅かれ早かれ経済超大国路線それ自体が行き詰まるという見通しである。地球の資源・環境条件の急速な悪化に伴い、多数の途上国群と少数の先進国との間で資源・エネルギー再分配問題が激化する。日本が先進経済大国としてではなく中進経済中国の状態で、この来るべき世界の激変を迎えることができれば、日本社会の混乱と損失は、超大国であるよりもはるかに小さくて済むはずである」（著作集8、313）――もう三〇年近く前の文章につき、こうした国際情勢やそこにおける日本の位置等に関する物言いにズレが見られるのはいくら孝夫でもやむなしと受け止め、しかしながら本質論としては今もますます傾聴に値するのではなかろうか。地球と世界の在りようからして経済大国路線などあり得なくなっていることは遠からず今の中国も含めて歴然としてくるであろうし、もしも世界各国と人類が生き延びることを本気で望むならば、国単位は勿論のこと各個人においても何よりも先ず地球（環境）に対して「身のほどを知った」接し方が不可欠となるからだ。この「身のほどを知る」は今回の文脈においてのみならず遥か以前から孝夫愛用のキイワードの一つであり続けた。

「この地球は私のもの」

そして、この身のほどを知った地球との向き合い方が徹底されれば自ずと「この地球は私のもの、私有財産だと思えてくる。だからこそ、その地球が汚れているのが我慢ならない」（著作集8、321）となっていく次第だ。

その四　「その三」で強調した「革命的な方向転換」を広く共に進めるためのキイワードとして「この地球は私のもの」を打ち出し、自ら実践的にその内実を明らかにしたこと。同時に「地救（球）原理」という一大見地を表明し、その共有・普及を訴え始めたこと。

明治神宮探鳥会にて（2017年4月／撮影：蒲谷剛彦氏）

この「地球は私のもの」との言挙げは、『人にはどれだけの物が必要か』の第五章でも熱く書かれているので、ほんの少しばかり前に戻ることになるが、最も肝心なところを概略二点にまとめれば次の通りだ。

㈠　先ずは「金魚鉢としての地球」という把握の仕方がすこぶる明快だ。「地球は一つの閉鎖循環系であり、……このことは地球を金魚鉢にたとえてみると簡単に理解できる」として「鉢の大きさに比べて金魚の数が多過ぎる場合は、水中の酸素が不足し、金魚の排泄物が水の中に残ってしまうから、金魚が死ぬことになる。地球という金魚鉢では、いままさにこのことが起り始めていると考えられる。いまのところ人間自身が死ぬまでには至っていないが、人間以外の野生生物はすでに次々と絶滅している。資源は涸渇し、大気の汚染は進む」と記した上で、「これ以上のエネルギーと資源の浪費を前提とする経済発展を止めるべきである。もっと低い経済のレベル、消費の水準でも人間は幸福に生きられる。いまいちばん大切なことは社会に急激な大混乱を起さず、延びきってしまった経済戦線を徐々に計画的に一体どこまで整理縮小することが出来るかを真剣に討議することである。そして日本や西欧先進国が消費を下げた分のエネルギーや物資を、未だ豊かさを味わったことのない途上国に回さなくてはならない」（新潮文庫版「人にはどれだけの物が必要か」104～107）——地球が「一つの閉鎖循環系」であることをわかりやすく伝えるべく金魚鉢に例えたのはすこぶる卓抜であろう。地球の環境、資源等は無限大なのでなく様々な意味で有限性のかたまりであること、人類が無限大だと勝手に錯覚してこれまで通りの開発と改変、破壊を続ければその有限性からしてとりかえしがつかなくなり、結果的には人類も破滅に至るとの洞察と警告をここでも発しているのである。

(二) その上で、人間が生き物である限り所与のものとして持ち合わせている欲望についての考え方を大胆に反転させて次のような境地に達したことを明言。「それは欲望を制限することでなく、むしろ反対に欲望を極限にまで拡大することによって、この地球の全てが自分のものだと思ってしまうことである。地球は私のものだ、したがって私は自分の財産である地球の主人であり管理者でもあるのだから、地球を……私が正しいと思う姿に戻していくことを、誰にも遠慮せずやってよい筈だ、私は地救人なのだというものである」(同書130)——人間誰しもがもつ欲望を逆説的に大肯定した上での「地球は私のもの」論の提起もまたいかにも孝夫らしい発案と言えよう。いずれにせよ、たかが人間の分際、身のほどを知った上での地球(環境)との共生、一体化を第一義とする生き方、考え方が主潮とならなければ他の生き物たちのみならず人類の未来もないとの痛切なメッセージだ。地球は私のもの、だからこそ「地救人」との自覚を深めつつ大事に守り抜くとの思いを改めて孝夫の御霊と共に誓い合いたいものである。なお「地救人」という言葉は孝夫の造語ではなく彼の記憶によれば確か神奈川県のある婦人団体の会報で目にした言葉だと今の引用文の後に追記されている。

日本式英語で日本文化の発信を
——「語学ができるほど馬鹿になる人間の方が多い」(中野好夫)を受けて

一九九九年七月、孝夫は岩波新書からの四冊目として『日本人はなぜ英語ができないか』を出版している。国際化時代の到来・進展がやかましいほど叫ばれる時代状況にあって、しかし日本人の英語力の弱さがある種社会問題化していた只中への大胆な問いかけと提言満載の一冊である。日本人のほぼ全体に対して中学・高校で計六年もの時間をかけた英語教育がなされているにもかかわらずなぜ日本人の大方が世界に通用する英語力を持ち得ていないのかといった（当時の）文部省等での議論を通して小学校からの英語教育導入まで検討・予定される状況での出版で、当然の如くこれまた多大の反響を呼び起こしロングセラーとなった。

その五　日本人が日本で生きていく上で英語は基本的に必要がない（諸条件から日本は日本語だけで生きていける恵まれた国）との認識を大前提として子どもの頃から英語を全員に強制的に学ばせるのは愚劣の極みであること、そして英米等といった「相手を知り、自分を改める」「国際理解を深める」ためといった英語教育も既に時代が変わったので間違いだと断じていること。併せて教材は日本の文化や歴史を学べるものとし、「英語で生きる体験」を頭だけでなく「全身を使って」味わうことができるプログラムと環境を考えるべきだと提言していること。その上で日本式英語を生み出し広げる努力を重ねつつ英語で日本文化の力強い発信が可能な人材を一定数育成する教育システムの必要性を説いていること。

このように相変わらず独創的にして真っ当な英語教育改革案提起を行っているのだが、孝夫においてなぜそれが可能となったのであろうか。以前からの並々ならぬ問題意識があり続けたからに決まっているが、その蓄積に加えてこの書においては有益な刺激となる人物の言が紹介されているのでそこを見ておこう。日本が米国との戦争に敗れて間もない頃、英語ブームが起こっていたのに接して当時東京大学文学部英文科教授であった中野好夫（英文学者）の文を引いている箇所である。「語学が少しできると、何かそれだけ他人より偉いと思うような錯覚がある。くだらない知的虚栄心である。実際は語学ができるほどだんだん馬鹿になる人間の方がむしろ多いくらいである。………だからどうかこれからの諸君は、英語を勉強して、流石に英語をやった人の考えは違う、視野が広くて、人間に芯があって、どこか頼もしい（中略）ような人になってもらいたい。語学の勉強というものは、どうしたものかよくよく人間の胆を抜いてしまうようにできている妙な魔力があるらしい。よくよく警戒してもらいたい」（『日本人はなぜ英語ができないか』141〜142）――このかなり辛口の文を紹介するに際して孝夫は「今これを読み返してみると、私がこの本で言いたかったことの多くが、既に巧みな文章で述べられていて、ちょっとがっかりするくらいです」とまで書いて高く評価している。

そして更に「外国語ができるようになることの必要性や利点は、これまでも多くの人によって繰り返し語られてきました。しかしこの中野氏のように、その反面、外国語学習の裏に潜む落し穴、恐ろしさをこれほどはっきり指摘した人はいないと思います」と激賞した上で、孝夫が考える「英会話学習にひそむ問題」を書いていくのだが、そこでいちばん強調されているのが、英会話と言えば米国人、中でも白人に習うのが最良といったよくある俗説への徹底批判だ。「多くの人は、英会話が上手になりたいから、それには英語を母語とする英米人から直接に会話を習う機会を増やせばいいと、非常に素朴に考えているようです。そこに大きな問題が幾つもひそんでいることなど、あまり考える人はいないのです。だから駅前の会話学校はもちろんのこと、中学高等学校から大学までも、英会話の先生と言えば、その殆どは英米系の人、それも白人で占められることになるのです」「とにかくこのようなわけで、英米人について英会話を習う日本人の多くは……自分でもそれと気づかないうちに、日本人としての自分のあちこちを変えたり改めたりして、アメリカ人的になっていく傾向にあります」と縷々記して、これこそ「私が前にもふれた自己植民地化の心的構造」だと批判している次第だ（同書144～145）。中野好夫が危惧する「語学ができるほどだんだん馬鹿になる人間」と重なる指摘でもある。孝夫が後に書いた一文（「文藝春秋」誌二〇〇二年一〇月号掲載の「英語なんて話せなくていい」と題する論考）では「日本の英会話信仰は性（たち）の悪い新興宗教のようだ」とまで書いているが、同様の確信、いわゆる白人ネイティブ志向の英会話熱への言語学的観点からの批判をますます深めていった証でもある。孝夫はあくまでも、もはやあらゆる意味でモデルにすべきでなくなった米国、その「アメリカと直結した英語ではなく世界に開かれた言語手段としての英語を学ぶ必要」を力説し続けていたのである。知らず知らずのうちに「自己植民地化」の落し穴にはまりこむ愚とは無縁となることを願って、だ。

国際英語（イングリック）とは自分英語である
――『あなたは英語で戦えますか』

そうした見地を更に深めて孝夫は二〇一一年九月に冨山房インターナショナルから『あなたは英語で戦えますか』と題する著書を刊行しているので、流れ的にここでこの本にも触れておこう。なおこの本は二〇〇一年一月にＰＨＰ新書として刊行された『英語はいらない!?』の増補改訂版でもあるので（新たに二つの章からなる第二部が加えられていることをはじめ相当に大幅な増補改訂版だ）、そのわずか一年半ほど前に刊行された『日本人はなぜ英語ができないか』と内容的に連続し、かつ深められているところが多々ある一冊でもある。

この増補改訂版で何をおいても真っ先に注目されていいのは、その第一部の総タイトルとして「イングリック（国際英語）のすすめ」がど～んと大きく打ち出されていることだ。まさにたった今引用した「世界に開かれた言語手段としての英語」そのものとしての「イングリック」という用語に改めて大きく光を当てていることだ。第四章で、このイングリックについても取り上げた際この用語が残念ながらあまり広がらず、そのこともあってか孝夫においてもその後あまり使用されなくなったきらいがあるみたいなことも書いているのだが、ここでは見事にその見立てを覆してくれているのだ。しかも同書の裏表紙には、Speak Englic, not English and you are to win the argument との英文が目立つように掲げられてもいるのである。孝夫が改めて「イングリック」という言葉の普及に注力し始めた証とも言えよう。

で、孝夫が増補改訂に際して「まえがき」で強調しているのは、「いまや国際語となった〈英語〉の所有権は、まさに国際語であるが故にそれをつかう世界のあらゆる人々に広く分有されている」との認識に踏まえて「従来の伝統的な英米の歴史文化に裏打ちされた英語は、日本人にとってはまさに他人の英語だったが、国際英語は所有権がこちらにもある自分の英語なのです。言ってみれば国際英語は〈自分英語〉なのであり、従来普通に英語と呼ばれていたものは〈他人英語〉なのだという」こと。この「自分英語」がイングリック、そして先にみた「日本式英語」と同一であるのは言うまでもない。

そして「自分の使う英語を英米人の英語とは似て非なる……国際英語であるとする考えに立つことによって、気楽にのびのびと好きなことが言える」はずとも述べ、いわゆる英語の専門家と称する人達から間違い等指摘されても気にする必要は全くなく肝心なのは話の内容だと力説しているのである。このように英語を受け止めれば、日本人の一部に今も根強く残る英語コンプレックスも相当に和らぐのではなかろうか。

この文脈で、次の二つの文章も強く念頭に刻んでおきたい至言だ。先ずは「英語の学習をアメリカ文化とできる限り切り離さなければいけない、イギリス文化と切り離さなければいけない……そしてこのように、ある言語から、もともとその背景にあった文化、民族の考え方と切り離して学ぶ必要をもった言語というのは英語が世界で最初の言語なのです」(『あなたは英語で戦えますか』102)――この数百年の歴史的な諸経過からしてよくも悪しくも英語は人類が持ち得た一等初めの国際言語なのだから我々はそのように割り切って英語と付き合っていかねばならないと述べているのである。もう一つは、関連するが「イングリックには定義上ネイティブ・スピーカーがいない」(同書104)との一言。なのでいわゆるネイティブスピーカーなる存在に対する劣等感や引け目など全く不要だということであり、すこぶる鮮やかな断言だ。

さて、その上で同書から更に幾つか特筆すべき事柄を箇条書きふうにとり出しておけば次の通りだ。

㈠　二〇〇〇年一月に当時の首相の委嘱を受けて「二一世紀日本の構想」懇談会(この辺は今さら説明する必要なしと判断)が出した最終報告書に、これからは(金力政治でなく)「言力政治」が求められるとの提言があるのを孝夫は高く評価し、「この『ことばが武器である』という考えは、実は私以外に日本では今まで使った人がほとんどいないという意味において、この報告書はすばらしいものだと私は思っています。まさにわが意を得たり、よくぞ言ってくれた」(同書13)と孝夫にしては珍しいくらいに高揚感を漂わせて書いているのだが、しかし、よく読み直してみると残念で期待外れなところも大だとしてこうもつなげている。「言力政治と言うならば、私は日本にとっていちばん大事なことは、英語力の強化もさることながら。あらゆる手だてを尽くして日本語の国際普及を早急に図ることだと考え」(同書16)ているにもかかわらず、この「最も大切なことを見落としている」と。孝夫にとって「言力政治」、言力外交、「武器としてのことば」の要は、イングリックと日本語国際普及の両輪だと改めて確認・力説している次第だ。

(二) アメリカ式英語を無批判的に学び米国(人)化していくのは地球環境破壊に大きく加担する道だとも明言。かつてのアメリカ、第二次世界大戦終了直後くらいまでの米国の文化、生活様式は「世界中の魅力」であり、「斯く言う私も大学生ぐらいの若い頃、アメリカのような生活に憧れ……だから私は英語を必死で勉強して、フルブライトの前のガリオア留学生の試験に合格して行ったわけです。あの頃のアメリカはまだ『私たちもああいうふうになりたいなあ』という憧れの的でした」「ところが今や、このような生活様式を支えるためには人間一人当たり驚くほどのエネルギーを使わないと維持できないことが明白になってしまった。今となってはアメリカ的な生き方を人類五〇億(この当時の人口はこのくらいと言われていた)が揃ってやりだしたら、地球の資源、環境全てがあっという間に壊滅するほど、これは無駄で望ましくない生き方なのだということがわかってしまった」「しかも社会的にみると、戦後一貫してアメリカに憧れ、それにいちばん近い社会構造、豊かな生活様式をもつことに成功した日本が、最も人間的にだめになってしまった。社会がどちらもひどいことになっている」(同書65)——孝夫にあっては言語への関心と地球環境への関心は常にコインの両面であることの証明がここにも見られるということだ。

(三) 日本語国際普及の必要性を説く立場からも孝夫がこの時点で英語にやたら傾斜するのでなく日本語だけで使いこなせるコンピューターを作るべきと主張しているのも記憶にとどめたいので敢えて紹介しておこう。「今日本人が英語を学習してコンピューターに習熟するよりも、日本語で押し通せるコンピューターを作るべきだ。それはけっして無理な要求ではない。それどころか日本語の特性や日本的発想の強みを生かして、世界文化の多様性の保持に貢献するためにも望ましいのだという自信と展望を一般の日本人がもって研究者を強力に後押しすれば、この世界での英語独占体制を崩すことは必ずできるはずです」(同書177)――孝夫の最大関心事は常に「世界文化の多様性の保持」だと言ってもいいくらいであり、コンピューターの在りようにおいてさえそう願っていたのも敬服に値いしよう。

㈣　この本には本名信行氏（青山学院大学名誉教授。英語学、社会言語学。二〇二二年一〇月逝去）の「スーパー解説」が併載されており、興味深いことが多々書かれているのだが、中でも『ことばと文化』よりも前に一九七一年発行の大修館『英語教育』一月号に発表された「English から Englic へ」という一文から受けた深甚な影響を記している箇所が強烈だ。「私はこの論文に深い感銘を受けました。私がなんとなく感じていた、英語の国際化と多様化の関連が形になって見えてきたからです。私はこれをきっかけに、鈴木先生の〈押しかけ弟子〉になりました。……この論考に影響を受けて、アジア英語やニホン英語、あるいは新しい英語教育の研究を開始した人はけっこういるようです」と記しているのだが、誰よりも氏自身が『アジアの英語』という本の編者になったり日本「アジア英語」学会会長を務めたりの活躍を重ねたのであった。イングリックの考え方の発展的な継承者、実践者として孝夫にとっても掛けがえない「押しかけ」愛弟子だったと言えよう。

第七章　ラボ教育センターとの物語的再会
――ラボ・パーティ発足四〇周年前後の積極的同伴

「外国語を学ぶということは、実は日本語を知ることであり、自分を知ることとなのである」（『閉された言語・日本語の世界』結びの一文）「こういうふうに、たとえばガジュマルをその気になって、みんなで一生懸命に表現することが沖縄の自然や文化、キジムナーのお話への思いや興味をかきたて、それが同時にせりふやナレイションの語りに魂が入っていくことにつながるのでしょうね、一人ひとりの子どもたちがそれぞれに自分に根ざして輝いていて、みんなが百点満点でした」（『ラボ・パーティ研究』一九号掲載の孝夫の文より。『鮫どんとキジムナー』という沖縄昔話のテーマ活動発表を観た感想の一言）

鈴木孝夫とラボ教育センター、孝夫言語学とラボ・パーティ――このように並べてみてもラボ関係者以外では相変わらずごく一部の人士にしか注目されないテーマであろう。しかしながら孝夫の全人生と学問において、この在野の言語教育事業体であるラボ教育センター並びにこれが主宰し全国的に展開するラボ・パーティとの関わりが決して小さなものでないことを先ずはラボ草創期のほぼ五年間における関わり中心に本書第二章でそれなりに叙述したつもりだが、この章では孝夫の言う（ラボ列車に乗り合わせた）「キセル乗車みたいな関わり」のうちの後半五年余を見ることにしよう。

二〇〇二年秋の一本の電話から始まった物語

二〇〇二年のたしか九月頃であったか、(当時) 東京の西新宿にあったラボ本部に一本の電話が入り、それを受けたスタッフが「スズキタカオと名のる方が、谷川雁さんとか榊原陽さんと昔よく会って一緒に仕事していたと仰っていますが、どう返事すればいいでしょうか」とのこと。それを聞いて当時本部の責任者を務めていた筆者が「何、もしかして、あの言語学者の鈴木孝夫さんからかな」と半ば訝し気に呟きながら電話口に出たのであった。その時点で鈴木孝夫の名は勿論知っていたし、『ことばと文化』『閉された言語・日本語の世界』等は読んでいたのだが、恥ずかしながらその孝夫がラボ草創期に第二章で書いたほど密に深く関与していたとの把握が無かったからである。昔のテック=ラボ刊行の言語(学) 研究誌『ことばの宇宙』に時折寄稿していた言語学者の一人程度の認識しかなかったのが正直なところだ。筆者が当時ラボ本部の枢要な地位にいながら草創期のその種具体的な関係性や史実について殆ど無知であったのはテック=ラボが諸事情から一九八〇年前後に経営の抜本的刷新 (それまでの経営陣の全面退場) があり、歴史の引継ぎが十全になされなかったことによるのだが、そのこと自体についてはこれ以上書く必要はあるまい。

で、失礼ながら「スズキタカオさんと言えば、あの『ことばと文化』等を著した言語学者の鈴木孝夫先生ですか」と尋ね返すところからやりとりが始まったように記憶している。するとえらく元気な声で「言語学者と言われるのが適切かどうかはわからないが、あなたがそう思っている鈴木孝夫であるのは間違いない」との返事。そこからかなりの長電話になっていったのだが、もう三〇年以上の歳月を隔てているがラボ草創期において、いかに足しげくラボに出入りして谷川雁らとよく付き合っていたか、そしてその頃のラボがいかに草創期ならではの活気に満ちていたか、またラボ関連の東京言語研究所が日本の言語学界に及ぼした影響の大きさ等を熱く語ってくれるのであった。

それが孝夫と筆者との出会いの始まりであり、孝夫とラボとの再会のスタートなのであった。その日の孝夫の直接の用件が何であったかはうまく思い出せないが、いずれにせよ大したことではなかったはずだ。

そして電話でのやりとりが終わる頃には、「せっかくですから一度是非お会いして、更に詳しくお話を聞かせてください」となり、その後暫くしてラボ本部に来ていただくことになった次第だ。しかしながら、だからと言って、そのまま一気に関係性を深めていったわけではない。当時のラボが仕事上いきなり鈴木孝夫を受け入れる基盤構築ができるわけもなかったからであり、したがってその後半年以上は時折連絡をとって何度か散発的に規模の小さい講演を依頼する程度の付き合いにとどまっていた。

それが急激に変わっていくのが二〇〇三年後半からのこと。首都圏中心に講演回数が増えるとともに、その打ち合わせ等で筆者が孝夫と会う機会も頻繁となり、夕刻以降となれば筆者愛用の居酒屋で乾杯となるのもしばしば。それにつれて、この頃の孝夫がよく口にしていた台詞が「私はラボに〈再発見〉された」であった。

そして、二〇〇四年から二〇〇八年前半にかけては、二〇〇六年のラボ創立四〇周年記念諸行事をはさんで名実ともに深々と同伴していただくことになった。全国津々浦々を筆者と共に回っての数多の講演会、「ラボ言語教育総合研究所」設立とその代表就任、各種研究会への同席、そしてC・W ニコルさんとの対談本『ことばと自然』刊行等々ラボを応援し、激励するおびただしい数の活動に文字通り惜しみなく献身的に関わっていただいたのである。自分が納得できないことには梃子でも動かないのが孝夫であり、だからこそ孝夫の人生は最大の恩師井筒俊彦との絶縁をはじめ多くの著名な言語学者等との決別と離別にも彩られていることは既に見た通りだが、そうした中で他ならぬラボとのかかる濃密な関わりは異例中の異例であろう。「劇的再会」とか「運命的再会」と月並みに強調するのでは今一つしっくり来ないので敢えて「物語的再会」＝物語そのものと表現したい所以でもある。

孝夫をして、そこまでラボに深入りさせた動機の根とはそもそも何なのであったか、孝夫とラボとが共振する地点とは何処であったのか、ここでまとめておこう。

鈴木孝夫講演に必ず付き添って

二〇〇三年後半から二〇〇八年前半までの四年半余で北海道から沖縄まで、ラボの全国各地を回っての講演会は通算すれば四〇回は下らなかったはずだが、その全てに筆者がついて回り、講演は筆者によるインタビュー式で行われたのであった。これには当時の御年すでに七〇代後半の孝夫を一人で出張させるわけにはいかないとの安全管理上の配慮があったのは言うまでもないが、それ以上に大きかったのは、無類の「脱線の達人」でもある孝夫に単独で話してもらうとすこぶる面白いに決まっているのだが、ラボにとっての本題になかなか戻らなくなる恐れがなきにしもあらずで、それでは困るとのラボ側の相応の心配と思惑もあってのこと。よって毎回筆者がインタビュアー兼舞台回し役を担った次第なのだが、その効き目もあって講演会やその後の懇親会等を通してラボに関わる孝夫の率直な感想、評価を飛びきりの名言も交えて無数に引き出すことができた。ラボにとっての大収穫となり、個人的にも役得の限りであった。以下にその主要な一部を紹介し、共に味わってみることにしよう。

「私は昨年（二〇〇三年）からはラボ独自のテーマ活動というものの発表を拝見する機会にも結構恵まれています。このテーマ活動を何度かみることを通して、正直言ってラボを見直したと言ってもいいくらいです」(『ラボ・パーティ研究』19号所収の寄稿文より)——孝夫がこの文章を書いた時より遥か昔の一九七〇年前後にはラボにおいて既にテーマ活動は創造されつつあったのだが、丁度この頃から諸事情により孝夫のラボとの関わりは途絶えていったのでテーマ活動発表を見る機会は恐らくなかったため(当時の筆者はまだラボに入社したばかりでもあり本部中枢の動きを知る立場ではなかった)このような文章になっているのである。

テーマ活動については第二章で略述したが、もう少し詳しく記せば、ラボが一九六六年三月、「画期的な子ども英語教室」としてスタートしながら、試行錯誤を重ねる中で必然的に物語と出会い、そこから生まれたラボ独自の物語を中心に据えた言語体験・表現活動のことである。より正確に補記すれば、いざ物語を基にした活動に踏み切っていった時、その物語が面白ければ面白いほど子どもたちが当然の成り行きとして、英語習得のための手段として物語を使うといった大人の側の浅はかな期待や思惑から自由奔放に離れていってしまった流れで生まれた物語の再表現活動である。そして、子どもたちが物語世界で遊び、生きること自体が無上に目的化されていく文字通り劇的な展開が全国各地のラボ・パーティでみられるようになったのだが、その際、当時のラボ本部リーダーであった谷川雁等が心から感嘆して思想的に方向づけした言語教育プログラムの謂である。子どもたちが物語世界で存分に躍動したときこそ、その物語を構成することばとの密なる交感も深まり豊穣な言語体験にもなるというふうに。

子どもと物語とが出会い、子どもとことばとが交わる実践が全国各地のラボ・パーティで展開される中で起こる様々な事象、出来事、変化等(それこそ「物語」でもある)をごまかしなく観察し研究し、可能な限り子どもたちの側に立って考え抜く過程で必然的に「子ども英語教室」なるものから脱皮し越境していった時に創出された世にも稀な全身全霊的表現活動だと言ってもいい。

「今日も流星が現れて光りましたね」
——ラボ・テーマ活動の見方も格別

どの会場でもこのテーマ活動発表を講演に先だって孝夫と一緒に観るのが常だったのだが、他ならぬこの発表に孝夫は瞠目した。「何がいいかと言えば、先ずことばを言うだけでなく、ことばと身体が一つの表現になっているのが素晴らしい。小さな子たちが大きなお兄さんやお姉さんたちと一緒に動きながら表現しているのも好ましい。表現を共にする子どもたち同士の間に年齢や性別を越えて暗黙の了解と深い絆が形成されていることがよくわかって、今どきこんな活動がありうることに励ましを受けました」（同じく『ラボ・パーティ研究』19号）というふうに、である。

これはテーマ活動の核心をついた評価であり最高の称賛というものだ。やはり孝夫はテーマ活動とそこで躍動する子どもたちを観る眼差しが違うのであり、見方そのものが大きく深く、かつ温かいのである。英語がしっかり言えたかどうかといったことば第一主義からあらかじめ自由であり、且つことばを超えた子どもたちの命の輝きに感応しているのであった。

その極めつけが、「今日も流星が現れて光りましたね」だ。テーマ活動の発表では幼児が何かの拍子に全体の表現の動きから「脱線」して一人、舞台の端や前の方にさまよい出て、観客席にいる母親等に手を振ったり、泣いてしまったりすることがしばしばあるのだが、そういう子を称して、孝夫は「今日も流星が現れましたね」と言ってくれるのであった。そして、この流星のような子を舞台（とは限らずフラットな会場の場合も多いが）で発表中の他の仲間たち（異年齢の）が決して無理強いでなく実にさりげなく自然な形で温かく再び表現の輪の中に迎え入れていく無限抱擁的な成り行き……その収まり方を目にしての「光りましたね」でもある。流星がそのまま流れ放しで舞台の外に消えてしまうというケースは殆どないのである。異年齢のラボっ子同士の「暗黙の了解と深い絆」が働くからに他ならない。この「流星が光る」という言い方に初めて接した時、筆者は孝夫の底知れぬ愛情に満ちた子ども理解力に息を呑むほど心地よく慄いたものである。

「ラボの誕生時、私が渋谷の本部に出入りしていた頃のラボは、ことばにしか関心がないように見えました。ところが今のラボは、ことばと生活、ことばと文化、ことばと身体、母語と外国語等々というように総合的・全体的にことばを考えるようになってきている。これは大変な進化であり、発展ですよ。だから子どもたちの英語も、勿論日本語も、そして身体表現も全てが自己表現になっている」（同右）

――テーマ活動の創造によってラボはことば第一主義から飛躍できたこと、だからこそ逆にことばに心がこもり、ことばと心と身体の三位一体的な表現が可能になった道理を言語学的にも深く認めてくれた上でのテーマ活動評価であり、当時の本部責任者として誇らしくも嬉しい限りであった。

また「ラボの誕生時」云々について言えば、第二章で見た通り当時のテック＝ラボは服部四郎をいただいて東京言語研究所を立ち上げ、言語学（関連）講座等を多彩かつ活発に展開し歴史に残る諸事績を刻んだと言えるものの事業的には大人の英会話講習・英米人講師を各企業等に派遣しての展開が主であり、ラボ教育センター（ラボ・パーティ）自体は未だ新たな一事業部門としてスタートしたばかりなのであった。したがって主たる事業対象の大人から子どもへの重点移動は言わば現在進行形、またラボ・パーティにおける「子どもの英語教室」的傾向から脱皮してのテーマ活動を主軸とする創造的プログラムへの転換もなお途次にあった。この頃のラボが孝夫からすれば「ことばにしか関心がないように見えた」のも無理からぬことと言わねばなるまい。

子どもたちの「心の錨を下ろせる母港」として

孝夫の教育論、あるいは現代子ども論の一つに「子どもたちの心の錨を下ろせる母港が不可欠」との言がある。「特定のおとなが特定の子どもとかけがえのない人間関係を数年保持しないと、子どもの心の錨を下ろせる母港ができないんですよ。今の日本の子どもというのは、何かあればそこに戻れる母港のない船みたいなものです」（C・W ニコルとの対談本『ことばと自然』64）というふうに。

実の親も一緒に過ごしながら共に生きる環境が徐々に乏しくなっていった上に、ましてや複数の大人との日常的な接触や異年齢の子どもたちの輪の中で育つ場というものが殆ど失せてしまったのが、ラボが発足した一九六〇年代中盤＝高度経済成長期以降進んだ社会現象であったはず。ヒトの子どもは諸条件からして本質的に群れて育つ生き物であろう。この「群れ」の消滅が子どもたちの精神の融解をもたらし、生きる力、ことばの力の劣化につながるのは理の当然だ。

そんな中で孝夫が説く「心の錨を下ろせる母港」とは、つまるところ子どもも大人も入り混じって日常的に多くの出会いがあり絆を結ぶことが可能なコミュニティのことだとみなしてもよかろう。この子どもにとって、また大人にとっても本当は不可欠な「心の母港」が、経済成長至上主義、高度消費社会化進展、東京等大都市への人口集中、地方（まだかろうじて残っていた村社会）空洞化等々が支配的になる中で軽視され、荒廃していくばかりとなった。

そうした時代動向を冷徹ににらみつつ、同時にしかし、まるで敢えて逆行するかのように一九六六年春の発足後暫くしてから子どもたち（＋大人たち）の「心の母港」づくりに勤しんできたのがラボ・パーティなのであった。ラボ・テューターというもう一人の母親役、指導者役、「特定のおとな」が主宰するパーティ（「教育共同体」と言いかえても可）を生み出し、そこに縦長の子ども異年齢集団を形成し、さらにその周りに親たちも異年齢で参画し何かと協力するという独特の集団編成の企て……このような新たな「群れ」、年齢も性別も考え方も多様な人たちが集う新たな居場所をつくりさえすれば、子どもたちは安んじて「心の錨を下ろして」憩い、かつ自分を全開して羽ばたけないわけがない。併せて生きる力、ことばの力が自ずと育まれる新たな拠点ともなり得るであろう。

この構想、企てには、一九六五年九月、必然の導きがあったかのように筑豊・大正炭鉱での大闘争関与の後テック＝ラボに入社して八面六臂の働きをした谷川雁の夢と大志が働いていたのは間違いない。「原点が存在する」とは彼の主著の書名であり、かつ雁の伝説的名文句の一つとして知られたものでもあるが、この「原点」とは「心の母港」の核を指すと言ってもいいだろう。雁はどうにも止めようがない時代の大変化を見据えつつ「原点」の在り処を子どもたちが本来持つ群れを求める心情（「共同性の湖」とも雁は表現）に垣間見て、子どもを中心とする新たな絆、新たな共同性の組織化をめざしてラボ・パーティに己の存念と思想をかけたのである。

ラボ草創期のリーダーは谷川雁一人ではなかったし、また「心の母港」としての内実を紛れもなく整えるには発足から一〇年ほどの歳月を要したが、トータルに振り返れば、ラボ教育の社会的貢献、存在理由の最たるものは、ことばと子ども、物語と交流を前面におしたてた「心の母港」復活が当世にもありうることを具体的に顕示したことと言えるのではないだろうか。同時に遠回りに見えてそうした考え方、方式こそが心の表現としてのことばの力（母語である日本語と英語等外国語）育成に向けたいちばんの早道でもある理（ことわり）を歴然と明らかにしたことに尽きるのではなかろうか。その主たる思想的・運動的リーダーが子どもたち、ラボ・テューターと密に同伴しつつパーティ現場から深く学ぶことができた谷川雁という次第だ。そしてラボ草創期、五年に及ぶ週に三日のラボ通いを重ねて他ならぬ谷川雁と親しく付き合い、よく語り合い、言語学指南役まで務めていた孝夫だと言っても過言ではない。そんな孝夫が三〇年の歳月を隔ててラボと再会した時（雁は一九九五年に他界）、雁への敬愛も込めて、今の世に名実共なる「心の錨を下ろせる母港」を再興しているラボに感嘆し大評価してくれたという巡り合わせでもある。

「そう、ラボ・パーティというところに母港があって、自分のうちだけだったらああはならない子どもがラボに来たために救われていると。それはやはりラボが心の母港を提供しているということなのでしょうね。悲しいけれども一般的には今の日本の社会で子どもたちが心の錨を下ろせる母港がなくなっているんですよ。保育園、幼稚園、小学校というふうにたえず子どもに接する大人が変わるのは本当はよくないんです」（『ことばと自然』65）、「（ラボに三〇年ぶりで）帰ってきてみると、ラボ・パーティというのが非常に盛んで、中にはおばあさん、娘さん、孫と三代にわたって、ラボを四〇年やっていますとか、そういう古強者（ふるつわもの）がたくさんいる。この事実があることが……結果的にみてラボの運動がインチキじゃないことの証明なんです。インチキというのは、一週間やそこらのスピードラーニングだの、耳で聞いているだけで英語がしゃべれるだの色々ありますが、反対にいうとラボの場合はいい意味で、おばあさんがだまされて娘がだまされ、孫もだまされる（笑い）。ラボがこれほど長く続いているのは、テューターの皆さんが、ここには何かあるという無意識の手応えがあるからでしょう」（『ラボ・パーティ研究』21号）等々ラボの活動と実績を高評価する孝夫の言は数多あるのだが、「ここには何かある」の何かとは「心の母港」のことだと言っても間違いではあるまい。先にみた「表現を共にする子どもたち同士の間に、年齢や性別を越えて暗黙の了解と深い絆が形成されている」のも、まさに「心の母港」が共有されていることの端的な証明だ。そして「心の母港」あってこそ「心の表現としてのことば」が確かな根をもちつつ遠からず花開くのも理の当然であろう。

さらに言えば、本章冒頭に紹介した引用文にある「子どもたちがそれぞれに自分に根ざして輝いている」というそれこそ輝きを帯びた孝夫の至言が生じたのもこの「母港」効果なのであり、またかの「流星」児がいっ時は発表仲間の群れからさまよい出たり流れたりしても程なく発表の輪に自ずと戻ってくるのもお互い意識の底で「心の母港」を共有しているからに他ならない。

やはり肝心なのは、どこまでいっても、ことばはことばだけ切り離して捉えてはならないという鉄則なのだ。並の見方では「言語」学者でありながら、このようにいつも言語を超えた観点から子どもたちの動きや表現を見つめ、その深層に触れて発言してくれたのは改めて驚きだが、しかし一貫してグランド・セオリーとしての言語学をめざしていた孝夫からすれば、そんなことは当たり前の大前提に過ぎないということでもあろう。

英語・日本語対応方式は言語学的にも大正解
――「自分英語」、My English の本道

とは言えラボにおいて言語を軽んじるということは勿論あり得ない。むしろ本格的に言語を捉え大事にするからこそコトの順序をとり違えてはならないということなのだ。

その上で孝夫がラボについてトータルにどう評価していたのかを以下に見てみよう。

「外国人の先生（いわゆる英語のネイティブ講師のこと）がいない、たどたどしい英語、日本語と英語をちゃんぽんにする等々、普通の英語教育からすると絶対に叱られることばかりラボではやっている

わけですね」（『ラボ・パーティ研究』21号 24）――こう指摘し、ラボ関係者を笑わせつつ、しかし、だからこそラボは外国語教育の方法論としても優良なのだと反転的に大肯定してくれていたのが孝夫の凄みというもの。「私はよくある子どもの英語教育には基本的に反対ですが、ラボのような英語教育だったら全国的に広めたほうがいいと思っている」というふうに。

そして、先ず前提として打ち出してくるのが、欧米の言語理論ではラボの特長や教育成果を評価することはできないし、そんなことは期待しないほうがいいとの断言である。「だいたいヨーロッパの言語理論というのは日本語にあわないということを私は一貫して言ってきたわけです」とも述べているのだが、欧米の文化や価値観、考え方によく通じた上で、その相対性を力説するのが、これまた孝夫の変わらぬ心棒であり構えに他ならない。繰り返しになるが「私の考えでは、日本語を、そして日本的現実をはかる尺度は、日本語それ自体、日本的現実それ自体に求められるべきだと思う。……西欧の尺度を流用しての安易な普遍化が可能であるはずはない」と『ことばと文化』に書きつけて以来の確固不動の信念だと言ってもいい。他ならぬ日本で生まれて成り立ってきたラボをはかる尺度もまた日本的現実それ自体、ラボそれ自体に求めよということでもあろう。

で、真っ先にとりあげるのが、ラボの英語・日本語対応方式というわけだ。「たとえば英語と日本語を並べて同時に学習するというのは、ヨーロッパの外国語教育の理論から見るといちばんいけないことなんです。誰が見ても、これは止めたほうがいいんじゃないかとなるはず。それがしかし、ラボのいいところなんですね」（『ラボ・パーティ研究』21号 25）というふうにだが、孝夫言語学はなぜこの方式がいいと明言できるのであろうか。ここからの論の展開がうなるほどに鮮やかであり見事につき箇条書きふうにまとめれば次の通りだ。

㈠ 先ず英語と日本語というのは言語の体系が全く違うということ。文化も価値観も異なる。しかも日本で生活している限り英語的なものの見方や価値観は子どもたちの日常世界の中には皆無であり、全く必要ともされない。

㈡ そのことを前提に、英語学習の機会を日本に暮らす日本の子どもたちに与えようとすれば、英語の文脈をあらかじめ日本語で与えてあげる必要があるに決まっているのだが、それをラボはやっている。これが賢明であり、これが正しい。他の英語教室にはおそらくそういう考え方はないはず。

㈢ はじめから全部英語だと、それを理解する文脈が自分たちの生活にないので、子どもたちは喜んで気持ちよく英語の世界に入っていくことができない。そこをラボは一種の対応方式にして、日本語的な世界も与えて、「ハイ、わかりましたね」とやって、英語ではこう言うのですよと差し出していく。この場合、対応のさせ方で英語が先か日本語が先かは大差がないはず。また個々のことばの対応や日本語と英語の違いを細かく意識させる必要もない。こういう世界が別な言語ではこうなりますよ、ということを全体的にアバウトに示してあげれば充分だ。

㈣ こういう体験を無理なく時間をかけて積み重ねていくうちに、子どもの年齢や個性により差はあるだろうが、英語についても、ああ、そうなのかと心から納得がいく段階が必ずやってくるはず。「ある日突然の飛躍」みたいなわかり方が自ずから訪れてくると信じていい。

㈤ 英語だけで、わけもわからずしゃにむに英語文脈の世界に子どもたちを触れさせるのは土台無理があるし、間違いでもある。さらには英米中心主義の落し穴にはまる学習法でもある。そんなやり方で、仮に英語を少しばかりしゃべれるようになっても、そんなものは自分のことばにならない。「よそゆき英語」であり、「他人英語」でしかない。子どもの頃から外国語に触れる場合、同時に母語がよほど強く、豊かに育つプログラムと環境が保証されていなければ、魂がとられてしまうことになるだけ。ラボの英日対応方式は、この点でも配慮と知恵がいき届いている。

㈥ ヨーロッパの国々で外国語を習うとき、Direct Method と言って、今日からはスペイン語を忘れて全て英語で話しましょう、あるいはフランス語を使いましょうというやり方が成り立つのは、欧米では各国語の共通性や文化、宗教等の類似性があるからであり、これにはさほどの無理がない。

㈦ ラボの英語・日本語対応方式は、「自分英語」「わがこと英語」、My English への道を日本の子どもたちに歩んでほしいとの願いと考え方に立って生み出されたのではなかろうか。素材として物語や詩歌を殊の外大事にしているのもそうであるに違いない。だから私は高く評価している。

ラボが草創期における試行錯誤を重ねながら編み出してきた、そして代々のラボっ子から受け止められ、支持されてきた英語・日本語対応方式について、これほど深い洞察と壮大な気宇をもって太鼓版を押してくれた言語学者は筆者が知る限り他には一人もいない。孝夫がこの時期、いかに内発的・積極的にラボと同伴し、ラボを支持してくれていたかの何よりの証明でもあろう。

こうしたラボ高評価のベースに、たとえば「従って日本の学校で外国語を学ぶということは、（本来）日本語の問題と切り離せないことになる、言葉が違えば現象の世界の切り方が違うのだということを学ぶためには、絶えず母国語との対比が必要である。英語の時間と国語の時間が別々で、全く違った教養の先生が教えていること自体がおかしいのである」（『閉された言語・日本語の世界』235〜236）という問題意識が孝夫の側に若い時期から一貫してあり続けたことも挙げておきたい。この見地からすれば、子どもたちが「絶えず母国語との対比」において外国語に触れているラボ言語教育の在りようは、願ってもない最高の実践事例に思えたのではなかろうか。その意味でも鈴木孝夫とラボとは相互に「再発見」し合った仲だったのである。

ここで、さらに敢えて述べておけば、ラボ・テューターとは「英語の時間と国語の時間」を別々にでなく一人で同時に担っている得難い存在でもあると言っても決して誇張ではなかろう。

英語のいわゆるネイティブ講師は全く不要、むしろ有害

こうした考え方と日本人が英語を学ぶのに、とりわけ子どもにとっては、いわゆるネイティブ講師などは全く不要であり、むしろ有害でもあるとの孝夫の持論とは通底しているので、その点も見ておきたい。

「併せてラボのいいところは、いわゆるネイティブ・スピーカーの外国人講師を使っていないことです。英語は今や英米だけのものではありません。……私は、英米の言語としての英語ではなく国際共通語としての英語という考え方を三〇年以上前から提唱してきています。この考え方に立てば、いわゆるネイティブ講師は不要となります。……現在の日本ではネイティブ信仰、ガイジン信仰、特にアメリカ人の白人がいいという迷信がはびこっているようだが、愚劣の極みですね。……わが子を二流、三流のアメリカ人に育てようとしているのだろうか。……しかも彼らは英語を自然習得しているから、それを学ぶ外国人の苦労というものがわからない。だからネイティブ講師ほどパターンプラクティスに走りがちになる。こんな彼らに高いお金を出して学ぼうなんて本当に馬鹿げています。……アメリカ人に媚びたような英語を学ぶ必要はないのです。日本人をアメリカ化するのでなく英語の方を日本人に合うように変えていくことが求められているのです」（『ラボ・パーティ研究』19号）——筆者がラボで働いていた頃、

孝夫と一緒の時に限らず筆者自身全国各地から呼ばれて数えきれないほどの講演会や父母会等に対応したものだが、その際何処でもよく出される質問が、ラボはテューターに加えてなぜネイティブ講師も使わないのか（例えば月に一度とか）というものであった。あるいは、ラボのシステムと教材（ラボ物語ライブラリー）は最高だが、これでネイティブ講師も使えば鬼に金棒ではないか、みたいな注文というか提案であった。そんな時に孝夫の核心をついたネイティブ講師不要論がどれほど役立ったことか。英語も今や多様化しており英米の専有物ではないことを説いた上で、いわゆるネイティブ講師ほどパターンプラクティスに走りがちと語れば、「確かにその通りでした」との反応が経験者からあり、先ずは一歩前進。次いでネイティブ講師の前では（その講師にもよるが）子どもはおしなべて「よそいき」モードになってしまいがちで英語と自然体で接すること、ましてや自分英語への道を歩むことが難しくなりますよと伝えれば深く頷いてくれるようになるのであった。そして、トドメはお子さんを二流、三流どころか四流、五流のアメリカ人にしたいのですか、とややからかい気味に問い返すことで、このやりとりは概ね大笑いのうちに打ち止めとなるのであった。孝夫言語学の普遍的威力であり具体的特効力とも言いたいところだ。

ここでもう一点、孝夫自身の外国語習得法とラボ方式には、考え方において大きな共通性があるということについて書いておきたい。

一言で言えば、外国語は、あたま理解型ではなく全身染み込み型で学ぶべしということだ。孝夫は中学に上がって英語の教科書をもらうと自宅で声を出して感情も移入しながら読むことに集中し、まるごと暗記に努めたと回想している。イソップのある話の英語版などは中学校二年の時に暗記し、何度も暗唱していたので遥か後年になってもいつでも唱えることができるとのことで、実際にラボ講演会で講演終了直前に披露してもらったことが何度もあるくらいだ。他にもツルゲーネフのロシア語の詩なども朗々とやっていただくと会場はもう拍手喝采の渦で最高潮のまま講演終了となる仕儀であった。

外国語は全身染み込み型で学ぶのがベストであり、繰り返し声に出す、全身で表現する、教材は物語や詩歌が望ましい、そしてある年代になって文字に関心が向き始めれば文字を手で書いていく――このように全身を使って英語と向き合い交わっていくことが「わがこと英語」、My English への王道なのであり、これが「耳でおぼえる、口でおぼえる、手でおぼえる」孝夫流外国語習得法の鉄則なのであった。

一方ラボ活動は、英語学習という観点からみれば、物語を素材にしたテーマ活動という「全身染み込み型」「英日対応方式」の異年齢グループによる表現活動を主軸にすえて、これにホームステイ国際交流等の交流プログラムも加味して、子どもたちに「よそいき英語」でなく「わがこと英語」への大道を切り拓いてきたということができよう。それは、とりもなおさず孝夫が一〇代の頃から自力で思いつき実践してきた方法にかなり近い学び方と言っても間違いではないはず。孝夫の側に異年齢の仲間との密なる共同活動が見られないのは敢えて言えばかなり大きな欠落であり気の毒でもあったが（このこともあってか孝夫の人間関係のとり方は相当に異色であった）、これはラボが無かった時代のことでもあり、やむなし。

外国語を学ぶことは日本語を知ること、自分を知ること

さて、本章で別な主題に移る前に、本章出だしの最初に掲げた一行「外国語を学ぶということは、実は日本語を知ることであり、自分を知ることなのである」を改めて反芻してみることにしよう。

これは第四章で詳しくとり上げた『閉された言語・日本語の世界』本文の最末尾に記された一行だが、ここで言われる「外国語を学ぶこと」＝「日本語を知ること」＝「自分を知ること」の等式が学ぶ側の実感においてくっきりと成り立つ時、成人は無論のこと子どもたちも、たとえば英語を学ぶ際に極めて強いモティベーションを抱けるはずというふうに読みとることも可能であろう。ただし、そのようでありうるためには相当な知恵と教育思想が不可欠なのであり、そこからラボにおいては物語を基にしたテーマ活動、英日対応方式、さらには「心の錨を下ろせる母港」でもあるラボ・パーティが一体的に創出された次第でもある。

「なぜ、こどもたちに外国語をあたえるのでしょうか。何よりも先ずこどもたちの意識の根を強くしたいからです。それは、この世の一部分を偏愛する人間ではなく、世界の全体性を率直に感じとることのできる人間をつくることだと言い変えることもできます。外国語の底によこたわるものを感得することは母国語の奥にひそむものを知ることです。……母国語と外国語ではさまれた意味内容をよろこんで受けいれるとき、そのこどもはすでに未来のあたらしい存在へと変身しています。なぜなら、その感動は、二つのことばの岸につきあたり、はねかえりながら、その間を自由に流れて、まさしく自分独自のものになっているからです。このような自由さの体験が創造的精神の形成におよぼす影響を考えるとき、私たちは、幼児期に大きな意味をみつけないわけにはいきません」（「こどもたちの意識の根を強くおおらかに育てよう」。「テューター通信」一九七一年一月号に掲載。アーツアンドクラフツから刊行の『〈感動の体系〉をめぐって――谷川雁　ラボ草創期の言霊』に収載　9～10）――やや長い引用となったが、これは谷川雁の文章である。雁らしくややひねりをきかせているもののこの文全体のメッセージはかの孝夫の等式至言と密に呼応し合っていると断言していい。そして「外国語の底によこたわるものを感得することは母国語の奥にひそむものを知る」体験の積み重ねを通して子どもたちの「創造的精神の形成」に可能な限り寄与していきたいとの願いと大志がきらめいていると言えよう。いずれにせよ、ラボは、テーマ活動を中心とする独自の教育プログラム確立を通して「子ども英語教室」的なるものとはいち早く決別し、「外国語を学ぶ」活動が「日本語を知ること」そして「自分を知ること」と等号で結ばれる可能性をはらむ本道を草創期以後もブレることなく歩んできたのである。それは谷川雁が創案した「ことばがこどもの未来をつくる」というラボ不滅のキャッチフレーズに正真正銘魂を入れ続ける道程でもあった。だからこそ鈴木孝夫は三〇年の時を隔てても二〇〇二年後半のラボとの再会以後、ラボの活動と実績を心から高く評価しつつ惜しみなく同伴し応援してくれたのである。

「地球には限りがある」で以前から共鳴

——C・W ニコルとの全身全霊的意気投合

「鈴木先生の主張のなかに、いくら強調してもし足りないほど、なんど繰り返しても充分ではないほど重要なメッセージがある。それは、『地球には限りがある』ということだ。たとえてみれば、沈むとわかっている船に際限なく荷を積みつづけるようなものだと先生は言う」（『ことばと自然』のニコル「はじめに」より）

本章前半でも触れたことだが、ラボ・パーティ発足四〇周年記念諸事業の一つとして、鈴木孝夫とC・W ニコルとの対談本『ことばと自然——子どもの未来を拓く』が二〇〇六年一二月、株式会社アートデイズより刊行された。この二人はそれぞれラボ草創期にラボと深く関わりをもったという共通点をもち、そのことはこの本の第一章で詳しく語られているが、孝夫についてはもうかなり書いてきたのでここではニコルとラボとの関わりについて先ず略述しておこう。なお彼の正式名は、「C・W ニコル」である。中黒は一つで、彼が一九九五年、日本国籍を取得した際、このように決めたとニコル本人から直接確認している。

ニコルは一九四〇年英国の南ウェールズ生まれで、北極探検やエチオピアの国立公園での仕事に従事した後、一九七〇年頃から日本を主な拠点とする人生にシフト（初来日は一九六二年）。ところが生活のため「大っきらいな」英会話講師をやるのが虚しく苦しんでいた中で、縁あって関わりが生じたテック（＝ラボ）において谷川雁と出会ったことで仕事上も大きな転機と展望が拓かれることに。丁度その頃ラボが英会話ごっこでなく物語を基にした子どもの言語教育に舵を切り替え始めていたことが幸いして「ならば僕は面白い物語を書ける」と豪語したところ谷川雁との面接が特別に入ったのである。で、その時のやりとりを通して雁から気に入られて「会社がこいつに一か月だけ時間を与えようってことになって、僕は『たぬき』を書いたんです。そういう仕事をさせてくれたラボ、とりわけ雁さんには感謝しています。ある意味では僕がやったというより雁さんがやらせてくれたんですよ。雁さんがいいと言ってくれたから出版になったんです」（『ことばと自然』25）となった次第だ。

この時（一九七〇年一〇月）生まれた『たぬき』（四話構成）という作品がC・W ニコルの日本での処女作だが、数あるラボ物語ライブラリーの中でも代々のラボっ子から殊の外愛された作品の一つとなり、誕生から既に半世紀以上を経た今日もなお親しまれ続けている。そして第二作が『すてきなワフ家』、三作目が『ゴロヒゲ平左衛門・ノミの仇討ち』で、いずれも同じく四話構成で彼のオリジナル作品だ。他にも『ブレーメンの音楽隊』『はだかの王様』等の英訳や英語の吹き込みも担当し、後年『ドゥリト

ル先生 海をゆく』の再話や『国生み』の英訳（再話は「らくだ・こぶに」となっているが、これはラボ物語作品制作時の谷川雁の別名。一九七九年一二月刊行）にも関わっている。他にもあるが、ここまで一瞥するだけでニコルがいかにラボの仕事に深入りしていたかが瞭然と伝わることであろう。

彼はラボと出会い、谷川雁主導の下、共にラボ物語ライブラリー制作に物語作家として、英訳担当として、また時には英語の声優として主体的に関与する営みを通して後に『風を見た少年』や『勇魚（いさな）』等の名作を生む作家として、同時に環境問題に関する積極的発言者・運動家として活躍する素地を確実に身につけていったのである。彼が草創期のラボと関わったのは通算しても七〜八年のことだが、遥か後年に振り返った時も「とくに谷川雁さんからことばを書くときの厳しさを学びましたね。たとえば同じページで同じことばを二回使うとだめだとか。ときどき僕は思わず使っていたんですね。そのことばに対する厳しさは本当によかった。それから雁さんに限らず、素晴らしい人たちと一緒に、ラボっ子のために最高の作品を制作する仕事ができたということが大きかったですね。……後々のためにもなりました」（同書 58〜59）と語るほどに、である。そうであればこそ、その後諸事情から四半世紀ほどラボとの関わりが途絶えていたものの二〇〇三年頃からの関係再構築が可能となったわけでもある。

この長きにわたる決別状態について今さら詳しく書く必要はないが、先述の一九八〇年前後に起ったラボにおける経営全面刷新の際、それまで中枢役員の一人であった谷川雁も退場となったのだが、その際ニコルも雁不在のラボには見切りをつけてラボとの関わりを断つ道を選んだということに他ならない。ニコル自身、その後作家としての活動等で超多忙になったことも影響していようが、やはり雁との関係性を重んじたことが第一であった。

で、その後時が流れ、ラボが二〇〇六年に迫ってきたラボ・パーティ発足四〇周年を意識して関係修復を働きかけた際、比較的簡単に話がまとまったのは、やはり前記したラボ草創期における忘れがたい諸仕事の記憶が鮮明に蘇ったからであろう。雁が既に他界していた（一九九五年二月）ことがその前提としてあったのも言うまでもないが、しかし、ニコルが関係修復に際して唯一述べた条件めいた話が「今のラボは雁さんも切った人たちが経営の中枢にいるのだろうが、経営者としての雁さんに問題が多かったことは自分もわかる気がする。でもラボ物語作品制作やラボの教育思想を築く上で雁さんの果たした役割、功績は極めて大きかったはず。その功績を一切認めないということであれば、私がラボに戻ることはできない」というものであった。無理もない話で、これに対して筆者が、経営者としての問題点も含めてこれまで書いてきたような谷川雁評価を誠心誠意伝えることを通して、ニコルとラボとの和解はめでたく成立となった次第だ。元々彼が「アファンの森」（ウェールズ語で「風が吹きぬける森」の意）を長野県の黒姫にもったこと自体の裏に、「ラボランド」というラボ専用のキャンプ場がラボ草創期から黒姫にあり、その関係から彼も頻繁に黒姫を訪れ、黒姫の森や町によく通じていたことが大きく作用していたのだが。

ともあれ、斯くして二〇〇三年前後に鈴木孝夫とC・W　ニコルというこの二人がそれぞれの脈絡でラボとの関わりを復活させることとなり、結果として今からとりあげる対談本刊行へ向けての密なる語り合いが実現となったのである。

この対談は、二〇〇六年の三月から五月にかけて計三日、三度にわたって開催。一度目は始めにラボの子どもたちによるニコル作品『たぬき』と『すてきなワフ家』のテーマ活動発表を共に観た上での対談となっている（二度目までの場所は首都圏）。そして、最後の三度目は黒姫の「アファンの森」に出向いて一緒に森を歩いたり焚き火を囲んだりしながらの対話であり、またその近くのニコル宅にお邪魔しての続行であった。なお司会役は三度とも筆者（当時ラボ教育センター会長）が務めている。

さて、このようにラボ草創期にそれぞれ深く関与し谷川雁とも密に協働したという大きな共通点をもつ二人であるため、対談一日目の話題は自ずから「ラボとの出会い」となっているが、その内容については既に第二章等でかなり記述済みでもあるので、ここでは二日目、三日目の対談内容で特に印象深いことを中心に見ていこう。

ただし、その前に一言。ことわるまでもなく対談というのは思考とことばの掛け合いライブに他ならない。司会役として一応の筋書きはつくって本番に臨むもののその通り進むわけはないし、丁々発止のやりとりの中で、時に話がうまい具合にかみ合うかと思えば、時に脱線したり、全くかみ合わなくなったりの連続で、しかもその脱線ぶりがまた面白く（特に孝夫の側にその傾向が顕著でニコルの方もそれに聴きほれてしまいがちで困ることもしばしばであった）という波乱に富んだ三日でもあった。よって録音テープ起こし稿からの原稿確定作業においてはかなり大胆な割愛と整理を余儀なくされたが、しかし他ならぬこの二人によるライブならではの語り合いの面白さと魅力を可能な限り残す編集を心がけたのは言うまでもない。この二人は元々考え方において大いに共鳴しあっていたものの直接会って話すのは初めてとのことで、第一日目の始まりの頃こそややぎこちなさもあったが、時間が経つにつれて親密度が増し対話が弾んでいくのであった。なおニコルが対談事前に「鈴木先生と対談することが決まって私は大喜びした。だが、先生の思想、哲学を知るにつれ、しだいに不安になってきた。はたして二人の対話は盛り上がるだろうか。というのは、先生の発言や書かれたもののほとんど全てに私が大賛成しているからだ。それ以上私が付け足すことなどあるはずがない。話してみても、私は『おっしゃる通りです』『同感です』『私もそう思います』を繰り返すほかないのではなかろうか」（同書「はじめに」）との不安を抱いていたことを後に知り、ニコルの側からすればもっともな心配とも思えたが、それは殆ど杞憂に過ぎなかったことも同書が歴然と示していよう。

日本が大好き、しかし今の日本は……
――「アファンの森」は野鳥をはじめ自然の宝庫

それでは対談二日目以降の主なやりとりを具体的に紹介すれば次の通りだ。この二人の共通点の一つに、二人がそれぞれ世界をよく知り尽くした上で、日本は素晴らしい国で大好きだが、今の日本には問題があり過ぎるとの認識共有があるので、その辺りからやりとりは始まっていった。

孝夫が先ず「日本という国の自然や文化を、世界的な、あるいは人類の歴史を背景においてみると本当にすごくいい国であり、いい自然であるのに、それを日本人が自覚していなくて、どんどん壊している」現状を指摘し、今や人口も増えて自然が人間によって収奪される度合いが強まる一方の時代となっている以上「自然を管理するという発想」が不可欠となっているのに、日本人にはこの発想がない」と述べたのを受けて、ニコルが「今いわゆる先進国の中で、日本は森林面積に対していちばんレンジャー(森の監視・警備スタッフ)が少ない国」であること等「地域の自然を守ったり森を大事にする人材の養成や配置がなってない」と応じている。併せて「ここ三〇年余りの間、日本の地方各地で自然破壊が行われてきた。それを見るにつけ私は慄然とせざるを得ない。無意味、無駄、ばかげた、けしからぬ建設工事に莫大な資金を投入し、わざわざ自然を破壊する。こんなことをしている国は、私の知る限り日本の他には見当たらない。これでは日本の自然の特質が変化してしまうばかりか、国民の気質や特性までもが変わっていくだろう」との怒りと危惧に満ちた日本の現状批判も表明。

こうしたニコルに「今は日本人以上に日本人であるニコルさん」（と孝夫は何度かこのニコル観を口にしている）に敬意を表して孝夫が「ニコルさんの言われている針葉樹と落葉樹の混交林がなぜいいかというと、季節ごとに木の実がたくさんなるし、キノコも生える。カッコウをはじめ多くの鳥がやってくるし、ムササビなども棲んでいる。いろんな意味で混交林というのは生きた森で、針葉樹の単純林というのは死の森だ」と語って話を「アファンの森」の方に向けるとニコルは、この森について「僕が黒姫で買ったのは藪でしかなかった。貧弱なスギやカラマツの藪。それを多様性豊かな森（混交林の森）に復活させた」、つまりはいかにいい意味で「自然を管理する」という発想と実践を貫いたか、を語るのであった。

ところでニコルは「ケルト人でありながら」日本国籍をとって「ケルト系日本人」と誇らかに、また嬉し気に自称していたのだが、そのからみで多神教、アニミズムをめぐるやりとりも興味深く交わされている。ニコルが彼の友人で、キリスト教の牧師でありながら日本で神道の宮司を務めていた人物が「神道は自然が神の道を人間に教えた宗教だ」と語っていたとの話を披露すると、孝夫が「それは古代ギリシャでも同じで、神の存在は草にも動物にも表れている、万物が神の道を示しているとの考え方があった。その意味では日本だけが素晴らしいのではなくキリスト教を中心とする一神教がこの世界に出現する前までは、人類はずうっと多神教であり、アニミズムであり、汎神論であった。一神教的発想が出てきたのは人類の長い歴史からいうと、せいぜい二千年、エジプトの太陽信仰の一神教を入れても三千年くらいのことで本当に最近のことでしかない。それ以前は世界中いたる所に岩や石も神さまで崇める、山や湖も崇めるという文化があったのであり、これが近代社会になっても残っているのが日本なのだ、人間は森、動物等全てとつながっているという感じ方で、それが現代のモダンなテクノロジーとも共存して生きている唯一の先進国が日本だ」と返したのに対して、ニコルも「ケルトの宗教は神道にすごく近い。自然の中に神がいる。今のイギリスもキリスト教が入ってくる前はケルトの多神教文化だった。そしてそれが日本の縄文文化とよく似ている。だからイギリスもいざとなれば復元力が働くのではないか。僕はまだ希望を捨てていない」と貴重な英国観を表明している。

彼が望んだような形で英国にもしも復元力が働けば、日本と連携して世界の流れを孝夫が力説してやまない「地救（球）原理」の方向に少しでも変えていく可能性が期待できるというものだが、しかし、残念ながら日本がそうした方向に時代を変えるような主導力を発揮できる国になれるかと問えば、現状を見る限り至難というほかあるまい。勿論ニコルと同じく希望は持ち続けたいところではあるが。また一神教が現れ強まってきたのは「本当に最近のこと」でしかなく根が浅いものだとの孝夫の捉え方はやはり半端でなく、すこぶる巨視的にしてラディカルであり、学ぶところ大ではなかろうか。

さて、対談三日目、「アファンの森」に場所を移してのやりとりを見てみよう。孝夫が長年、機会あれば行ってみたいと願ってきた場所に着き、先ずは孝夫の感想から語ってもらったのだが、（ニコルが入手してからそれまでに二二、三年丹精込めて管理してきたという森に入ってすぐにどんな鳥がいたかがわかってしまうのであろう）コゲラ、シジュウカラ、エナガ、サンショウクイ、ホトトギス、カッコウと挙げていったのがさすが孝夫であり、その上で「カワセミはまだ見ませんが」に「いますよ」と応えるニコル。またフクロウも勿論いるし、オオタカもとなり、「それじゃあ、もうこれは自然の宝庫ですね。数えきれないほど何種類もの草や木……おそらく蝶々とか蛾も賑やかに飛ぶだろうし」に「鈴木先生の大好きなキノコはもう三百種を超えましたよ」と続くと「もう私は八〇だけど、人生百まではこういうところで住みたいなあ」に「いいですよ、大歓迎（笑）」と対話はどんどん発展していくのであった。「アファンの森」に孝夫が初めて足を踏み入れてまだほんの一時間足らずにもかかわらずのこの密なるやりとり!! まさに全身全霊的意気投合ぶりであろう。

そして、こんな掛け合いを楽しんでいると当然の如く鳥の鳴き声が近くから聞こえてきたのだが、すると孝夫「あ、いま鳴いたのはアオゲラ。Green Woodpecker という種類ね。『ピョ、ピョ、ピョ』っていう(笑)」となってまた話が一段と弾む成り行きに。あたかも鳥たちもこの二人の会話に加わりたがっているかのような趣きだ。この後も「森に関わると時間軸が変わる」、つまり森林では撤いたものを収穫するのがだいたい孫の時代になるというふうに「森に関係できる心を持った人、または森の仕事に関係すると、自ずからそういう長い時間軸で人生や世界を考えるようになる」とか「日本の森は人間が相当ひどいことをしても自然回復力、自然治癒力がある」「日本は風土的に二枚腰、文明的にも東西が混交したバランスのとれた珍しい国」といった主には孝夫の話が続いていったのだが、するとまた鳥の鳴き声。で、「あっ、また鳴いた。イカルだ」(孝夫)「そう、イカルです」「フルートのような鳴き声だね。ここは本当に天国ですね。ところで、イカルにはいろんな鳴き声があってね、『オキクニジュウシー』(お菊二十四)とか……『ショウチュウイッパイグイー』(焼酎一杯グイー)とか、その人の思いに合わせてね(笑)」「それぞれの願いごとを映し出しちゃうわけね(笑)」といったやりとりになり、鳥たちも飛び入り参加の会話はますます活気と興趣を増していくのであった。

その後も話題はそんな愛しい鳥たちをめぐって進み、「アファンの森」ではいちばん多い時で九〇種類もの野鳥がいたとの話に孝夫が「素晴らしいね。軽井沢ではそんなにいなくなった」と嘆いたのを受けて目下世界中で鳥が減ってきているとのやりとりに移っていったのは自然の成り行きであった。近年日本に来る鳥が減ってきたのは「ベトナム戦争のときの枯葉作戦の後遺症だとかインドネシアの環境汚染、森林減少の影響じゃないかと言われている」（孝夫）「ああいう影響がじわじわと現れてるんですね」「そして冬に日本にいる鳥は夏にはシベリアに帰るわけ。ところが今シベリアがすごく破壊されてる」「もうシベリアはすごいですよ」「森林伐採がひどいため永久凍土が溶けてメタンガスが発生している。……だからシベリアは大気汚染のすごい元凶になってますよ。それは日本が悪いんです。日本が無駄に木を切ってるんです」「それと中国も」となり、さらにニコルが「このあいだ柳生博さん（当時の「日本野鳥の会」会長）と話をしたら彼も言ってましたよ、すごく鳥が減ったと」と語れば、孝夫は世界の南の方も荒れているとして「南米では今はアマゾンが特に荒れている。アマゾンの森がどんどん開発されて……そうすると結局は北米の鳥が（必要な時季に南へ帰れないので）猛烈に減るんです」と受けて、「ぜんぶ悪循環」（ニコル）。

永遠の生命の環
――自然開発の損益分岐点まで戻ろう

さて、世界中で鳥が減ってきている現状への危機認識を共有した上で、しかし、そこに留まらず未来へ向けて話題を大きく反転させていくのもこの二人に他ならない。そのためには何よりも先ず人間個々の有限の人生をどう捉えるかが肝心要であり、その点での発想転換が不可欠だとして孝夫から「つまり人間は自分の有限の人生と世界の無限とを一体化する考えをもてれば、自分という個人が死ぬということと宇宙が永遠に続くということの区別がなくなるわけよ。それに一体化した自分も永遠の命を持つわけです。……とにかく個としては有限なんだけど永遠の相のもとに自分個々の生命を関係づけたいという願望が必死で子孫を生み育てることにもつながっている。同じく所有も、宇宙が僕のものだと思えば、宇宙からちょこっと鈴木孝夫が抜けたってね、ぜんぜん問題じゃないんだ」（同書152〜153）と切り出されたのに対して「欠けるというか、宮沢賢治風に星になると思えばいいんですよ」「どこかの草になってまた生えてくるとかね」「生命の環。今の自分の生命は自分だけのものじゃないよ。過去の生命の壮大な歴史を受け継いで今の自分の生命があり、これがまた永遠の生命の環のなかにあり続けると思うと小さいことにくよくよしなくなるし、大きな欲に生きることもできるようになる。かつてのケルト人はみんなそう思って生きていたし、日本の縄文人もきっとおんなじだったと思う。……この森のなかにいると自分という狭い枠が消えていきますよ。エゴなんて無くなっちゃう。それにしても鈴木先生の考え方は気宇壮大で、素晴らしいです。先生の言語学はスケールが大きいことが改めてよくわかった気がします」――自分の生命は自分だけのものじゃないという根本的な考え方、生命の環に思いを馳せながら生きることが第一との認識を共有するやりとりで極めて奥が深く得難いものであった。それにしてもこのように語り合ったこの二人が近年相次いで他界していることを思えば、このやりとりがより一段と心に染みてくるのではなかろうか。いずれにせよ、お二人とも永遠の生命の環の中でなんらかの形で大往生後の在りようを愉しんでいるに違いなかろうが。

対談吟味も終わりに近づいてきたので、本章結びに際して記憶の中枢にとどめておきたい言葉、日本と世界の今後を考える上で何度でも反芻すべきメッセージを書きつけておこう。

先ずは「敗戦後、日本がめざましく復興できたのは豊かな自然があったから」とのニコルの言だ。「僕は日本が戦争の後復興して、すごく強い国になったと思う。でも、日本が国力を回復できたいちばんの理由は、日本人の特別な遺伝子じゃなくて、これだけの素晴らしい自然、多様性があって豊かな自然、水、森、海岸、そういうものがあったから蘇ることができたんですね」——さすが日本への愛と理解が深いニコルらしい至言だが、これに応じた孝夫の言が勿論また一段とふるっている。ニコルのいう通りだとした上で「だから日本人は慢心しちゃいけない。日本人がすごいんじゃない。一体どのような神様が我々日本人を選んで、こんないいところに住まわせて下さったのかと、つくづく思うぐらいです。日本人は地理的にも風土的、地政学的にも本当に恵まれたところにいるんです。ところが肝心のその日本人が自分たちの持っている宝をがらくただと思って、どんどんそれをお金、経済発展という錯覚した宝に変えようとしたのが高度経済成長のマイナス面だ」。

長野県黒姫のC・Wニコル宅にて（2006年5月）

そして、かかる対話を通しての二人のほぼ一致した結論が孝夫のいう「自然開発の損益分岐点まで戻ろう」であった。自然を利用しなければ人間も生きていけないのは自明のことではあるが、「これまで自然を根絶やしにしたのと同じ勢いで今度は大事にしないと、結局はいずれ人間の生きていく土台、基盤も崩れていくんですよ。それがいま世界的にはっきりしてるわけです。私の言葉でいうと損益分岐点と言ってね、あるところまでは人間にとって自然を利用したり開発したり征服するのが幸福につながった。けれども今はもう、むしろこれ以上先へ進めば進むほど人間も不幸になる。山の頂上まで登れば、あとは下るしかないのと同じです。……人間の物質的な欲望とか便宜とかこれまで我々が追っかけ求めてきたものは、もう薬ではなく毒の領域になってきている。そこを反省して、うっかり過ぎてしまったプラスマイナスを分ける損益分岐点まで戻ろうというのが私の提案なんです」——そして、これは具体的には「ちょっと昔に戻ればいいだけのこと」で実行可能な案だとも強調し互いに確認し合っているのだが、いずれにせよ、この二人の対談は三度目「アファンの森」での語り合いによって無上の佳境に入り、それは森近くのニコル宅に移っての夕食時まで続くのであった。その格別な一日を振り返って孝夫が同書「おわりに」で記している文章を紹介して本章の結びといたそう。

「このウェールズ語で『風の吹きぬける場所』を意味する森は、私たちが訪れたときは魔法にかかったように深い霧に覆われ、そこここに咲くウバユリの薄緑の花が、カシワやコナラの林床を飾っていました。森の一角につくられた半円形の雨よけ（シェルター）に座って、燃え盛る焚き火に赤く映えるニコル氏の顔を見ながら、頭上でさえずる野鳥のこと、森に棲む獣のこと、そしてこの森の百年後の姿などについて胸を躍らせながら語り合った、ニコル夫人の麻莉子さんを交えての数時間は、まさに至福のときでした。夕食の席でも、私のために特別用意されたワインと、シカやイノシシの肉をいただきながら、日本がなぜ好きなのかを語るニコル氏の横顔を見つめていた私は、この歳になって心の友と呼べる得がたい人と知り合いになることができた運命の不思議さ、有難さに感謝したのです」

あの鈴木孝夫が年齢的には一四も年下の人物のことを「心の友」とまで表現しているのは異例中の異例であり、まさしく全霊全霊的意気投合が成ったことの何よりの証でもあろう。なお、この夜、ニコルもまた同じく感じ入ったからであろう、別れ際にはウェールズの歌などを踊りながら文字通り全身全霊で唄ってくれるのであった。

前章で見た通り鈴木孝夫は、二〇〇二年後半から五年余に及ぶラボ教育センターとの付き合い復活、しかもかなり濃厚な関わりを通してラボに対して計り知れないほど多大な恩恵と収穫をもたらしてくれたのだが、それは同時に孝夫自身にとっても少なからぬ刺激と実りを得た五年余であったはずだ。あの何であれ自分が本心から納得いかない物事に対しては梃子でも関心を示さず、まして関与するなどあり得なかった孝夫のこと故こう書いても決して間違いではない。孝夫の側に即して何点か具体的に挙げることもできるが、そのうちの最たるものは人間関係のとり方が大きく変わったということではなかろうか。ニコルとの三度にも及ぶ対談、とくに「アファンの森」訪問とその後のニコル宅での夜遅くまでに及ぶワインも愉しみながらの関係者数名も含めた交流継続など、かつての孝夫からすれば考えられない出来事であった。しかも更に強調したいのは、この驚くべき変わりようは相手がニコルだから例外的にそうなったのではなく――勿論「アファンの森」に対する年来の関心と評価等ニコルだからこその格別な理由もあったが、それでも以前の孝夫であればその後ニコル宅にまで寄っての乾杯づきあいなどは絶対にあり得なかった――この時期の孝夫にあっては日常茶飯事だったということである。

人間関係のとり方を変えつつ「下山」の時代認識を明示

当時はラボ・パーティ発足四〇周年記念の年前後ということもあって、かなり頻繁に開催されていた孝夫中心の研究会や講演会等が終わる度に、恒例として必ず（新宿のラボ本部での開催であれば）筆者気に入りの居酒屋等に繰り出しては「乾杯！」となっていたのだが孝夫が不参加だったことは一度もない。それどころか、そうした会（打ち合わせの継続と称しつつも要するに飲み会）でも座の主役はいつも変わらず孝夫なのであった。

慶應義塾大学教員時代等の孝夫と言えば、普通の人間が愉しむような娯楽やスポーツ、競輪・競馬等の賭け事等は一切やらないし、「人混みが大嫌いだから」博覧会や祭り等にも「絶対に行かない」と書いた文脈において「自分から進んでバーに行ったことはなく、赤提灯や縄暖簾もくぐったことなし」（『人にはどれだけの物が必要か』114）などとやや誇らしげに記しているくらいなのであるから、この変わりようは劇的とも言えよう。実はこの「行ったことはない」記述をそれ以前に目にした瞬間、筆者は諸々の娯楽やスポーツ等と無縁なのは自由だが、日頃日本文化の素晴らしさを力説してきた御方が、日本文化の華中の華でもある居酒屋を知らないとはなんと淋しく気の毒な人生であることか、と本心からそう同情もしたので孝夫と会うようになるや先ずはその種の見解を伝えたものである。その上で、始めのうちはかなり強引であったが、その後孝夫自身も馴染みとなる居酒屋に誘っては共に乾杯し、これを習わしとしていった次第だ。そのうち仮に店内が大嫌いな「人混み」の晩でもさほど嫌がることもなく居酒屋文化に親しんでくれ、その後なんと自宅の最寄り駅である渋谷駅近くに自身行きつけの店まで持つようになった発展ぶり

居酒屋でご機嫌な孝夫

も既述の通りだ。

そして、この先も大事なのだが、二〇〇八年一〇月、筆者のラボ（円満）退社と合わせて孝夫も高齢からして（当時八二歳）ラボとの関わりにピリオドを打ったもののその後ややあって筆者が鈴木孝夫研究会（当初の愛称「タカの会」）を起こすことを企てるや大いに喜び、即全面的に乗ってくれたのである。で、その際も然るべき店での二次会への孝夫参加が当然の大前提であった。ただし、この研究会発足の話に進む前に、本章で書いておくべき枢要な事柄があるので、そちらを先に見ておこう。

それは孝夫がラボと密に再会し始めた頃から、思想的には新たに「下山」との時代認識を明示する表現を駆使し始めたということだ。「バブル崩壊後、早くも一〇年あまりの歳月が流れた。……ところでいま人々の期待と努力は、この不況からの脱出、つまり景気が再び上向き、人々の顔に明るさが戻ってくる〈良き時代〉の再来に向けられているようだ。しかし……不況回復などもはや絶対にあり得ない、いやあってはならないことなのだということを、今や日本人はおろか人類全体がはっきりと自覚すべき地点に到達してしまったことは明らかである。山登りで言えば人類は既に繁栄の頂上を極めてしまった以上、あとは降りるしか残された道はないからだ」「これまでの経済学、いや人類のあらゆる知的営為は、自覚されることの殆どなかった暗黙の大前提の上に組み立てられていた。その前提とは……地球の許容量の過大評価と、それと対をなす人間のあくなき活動力に対する過小評価であった。それが間違いだったことがわかってきたのだ」（『私は、こう考えるのだが。』178～179。二〇〇七年刊）というふうに、ある種使命感につき動かされるかのように「下山」の必要を熱く語るようになったのである。

この背後には軽井沢でも東京・上目黒界隈でも、さらには世界中でどんどん姿を消しつつある鳥たちの哀しみがたちこめており、その音声活動、Joy Song 復活への祈りが貫かれているのは言うまでもないが、それでは孝夫の中で下山的発想はいつ頃から芽生えたのであろうか。言語表現として「下山」とか「山を下る」とは言っていなくても、その始まりは相当に早いのではなかろうか。年譜的には序章で既に取り上げた「節約のすすめ」という一文（一九七五年）で、「国家レベルの、自己目的化した出口のない現在の消費成長型経済の言いなりに個人が振り回されるのでなくて、経済のメカニズムの、もう一つ先にある地球系の現状に目ざめた個人の自覚的な消費抑制行動が、結局は経済の在り方を修正出来るのではないか」と書きつけている通り「消費成長型経済」万能の時代に早くも「地球系」の危機進行を警告しつつ別な「経済の在り方」を希求しているのは既に充分「下山」的だと受けとることもできよう。そもそもがそんな時代にあって「節約のすすめ」などと敢えて時代逆行的なタイトルをつけた文を発表していること自体が「下山」の先駆けだ。そして孝夫（一家）がその遥か以前から徹底した「消費抑制行動」の実践的達人であり続けたことも、これは殆ど周知のことと言っていいはず。例えばドイツ製トースターを実際に何十年も使い続けたという話一つとっても感嘆し敬服するほかない。いずれにせよ孝夫自身の「下山」的実践はどんなに遅く見積もっても四〇代から始まっていると断言していいのであり、その上での二〇〇〇年過ぎた頃からの明快な「下山」哲学表明なのである。

五木寛之『下山の思想』との対比

さて、ここでやや先走ることになるが、この脈絡で取り上げておいた方がいい素材があるので見ておこう。それは作家の五木寛之氏が二〇一一年一二月に『下山の思想』というそのものずばりの著書を刊行しているので（幻冬舎新書）、せっかくにつき孝夫の下山論と対比して吟味したいということだ。五木の本がその年の三月一一日に起こった東北大震災とそれによる原発大事故を受けて出版されたのは間違いないし、孝夫の下山に関わる言説も三・一一事態を受けてより一層熱く語られてきたので、対比してみる価値は充分あると確信しつつ、である。

孝夫が五木本について「私がひそやかに言語学者として発言してもなかなか広まりませんが、よく売れる作家が書くといっぺんに広まるわけです」と好意的に評価していること（第4集 72）、併せて当世が下山の時代にあるとの認識、そしてその下山期をマイナス思考で受けとる必要はなく、むしろ実り豊かな下山がありうるとの考えでは共通していることを前提として確認した上で、その違いについて箇条書きふうに要約すれば次の通りだ。

㈠ 先ずは五木の場合は基本的に日本だけをみている一国主義的下山論であるのに対して孝夫のそれは全人類規模、人類史的視野での下山論である。五木にも「この国は、いや、世界は登山ではなく下山の時代にはいった」「世界は確実に下山していく」との言があり、それはその通りなのだが、具体的な記述では「戦後、私たちは敗戦の焼跡の中から、営々と頂上をめざして登り続けた。そして幸運の風にも恵まれ、見事に登頂を果たした。頂上をきわめたあとは下山しなければならない」とあるように日本一国内での下山を語りがちなのである。これに対して孝夫の眼差しは常に人類全体に及び、この人類が異常増殖を重ねた挙句ついには（その執筆時点で）七〇億をも超える人口になっていること自体が他の動植物の排除・絶滅を加速させ、かつエネルギー消費の点でも限界を越えてしまっていることを重大問題視する。その上で人口を簡単には激減できない以上大胆に経済、消費活動等を戦線縮小しつつ下山していくほかない、それに成功しなければ遠からず人類の滅亡も不可避との論である。

㈡ 右記と重なることだが、五木が基本的に人間、とりわけ日本人の在り方を論じがちなのに対して孝夫の眼差しは常に生態学的である。なので五木は下山の時代を生きる上での個々の心構えのような領域に関心が向かい、魂の安寧と救済をめぐって形而上的に思念する傾向が強い。法然や親鸞、聖フランチェスコ等宗教者の名がしばしば出てくるのもその現れだ。その意味では人間中心主義的色合いが濃い下山論だとなろう。孝夫はこれに比して人類の専横と他の動植物の不幸、有限なる地球の生態系危機を常に一体としてトータルに捉えながら人類全体の下山を志向する。その上で、人間だけが万物の霊長面してのさばり続ける現在の地球の在り方を根本から変革する「地救（球）原理」を提唱。なおイタリア・アッシジの聖フランチェスコについては修道院にやってくる小鳥たちと自由に会話できたとの伝説をもつため以前からかなり関心を寄せていた様子だ。

㈢

次の時代に向けての希望の語り方もかなり異なる。五木は「登山のときと下山では姿勢が違う。気持ちも違う。めざすのは山頂ではなくてスタート時点である。安全に、そして優雅に、出発点にもどり、いつかふたたび次の山頂をめざす」と書くが、この「スタート時点」のイメージがなかなか難しい。敗戦直後の廃墟まで考えているのであれば、それもよしだが、いずれにせよ出発点に戻って、また次の山頂をめざすという発想は、孝夫にはあり得ない。これからは人類が今のままであれば地球危機の不可逆的な進行と共に人類の滅亡もいずれ不可避なのであるから、それなりの覚悟をもって下山の時代に向き合わねばならない。甘い美辞は口にしないのが孝夫流であり、したがって「優雅に」下山するという言い方も孝夫からは出てこない。もっとも孝夫の下山哲学も決して禁欲を説いているわけでなく、それこそ「革命的」に発想を変えさえすれば、下山人生もまた愉しからずやとなり得ることを実践的にも顕示していたのであるから、この辺はまあ表現の違いでしかないとも言えようか。

㈣　もう一点、対照的な違いがみられるのが、米国観だ。五木は「そしてまさにいま下山にさしかかった大国がアメリカだろう。私たちがもしアメリカに学ぶべきものがあるとすれば、発展と成長の過去ではなく大国が急激な下山をどうなしとげるかを注目すべきなのだ」と書いていて、それ自体一種の期待表明であろうが、しかし孝夫にかかるとこうだ。なんのためらいもなく一刀両断で「アメリカ人には下山の思想はあり得ない」（第4集 73）。よくも悪しくも現在の人類文明の牽引車であり代表でもあり続けてきた米国評価においても麗句は一切使わないのが孝夫なのであり、その「下山をどうなしとげるかを注目」などする気もさらさらない。第二次世界大戦を経て世界一の経済・軍事大国になって以降のアメリカは既に見てきた通り「消費成長型経済」至上主義に骨の髄から毒されており、現実問題としてその国力自体は「下山」気味に傾きつつあるとしてもアメリカ人がおしなべて賢明な下山に軌道修正できるような精神的可能性はほぼ皆無というのが孝夫不変の見立てであった。

このように同じく「下山」を語っても五木の論とは相当に異なるのが孝夫流「下山」だが、この大差の源は奈辺にあるのだろうか。それはやはり鳥以外ではないというのが筆者の確信だ。既に何度もみてきた通り少年の頃から聖フランチェスコに敗けないほど鳥を愛し、鳥たちのJoy Songが晴朗にこだまする自然環境の保護に心を砕いてきた孝夫であればこそそうした環境回復に向けて人類の意識変革がほんの少しでも進むことを願い続けていたのである。そこから経済・消費活動面での下降必至の時代推移を逆手にとっての必要不可欠な「下山」を説く思想家ともなるのだが、その支柱が孝夫年来の「地救原理」であった。というより「地救原理」は経済成長至上主義を地球にとっての悪と断じる基調からしてあらかじめ下山を前提としていたと言ってもいいだろう。

そして、更に言えば孝夫流下山の思想は鳥たちと共にあったという意味では言語学者としての初論文『鳥類の音声活動』ともまっすぐにつながっているのであり、年季の入り方が尋常ではない。鳥たちのJoy Songがこの地球上全体で以前の状態にほんの少しでも近づく方向に復活することが賢明なる下山が進んだ証となり、それが人類自身の滅亡を先延ばしする本道ともなるというのが孝夫の確信であり祈りでもあり続けた。五木寛之の論との違いが大きくあるのは当然過ぎることであったか。

孝夫言語学は日本の演劇界にも多大の貢献
——平田オリザとの対談本から

「下山」をめぐる図書では触れておくべきもう一冊があるのでここで見ておきたい。それは「はじめに」でも少々引用したが、鈴木孝夫と平田オリザ（劇作家）との対談本『下山の時代を生きる』（平凡社新書）である。此方は長年にわたって鈴木孝夫を敬愛してきたという平田オリザ氏の希望も汲んで実現した対談を素にした一冊につき内容的には極めて話がよくかみ合うやりとりになっている。なおこの対談は確か三度（三日）なされたはずだが、そのうち二度は筆者も立ち会っている。

オリザは大学時代から演劇を始めていたのだが、「それまでの日本の演劇、ことに新劇のセリフがなんであんなに臭いのか、暑苦しいのかということをいつも考えて」（17）いた由。そして、そんな疑問と悩みを抱えながら一年間の韓国留学中に「鈴木先生の本を貪るように読んで」「（孝夫が批判する）〈翻訳文化〉のいちばんの典型が演劇」であるが故に臭くて暑苦しいセリフになるのだと確信することができたとのこと。「西洋、何するものぞ！」の気概も賦与されつつ、そこから日本語の演劇は「きちんとした日本語で書かれる」必要があるとの見地に立って「現代口語演劇」と呼ばれるオリザの演劇理論を生み出すことができたと言うのである。更には「人称代名詞というものが、言語には『普遍的にある』という考え方自体が間違っている」との孝夫流人称代名詞論（第三章で見た通り）からの学びも含めて「鈴木理論を演劇界でいちばん使わせていただいたのがぼくだと思います」（33）「三〇年来の心の使徒」とまで感謝のことばを捧げている。つまりは演劇分野においても極めて根強かった西洋基準から孝夫の御蔭で解放されたと語るのである。

その上でオリザには『下り坂をそろそろと下る』（講談社現代新書）との著書があることからして「下山の時代」にふさわしい哲学や知恵、ビジョンや方策をめぐって活発なやりとりが交わされ、殆どの点で意気投合していくのだが、この辺のことは同書を読めば伝わる内容でもあろうから、ここでは割愛としておこう。ともあれ孝夫の所論、言語学が日本の演劇界にも大きな影響を及ぼしてきたという事実は知っておいていいことであり、且つ悦ばしい限りでもある。なお同じく日本の演劇関係者としては江守徹氏がかつて『閉された言語・日本語の世界』を読んで目を開かれたとの思いを綴った文をある新聞に寄せていることは第四章の付記で伝えた通りだ。

「私の言語学は本当のところは言語社会学でもないし……」

さて、話が多少前後するが、今しがた取り上げた『下山の思想』や『下山の時代を生きる』刊行より数年前の二〇一〇年三月二〇日、鈴木孝夫研究会が正式に発会。毎回孝夫の著書を順次テキストに指定して先ずは孝夫自身による当該テキストに触れた基調講演を一時間半ほど行ってもらった上で質疑応答や討論というプログラムを基本としていたのだが、会場はいつも東京・神田神保町の「サロンド冨山房フォリオ」と決まっていた。冨山房インターナショナルの坂本喜杏社長がこの研究会の趣旨に初めから全面的に賛同してくださった上での協力によるものであり、この会場がまた最良であった。冨山房本社ビルの地下一階に位置していて適度に密室感もあるサロン風で、しかも最大五〇名ほどで満杯という参加者数の制約がむしろプラスに作用して、あの鈴木孝夫の名調子講演を文字通り特権的に閉された時空間において存分に愉しみながら拝聴できる研究会となっていったのである。孝夫も勿論大張り切りで毎回の基調講演に際してはかなり綿密なレジュメまで準備してくれたほどであり、又この後の居酒屋二階個室での有志参加二次会にも積極参加を習わしとした。更に孝夫が山荘をもつ信州・軽井沢での合宿も二度実施している。

この研究会での孝夫講演(先ほどの「下山」をめぐる講演や軽井沢合宿での話も含めて)のほぼ全てと参加者の本研究会に寄せる思い等の概要は『鈴木孝夫の世界』全四冊(冨山房インターナショナルより刊行)にあたれば読むことが可能なので未読の方はこの際ぜひ入手されるようお勧めしたい。

その上で、本研究会の全容を伝えるのは無理につき、ここでは現時点から振り返って特に刮目すべき事柄に絞って書くこととといたそう。で、先ずはこの会を通して孝夫が自らの言語学を「言語生態学」と名のるようになっていった大事から見ていきたい。

筆者の知る限り孝夫が「言語生態学」という用語を初めて公に使用したのは、二〇一三年四月六日開催された研究会(孝夫の米寿祝賀を兼ねての会。「タカの会」の愛称も持って発足した会は当初予定通り二〇一二年四月開催の第一二回を以て一旦終了としたのだが、その後もこうした必要と事情に応じて孝夫を囲む研究会を随時継続)において、であった。この米寿記念講演のタイトルは「今こそ西洋文明から日本文明への交代を」だったのだが副題として「言語生態学的文明論序説」と明言しているのである。そして本講演の翌年（二〇一四年）九月に新潮選書として刊行された書き下ろし一巻の書名が『日本の感性が世界を変える――言語生態学的文明論』であるところを見ると孝夫の構えにおいては、かかる「序説」があった上での新潮選書刊行だったはず。さらに言えば、他ならぬこの『言語生態学的文明論』が孝夫自らが新たに書き下ろして世に問うた最後の著作になったことを思えば（その後も筆者が編集責任を担った曼荼羅本や講演集『世界を人間の目だけで見るのはもう止めよう』が出版されているが）、この「言語生態学」には格別な思いが込められていると受け止めねばなるまい。現に孝夫は同書のサブタイトルについて序章末尾で次のように記している。「これまで書かれた様々な文明論は私の見る限り、その扱うところは人間社会の変貌、民族や国家の栄枯盛衰といった主題が中心ですが、私のこの本では、人間を全生態系の一つの構成員として見ながら、本能の代わりに文化と言語を使って繁栄してきたことから生まれる悲劇と矛盾に満ちた姿の一面を考察してみたという意味で、副題を『言語生態学的文明論』としました」というふうにだが、これで充分であろう。

話を「序説」の方に戻すが、この「序説」冒頭の中見出しは「人間のいちばんいけないところは人間のことしか視野にないこと」（まさに「世界を人間の目だけで見るのはもう止めよう」のほんの少し手前の表現だ）となっており、人類による過度の経済活動や消費行為、環境破壊等が既に元々有限な地球の包容力を超えてしまっている現状からして「人間というのは非常に悲劇的な矛盾を持った動物で、自分の幸福を求めて、結局は自分の墓をどんどん足元まで掘り進めていくという自己矛盾をはらんだ生物なのではないかという問題。これを宗教的に表現すれば、業とかカルマという言い方になるのでしょうが、こうした根本問題を私は言語学の問題として考えてみたいのです。……こういう大きな問題こそ言語学の出番だと考えているのです」（曼荼羅本 410）と記して「言語生態学」と名のり始めた内面的動機を明らかにしているが、この大問題こそ「言語学の出番」との言い方が何とも凛々しく鮮烈ではなかろうか。孝夫は若い日から一貫して人類と地球をめぐる根本問題と真正面から向き合い、言語学と環境問題をコインの両面の如く一体的に考察してきたのだが、ここに至って遂に自らの言語学の命名において一つに高めたということでもあろう。孝夫の言語学がいつも動物行動学や人類学、社会学、そして生態学、哲学等様々な他の学と広くかつ深く結びついていること（つまりは第二章等で触れた inter-disciplinary であり、グランド・セオリーをめざすものであること）はかねてより自身が強調してきたことだが、そうした構えにより築かれてきた未曽有の言語学が漸くそれにふさわしい呼び名をかちえたと言いたいところでもある。

思えば孝夫のそれまではそんな自らのあまりにも独創的にして壮大な言語学の命名にかなり迷い、戸惑い続けた歴程でもあったと言っても的外れではない。二〇二一年二月、孝夫が他界した際、殆どの新聞や雑誌で「言語社会学者」と紹介されており、それは孝夫自身長くその名称を使用してきたこと、『私は、こう考えるのだが。――言語社会学者の意見と実践』（人文書館）と銘打った著書もあることからして不適切ではないが、しかし掘り下げて考えてみれば孝夫の内心において必ずしも満足のいくネーミングではなかった。それは、たとえば「……だから私の言語学は『人間学としての言語学』。社会言語学ではないし、本当のところは言語社会学でもないし、日本言語学でもない。人間学なのだと言ってきているのはまさにその通りなのです」（第3集 117）といった語りにうかがうことができよう。ある種思考をめぐらす過程での呟きみたいな表現だが、その分自身の言語学の命名に揺れ動いてきた孝夫の真情がよく映し出されているのではなかろうか。社会言語学ではないとはあちこちで公言してきているが、言語社会学でもないという言い方はかなり珍しいはず。しかも「本当のところは」と敢えて自身がこれまでそう名のってきたもののそれは心底からの納得ではなかったと打ち明けている趣きでもある。そして、更に言えば、では「人間学としての言語学」ということでの自己規定の仕方もこれですっきり落ち着くかと問えば必ずしもそうとは言えまい。そもそもが茫漠とし過ぎているし、孝夫は欧米近代流の人間中心主義、人間第一主義、いわゆるヒューマニズムとは全く相容れない考え方、即ち「世界を人間の目だけで見る」のを止めた構えを若い日から身につけ貫いてきた桁外れの哲人だからである。勿論この「人間学」という言い方には孝夫なりの独自の意味付与があり、それは人間固有の言語をもつが故に他の動物とは相当に異なる行動や現象や表現活動を繰り広げ、よくも悪しくも人間独特の文化・文明を築いてきたということからして興味が尽きず研究心をそそってやまない対象（あくまでも動物の一種だが）としての人間に関する学という意味なのであるが、だからと言って決して人間だけが特別に選ばれた存在であり第一という考え方ではない。なるほど、そこまで聞けば納得もできるというものではあろうが、しかし一言で「いかなる言語学か」と問われて、いちいちそんな説明を付しながらの名のりではますます落ち着きがなくなるのではなかろうか。

斯くして、「本当のところ」でなかなかラチがあかないまま孝夫の晩年まで過ぎ越してきた孝夫言語学の呼び名に遂に訪れた至高の瞬間、それが「言語生態学」の閃きに他ならない。この天啓のような閃きにより孝夫はようやく満ち足りた思いで「言語生態学者」と名のることができるようになったのである。

とは言え、これまでも何度かお名前を出させていただいた泉邦寿氏によれば、この学問（名）自体は元々あり、しかし孝夫のそれはそうしたものとは大きく異なるとの話。この情報にはいささかたじろぐ思いを禁じ得なかったのだが、筆者の知る限り孝夫自身はそうした学が以前からあるとの認識はもっていなかったと断言したい。少なくとも孝夫からそんな話を聞いたことはないし、もしもその把握があれば、かなりこだわり、とことん調べ尽くした上で自らの「言語生態学」とそれらとの違いを明快に言挙げしていたに違いないからだ。念のためその旨泉氏にお伝えしたところ氏も同感とのことで安堵した次第でもある。他に同一名の学があるとしても「言語生態学」の内容においても鈴木孝夫は無双と敢えて言っておきたい。

いずれにせよ孝夫は「言語生態学者」との自己確定により遂に心底からの落ち着きを得て、その後筆者が編集責任を担って刊行となった曼荼羅本の副題を「言語生態学への歴程」とすること、さらには孝夫最後の刊行本となった『世界を人間の目だけで見るのはもう止めよう』に「言語生態学者 鈴木孝夫講演集」と銘打つことに大喜びで同意してくれたのである。

文化という保護膜。言語もその主要な一つ
――ヴァイスゲルバー「中間世界」論を援用・進展させて

さて、孝夫は「言語生態学者」との自己確定に達して以後安んじて更なる研究に励むことになるのだが、その背景というか素地には人間の言語と文化、それらと地球上の自然環境、風土等との相関関係をめぐる考察において大きな進展があったことが認められよう。その核心をここで見ておきたい。

孝夫にとって地球全体に圧倒的多数となり分布している人類がその数で様々に異なる環境・風土に棲みついているにもかかわらずなぜ「生物としては全く一つの動物種」であり得ているのかは尽きせぬ謎であり、すこぶる興味深い研究テーマの一つであり続けたのだが、その関連で例えばニコルとの対談本

「おわりに」では次のように書いている。「さてそれでは、人間は他の動物とどこが違うために、たとえひどく異なった環境に散らばって暮らすようになっても、依然として種の同一性を保つことができたのでしょうか。その答えは人間が自分と外的世界の間に『文化』という中間世界、いわば一種の緩衝装置を介在させることによって、他の動物のように直接じかに環境と接することなく生きる動物だからです」と記した上で、人間以外の他の動物は全て外的環境とストレートに接して生きているため自分の身体そのものをその環境に適合できるよう作り変えていかなければ生き残れないのに対して「人間は異なった環境に出会ったとき、この文化という保護膜の仕組みや性質を変えることで環境の変化を吸収できるため体そのものをあまり変化させなくてすむ」と立言。そして「異なった風土条件に応じた食物の違いや衣服、住まいなどの目に見える具体的な相違をはじめとして、さらには言語、宗教、風俗習慣といった精神活動にみられる違い（つまり文化の多様性）までも、究極的には人間が自分の体そのものを変えずに、与えられた環境の下で効率よく生きていくための工夫、つまり環境順応と考えることができます」と文化＝「保護膜」論を内容豊かに展開していくのである。

人間だけを特別視することなく、あくまでも地球上に生きる数多の動物の中の一種として捉える孝夫ならではの鋭い眼差しが光る論述だが、実はこの洞察にはある先達から受けた刺激と学びが宿されているのである。他の言語学者からの影響をあまり語ることのない孝夫だが、この人物に限っては例外でかなりの頻度でその名を記している。で、その先達とはドイツのレオ・ヴァイスゲルバー（一八九九〜一九八五年）で、例えば、人間以外の動物と違って「人間の場合は、高山、北極、温帯、熱帯林、砂漠というふうにおよそ違う環境に住んでもみんな同じ人間であり続ける。これはなぜか。人間は自分の身体を自然・環境に直接さらしていなくて、目に見えない『中間世界』というものを自分の周りに比喩的ですけどめぐらしているからに他なりません。ドイツのヴァイスゲルバーという学者で、ナチ時代にちょっとドイツの膨張政策の肩を持ったために、戦後はすごく評判が悪くなってあまり学会でもぱっとしなかった人物がいます。このヴァイスゲルバーが最初に人間の言語（文化をも含む）というのは自然と人間という生物との間にあるもう一つ別の世界だという画期的なことを言ったのです。私はこの考えを拡張して、この中間世界は外界の変化を吸収する一種の衝撃緩衝装置だと言うのです」（『世界を人間の目だけ』68〜69）――孝夫が後年しきりと口にし力説していた「中間世界」論には先駆けの言語学者がいて、しかもその人物は日本人でなく孝夫がおしなべて評価することの乏しかった西欧の学者であることが少々驚きだが、同時にその「画期的な」説を「拡張」させて新たな論を展開しているのであるから、やはりさすがだと言わねばならない。

ところで、この人物と孝夫との関係性では、更に唸るほど感嘆すべきことがある。それは孝夫の若き日に（生涯で唯一の）翻訳・出版となった、かの『意味と構造』にヴァイスゲルバーの名が少なからず出てくるということだ。先ずは著者エルンスト・ライズイの「原本著者まえがき」（一九五二年秋の執筆。ここの翻訳も勿論孝夫）の謝辞にその名が出てくるし、「学術文庫版訳者あとがき」には「井筒教授は戦後いち早くドイツのヴァイスゲルバーの言語的世界像やアメリカの……そこに新しく付け加えられたヴァイスゲルバーの流れを汲むライズイの意味分析の方法論は、教授のコーランの中で……大きな働きをした」というふうに、である。これだけでも孝夫にとってヴァイスゲルバーがいかに大きな存在であり、その関心、研究には相当な年季が入っていることがわかるというものだが、さらに、そのもっと前の段階、かの井筒俊彦宅に通ったり、住み込んで井筒から直接異例なまでに密なる薫陶を受けていた極めて若い時期より、既に「カール・ビューラー、レオ・ヴァイスゲルバー、そしてバートランド・ラッセルなどの言語哲学も、みな（井筒）先生が原語で私と一緒に読んで下さったのである」（著作集1 355）とある事実も見逃すことができない。孝夫の初めての学術論文「鳥類の音声活動――記号論的考察」に恩師井筒の直接的指導や関与の跡は殆ど見られないとは第一章で既述した通りだが、後年のヴァイスゲルバー「中間世界」論の援用・「拡張」ぶり一つとっても、やはり井筒俊彦の鈴木孝夫に与えた影響は甚大だと今さらながらに再確認しておきたいところでもある。

人間がつくる「中間世界」を環境の側から見返すと……

その上で、この「中間世界」を「外界の変化を吸収する一種の衝撃緩衝装置」と鋭く掘り下げて「拡張」させた功績に、しかし自足することなく更に必要不可欠な反転を加えるのが孝夫の真骨頂と言わねばならない。例えばニコルとの対談本「おわりに」で「そしてこの人間の文化的な適応活動を、人間の立場からではなく環境のほうからみると、それは環境破壊ということに他ならない」「要するに人間という生物は、人口を増やし新しく分布を広げるたびに、環境に積極的に働きかけて、それを変化させ破壊することで生きていくという宿命を持っている」というふうにだが、どんな場所に生きようとその外的環境との間に「中間世界」をつくる営為（森林伐採や集落づくり、牧畜のための森林・草原改変等々から始めて）が環境に対して及ぼしてしまう宿命的犯罪性について自覚的であることが求められるということであろう。中間世界は、その土地で暮らす人間にとっては「衝撃緩衝装置」だが、同時に地球環境の側から見れば環境破壊装置でもある両義性をもつものに他ならない。「世界を人間の目だけで見る」ことなく環境の側からも見返すのが孝夫不動の思想的構えであり一貫したポリシーなのである。

若き日に井筒俊彦よりその存在を教えてもらったヴァイスゲルバーではあるが、その名前から論を起こす場合も必ず環境問題につなげていく思考法自体は改めて付言するまでもなく井筒からの伝授ではない。あくまでも孝夫固有の発想であり、それこそ至って「言語生態学」的だと言いたいところでもある。ともあれ後年になればなるほど積極的となる孝夫の環境問題に関する提言や警告（それだけ環境危機が深刻化する一方だからだが）の裏というか背後にはヴァイスゲルバーに学びつつ独自に深めた孝夫流「中間世界」論が脈打っているということは知っておいた方がいいだろう。なお孝夫はある段階で「中間世界」を「中間地帯」と言い変えた方がいいと思いつき、その理由を簡単に記した文章も残しているが（新潮選書『日本の感性が世界を変える』222〜224、二〇一四）、その五年後に刊行された孝夫最後の本『世界を人間の目だけで見るのはもう止めよう』では又こだわりなく「中間世界」の使用を認めているので、本書では「中間世界」で通すことにしたい。

この関連でもう一点、肝心なことに触れておけば、言語の多様性と環境の多様性をめぐる孝夫の明快な思考だ。

「現生人類の起源にまで遡って考えれば、アフリカのどこかのジャングルにいたときは言語は一つだったはず。それが徐々にアフリカを出て、ヨーロッパに広がり、さらにはアジアに広がり、オーストラリアや南北アメリカ大陸にまで何万年もかけて広がるようになっていったのだが、違った環境に行って、そこに棲めば、言語はもう前の言語ではやっていけなくなるのです。それまでの言語を変化・発展させ、そのことによって違った環境に適合し、新しい環境の持っているいろんな条件や影響を吸収しちゃうのです。またそのことによって人類はホモ・サピエンスとして一種類で全世界に分布を持つことができる非常に変わった生物であり続けてきたのです。そういう意味では人間の言語は環境の違い、文化の相違によって違っていて当然だし、違っていなければいけない。……地球環境の多様性を大事にし、その環境のそれぞれに対応した結果として生じている言語の多様性をどんなことがあっても守っていかなければなりません。生物学でも言語学でも多様性がいちばん大切なキイワードなのです」（第4集 46〜47）――「中間世界」の主要な一種である人類の言語の本質的在りようを踏まえてのこの環境と言語それぞれの多様性は一体との考え方も極めて明晰であり、かつ又いかにも言語生態学的とも言えるだろう。間違ってもアメリカ英語で世界を一つになどと妄想する極愚に囚われてはならない。それは世界破滅への早道でしかないとも警告しているのである。そして、どんなことがあっても言語の多様性を守り抜かねばとの改めての意志表明は言語生態学者としての衷心からのメッセージと受け止めるべきであろう。

日本と欧米、ユーラシア文明との根本的な違い
――魚介か家畜（肉食）か、による世界観の相違

さて、研究会でもしばしば話されたことだが、孝夫の日本論において二〇〇〇年を過ぎた頃から新たな掘り下げというか立論が見られるようになった。それは「動物性食料源の違いに由来する世界観の相違」に結果として行き着く「人間生活の土台」が日本と欧米さらにはユーラシア諸国（中国や朝鮮半島の人々も含めて）とでは古くから最近に至るまで大きく異なってきたという面の力説である。すなわち欧米人、ユーラシア大陸人の特質は【家畜＋穀物（主として小麦）複合体】だが、「日本人の基本的な生活基盤は、つい二、三〇年まえ経済が豊かになるまでは、過去千年以上もの間【魚介＋穀物（米と雑穀）複合体】だった」（新潮選書『日本人はなぜ日本を愛せないのか』77、二〇〇五）との論である。「ユーラシア大陸の人々は古くからこの動物性の食物を野生の獣を獲ることに加えて、主に家畜化された動物

の乳や肉から摂ってきました。その結果大雑把に言うと、これらの人々は長い間のうちに家畜と密接に共生する生活文化体系を作り上げたのです。ところが伝統的な日本人の生活は、風土条件や宗教上の理由などによって家畜に依存することが非常に少なく、したがって家畜を主な食料源とする文化は成立しませんでした。そのかわり日本人は海や川から取れる水産物、すなわち魚介類や海藻類を極度に利用する文化（現在でも約八〇種の海藻が何らかの形で利用されていて、これは世界一です）をつくりだしたのです」（同書77）ということだが、ここから更に「魚介文化と家畜文化の決定的な違い」は何なのかに関する考察をめぐらせることになる。魚介文化の日本人には『他者（対象）としての生き物を支配下において、その行動を制御する』という観念が生まれなかった。もしあってもユーラシアの人々に比べると非常に希薄なのです。考えてみればすぐわかることですが、魚介類は人間が支配し命令を下して、その行動を意のままに操ることのできる対象ではありません。……これに対して家畜は、人間が自分の支配下において命令を下し、その行動を制御しなければ、家畜を飼う目的が達せられません。……（そして）長期間効率よく大量の動物を食料源として利用できるためには、その動物が大きな群れを作る性質を持ち、ボス格のリーダーに従って集団行動するタイプでなければ家畜には向かないのです。このような性質の動物ならたった一人の羊飼いでも、ボスだけを制御できれば結果としてかなりの数の群れを意のままに動かすことが可能だからです。だから草食性で群れをつくる牛や羊そしてトナカイなどが、どこでも家畜の主流となりました。その他山羊、馬、豚、そして駱駝なども植生や地形上の理由、そして食用の他に、乗るためとか荷物運搬用として家畜化されました」（同書78～80）との把握に向かっていくのであった。

そして、ここから先の展開が一段と迫力あるのだが、記述の仕方がやや入り組んでいるので例の如くいささか強引にはなろうが箇条書き風に整理すれば次の通りだ（同書93〜95）。

(一) 第二次世界大戦中にナチス・ドイツがユダヤ人に対して行った非道の極みも「実はユーラシアの諸民族がいつも家畜に対してやっていることそのもの」であった。「捕えたユダヤ人に識別番号を焼印でつけるとか、殺したユダヤ人の皮を使って高級将校の夫人たちのハンドバッグを作ったり、脂から石鹸を作ったりした」等といった日本人からすれば全く以て信じがたい非人間的所業も「ヨーロッパ人が家畜に対してずっとやってきたこと」に他ならない。

(二) 古代ギリシャの哲学者アリストテレスの世界観に強い影響を受けたヨーロッパのキリスト教では「生き物の中で霊魂のあるのは人間だけだという考え」が強くあり続けてきた。

(三) それと併せて「具体的に言うと奴隷、野蛮人、異教徒（ナチスの場合はユダヤ人）などは自分たちと同じ人間ではなく家畜と同じ」とみなす傾向がつい最近まで（二〇世紀半ばくらいまで）残り続けてきた。特にいわゆる大航海時代以後当時のヨーロッパ人がアフリカの黒人や新大陸の原住民と出会った時、彼ら白人とは異なる「一見人間のようにも見えるが、人間であると自信を持って言うにはためらいを感じる生物」を「一段と動物に近い劣った存在」とみなして家畜同然に扱い、大殺戮を行ったり奴隷にしてきたのは周知の通り。

(四) こうした大きな違いからして家畜文化は【断絶の世界観】と一体のものであり、「これは日本人のほとんどが無意識にもっていた【連続の世界観】とは全く違うもの」で「連続型のほうでは万物は互いに全く無縁ではなく、全てはどこかで繋がっている」と考えられてきたので他の動物の殺生も必要最小限に留めるし、まして同じ人間を家畜扱いにしてみだりに殺すという発想は生じようがなかった。この大差の根源にあるのは日本が古来家畜文化でなく魚介文化だったからだ。

毎度のことながら鮮やかにしてラディカルな立論だが、さらに驚くべきことは、右記二つの世界観についてはなんと『ことばと文化』でもいち早く（『日本人はなぜ日本を愛せないのか』刊行より三〇年以上前に）言及済みであるという事実だ。既に第三章でも引いた文なのだが敢えて再度紹介すれば「キリスト教は周知の如く動物には魂を認めないが、日本人の古来の宗教は、アニミズムやシャーマニズムの要素が強く、そこに加重された仏教には輪廻の思想もある。このような彼我の世界観の違いは一言にして言えば断絶の思想と連続の思想の対比である。前者の立場に立てば人間の優位は決定的であり、後者の立場では相対的なものでしかない」（『ことばと文化』121）というふうにだが、孝夫における知情意の働きはいつも都度原理的に明晰さを極めているため歳月の経過によって古びることが殆どない特長をもつことの今一度の証とも言えよう。そして家畜文化とは全く異なるこの魚介文化が基底をなして「連続の世界観」が名実共に長期にわたって花開いた日本の江戸時代高評価に向かうのが鈴木孝夫研究会時にしばしば見られた孝夫節の一つでもあった。

ところで、やや飛躍した話になるかもしれないが、この流れで敢えて書いておけば、この間プーチン・ロシアがウクライナ（人）に対して行っている極悪の一方的侵略犯罪も自分（たち）の言うことをきかない元ソ連の一員であった隣国の人々は未開人、野蛮人と同類であり、そうである以上家畜同然に殺しても可、その暮らす町等が焦土と化してもかまわないといった発想と論理が働いた上での蛮行とも言えるのではなかろうか。そうとでも考えなければ今日時点では理解不能というほどに時代錯誤的にして愚劣・悪逆のかたまりのような国家を使った大犯罪だということでもある。そうだとすれば家畜文化＝「断絶の世界観」の最悪形は現在もなお残り続けているともなろう。

江戸時代は今後人類が進むべき道を先取り
――そのエネルギー政策、非戦・平和の国是は世界の宝

さて、本章の締めくくりとして孝夫の江戸時代論を見ておきたい。孝夫が江戸時代への着目と評価を一段と強めたのは二〇一〇年前後からと思われるが（鳥関連で江戸時代のウグイスやヒバリ等の小鳥の飼育者たちがその美しいさえずりを、鳴き声のとりわけ美しい成鳥に同種雛鳥を一定期間弟子入りさせて代々「教育によって」つくりだすという世界でも珍しい驚くべき伝統をもっていた事実をかなり早くから知って以降江戸時代にはそれなりの関心を抱いていた様子ではあるが（『日本の感性が世界を変える』75参照）、その辺りの言説を二〇一二年一〇月一一日開催の孝夫研究会での語りから拾えば次の通りだ。

「こういう時代（「人間圧」によって地球危機がどんどん進んでいる時代）にあって、日本人は理想に近い『地球に優しい生き方』を実行した徳川時代（＝江戸時代。孝夫は「徳川時代」という言い方をより好んでいたので尊重）の二六〇年からもっともっと学ばなければいけないし、その価値、その比類ない特質をこれから世界に急いで発信していかなければならない。……徳川時代はエネルギー問題ひとつとっても、殆ど全部、再生可能な人力と水力とわずかな畜力（馬や牛などの）と太陽の光でまかなっていた。風力は地上ではあまり使わなかったようだが、帆船はかなり使っていた。暖房は木炭。……その意味では、木炭と人力、水力、畜力、風力というのはまさに理想的なエネルギーであって、自然環境に食い込んだり、圧力を加えないエネルギーなのです。今、先進国中心に……なんとか再生可能なエネルギーを増やして原発依存を減らそうとする動きもあります。が、日本が徳川時代の二六〇年、三千万人

ものの人間にまがりなりにも安定的に生きることを保証してきた実績を、もっともっと世界に誇りをもって伝えていくべき時なのです。……なおかつ、その二六〇年間、他の国に対して一切侵略もしなければ、もちろん他国と戦争など全くなかった国だったのです。鎖国をしていたから当然でしょ、みたいに無感動に受け止めてはいけない、これは大変な実績なのです。……このことのみならず日本という国は第一回の遣隋使派遣（六〇〇年）から日清戦争（一八九四〜九五年）までの千三百年間に、外国に出ていって戦争したのはわずか三回、通算で六年。これって、どう考えても世界史上冠たる不戦の最長記録ですよ。その間のヨーロッパや中国の歴史年表を見てください。対外戦争や略奪のない年はないくらいに戦いだらけの歴史なのです。特に近代のヨーロッパというのはひっきりなしに他国を侵略しては植民地を増やし、奴隷狩りに熱中していた。イギリスとフランス、フランスとドイツの間でもごく最近までしょっちゅう戦争を繰り返していた」（『世界を人間の目だけ』79〜80）――長い引用となったが、その分孝夫の江戸時代評価の肝心要がほぼわかりやすく伝わるのではなかろうか。

先ずは十七世紀初頭から十九世紀半ば過ぎまでの二六〇年もの間、対外侵略や戦争を一切行わなかったという史実は、今から振り返っても信じがたいほどに奇跡的な履歴だというのはその通りであろう。この同時代の世界、とくにヨーロッパ、ユーラシア大陸の年表を見れば、たしかに侵略と戦争が日常だったと言っても過言ではなく、それと比べれば、日本の徹底した非戦の貫き方は異例中の異例、偉業中の偉業と公正に評価していいことだし、そうすべきでもある。勿論孝夫が常々言ってきたように、これには世界全体における日本の地政学的位置の恵まれ方が大きく影響しているのは間違いないが、その特性、利点も活かしつつ、あの弱肉強食の戦乱が日常であった時代状況において敢えて鎖国政策をとり続けた政治的外交的判断の評価を今後の参考としても過不足なく行い、世界に向けて発信すべしということでもあろう。

その上で国内では時代的にそうであったという要素も大であろうが、とことん再生可能なエネルギーのみで三千万人もの人間が（当時の世界人口の総数からしてもこれは相当に大きな数字だ。元禄期＝十七世紀末で世界の人口六億のところ日本人は三千万との説が有力。そうだとすれば世界中二〇人に一人が日本人ということになり日本は当時から既に大国だったと言えることにもなろう）大半は経済的にはやや貧しかったかもしれないが基本的に安寧な人生をおくることができた様子であるのも評価されていい。人口のうち大きな割合を占めていた農民には村の共同体でお互い協力し支え合いながら、また各地域の森や川、海等の豊かな自然環境と親しく交わりながら生きる暮らしと文化があったはずで、孝夫はそうした情景も脳裡に描きつつ、縄文時代からのアニミズムや自然観が日本人の心の深層に残り続けた秘密に思いを馳せ、喜び続けたのであろう。

そして、村々でもそうだが、江戸や京、大阪を始めとして新興町人階層が活躍の都市文化も多彩、絢爛に花開いていった。ここで具体的にいちいち例を挙げて書くつもりはないが、先ほど紹介した小鳥さえずり教育のワザと伝統なども間違いなくその代表的一例だ。

このように見てくるといいこと尽くめみたいになってしまうが、それというのも、これら全てがあくまでもこの間の日本列島全体が基本的に平和で対外戦争がなかった史実（国内では「島原の乱」等があったが）によるということを孝夫と共に声を大にして訴えたいところでもある。この二六〇年間の歴史は、ヨーロッパ等が家畜文化丸出しの「断絶の世界観」が大手を振ってまかり通り、それによる侵略や奴隷狩りが横行したり、この世界観同士が激しくぶつかり合う二世紀半余だったとすれば、日本は魚介文化を基調に士農工商いずれもが基本的に必要に応じて連携し合い、小鳥たちも含めて自然、万物との共生が可能な「連続の世界観」全盛の時代だったと言っても可であろう。「言語生態学者」を名のり始める少し前頃から孝夫が、鎖国の江戸時代を一段と高く評価し称賛するようになったのは当然の成り行きであった。もっともこの江戸時代を豊麗に支えた「連続の世界観」は幕末、あのペリー来航あたりから欧米勢力により大きく切れ目を入れられ、以後日本の国家レベル中心に「断絶の世界観」に一旦は壊滅的に敗れ去ることになるのだが、その吟味は次章にて。

第九章　非常事態まみれの人類史現段階
——大反転に向けて今こそ「イメージからさきに変れ」

「プーチン・ロシア災禍」長期化を受けて

本書執筆をまだ粗削りな箇所も多々残しつつであれ、およそこの前あたりまで進めてきたところで、二〇二二年二月二四日、飛び込んできたのがプーチン・ロシアによるウクライナに対する一方的軍事侵略（筆者は「プーチン・ロシア災禍」と呼ぶことにしている）開始のニュースであった。その暫く前からこうした事態も起こりうるとの予測が米国情報機関等から流されてはいたものの一部専門家も含めて二一世紀もここまできた今日、まさかそんなあからさまな侵略蛮行など為されるわけがないとの見方も少なくなかったのだが、プーチンはそのまさかにのめり込み、以来一年近くとなる現時点（二〇二三年一月下旬）でも終息の見込みは全く立っていない。それにはウクライナ側の正当防衛の抗戦ぶりがプーチンらの当初の目論見を打ち砕くほどにタフで強靭だからでもあるが（米欧諸国等からの対ロシア考慮もふまえた上とは言え相当な兵器・経済・情報支援があることにもよるが、しかしそれが主因ではない）そのことへの敬服とは別に筆者はこの同時代に現出したあまりの不条理を受けてある種の言語喪失状態に陥り、しばらく執筆意欲を保つことが不能とならざるを得なくなった。

孝夫はいわゆる「産業革命」以後人間の暮しは格段に便利で豊かになったものの人口の一挙増大とも相まって地球環境破壊を急激に進めてきたことに無自覚な点、更にはいつまで経っても戦争をやめることができない点等愚かさも増すばかりとなっているので「人間、この賢い生き物」を意味する「ホモ・サピエンス」という名はもう使うべきでなく「人間、この愚かな生き物」＝「ホモ・ストゥピドゥス」と改めた方がいいとも提起していたくらいだが、それにしてもここまで愚劣で悪辣な大殺戮・軍事侵略を国連安全保障理事会常任理事国の一員でもある国家が今どきやるか、と絶句するほかなかったのである。全く以て時代錯誤的な大ロシア妄想にとりつかれてのことらしく、それに従わない隣国ウクライナの都市や村々を次々に攻撃し焦土化しては子どもたちも含めて無差別に殺戮を重ね、かつウクライナの自然、風土（国の花と言われるひまわり畑も含めて）、民俗にも壊滅的な打撃を与えてきているのであるから、その極度の愚かさと犯罪性は失語を強いるものであり続けた。ＮＡＴＯ（北大西洋条約機構）の東方拡大がロシアをこの戦争に追い込んだとのロシアに理解を示すような論も一部にあるようだが、今日国の在り方を決めるのはその国民自身であって、ましてやプーチン独裁国家の圏内に封じ込められるのを拒んだのは国民意識の高さを示すものでもあり、その選択、その主権を軍事侵略によって全否定するなど今どき許されるわけがない。しかも、この一方的侵略行為をロシア正教会のトップである総主教（キリルとか言う）が積極的に支持してプーチンのそれこそ神をも恐れぬ悪行に宗教的正当性を与えるかのような役割を果たしているというのだから、ますます開いた口がふさがらなくなった次第だ。プーチン体制下、ロシア正教会指導層までが骨の髄から腐り果てている証なのだろう。

もしも健在であれば、さすがの孝夫も暫くは同じく絶句状態に陥ったのではなかろうか。もっとも孝夫は遥か以前から、プーチンがロシア国家内で権力を独占し恐怖政治体制を確立する過程で、自らの掌握下にあった情報機関等を使ってのライバル政治家や批判的ジャーナリスト等の抹殺常習犯ぶりを見て「悪魔の手先のような男だ」と語っていたものであった。ロシア語も愛してやまず、実際旧ソ連時代のモスクワに一九八八年、「ソ連科学アカデミー東洋学研究所」研究員として出向いた経験も持つ孝夫だけに（この滞在時、図書館で見つけたロシア語のトルストイ民話『人にはどれだけの土地が必要か』を久々に、しかも原文では初めて再読したことがきっかけとなって、後に名著『人にはどれだけの物が必要か』が生まれたという因果物語も知っておいていい）プーチンのような人物が独裁者となってしまった成り行きを見て、その将来を案じていたに違いない。

いずれにせよこの「プーチン・ロシア災禍」を受けて、「地球温暖化」、気候危機深刻化と新型コロナ災禍という二重の非常事態だけでも現代人類にとって抱えきれないほどの難題となっているところへ、新たな「第三の非常事態」が加わることになったわけで、以後未来を語ることばがますます困難ということでもある。

斯くなる上は、本書締めくくりとなる本章では先ずは現代人類が向き合うことになった第一、第二に加えての第三の非常事態＝プーチン・ロシア災禍について、現時点で明言しうる事柄を思いつくまま書きとめておくことにしよう。但し、この事態については既に過剰なまでの報道、解説等がなされてきているので、ここではあくまでも孝夫の思いと言説に即してであり、且つ今後事態がどう変わっていこうとリアリティを保ちうる言のみを心がけることにして、だ。

ウクライナの「中間世界」「外的環境」双方を破壊し続けている大罪

㈠　はじめに第八章での論述も受けて記せば、プーチン・ロシア災禍は、ウクライナの目に見える「中間世界」諸々（都市、工場、住まい、空港、港湾、橋梁等々）の徹底破壊と廃墟化であると同時に「外的環境」（元々あった森や草原、河川等々）に対する暴圧的損傷行為である。戦争が最大の環境破壊でもあるとはかねてより周知の事実であろうが、この一方的軍事侵略によって日夜失われてきたのは数多の人命と共にウクライナを支えてきた「中間世界」と「外的環境」の双方だということを孝夫と共に強調しておきたい。当然のことながらウクライナ民話の代表作として知られる『てぶくろ』に描かれているような森も大ダメージを受け、あの話に登場する森の動物たち（狼や熊等）もまた無数に殺されてきたことだろう。

㈡　人類の歴史は戦争の歴史でもあるとはよく言われてきたことであり、孝夫も有史以来特にヨーロッパ、ユーラシア大陸ではそうであった、戦争がむしろ日常であったとしばしば書いているが、しかし、そんな愚かな人類も第二次世界大戦の大惨禍を経て、少しは反省し、そこから戦争防止を主目的に国連も新たにつくり直されたはず。にもかかわらずその後も主には米国が中心となってベトナム、イラク、アフガン等での戦争が行われたが、それらが全て当該各地に甚大な被害を与えると共に米国にとっても大失敗に終った教訓があり、またソ連時代のロシア主体によるアフガン侵略もみじめに撤退となった経験をもつだけにこれからはもう一方的侵略攻撃などは起こらないとの国際常識がほぼ共有されてきたところでの今回の大愚行発生。もっともプーチンの側に立てば世界がさほど強く注視も非難もしなかったジョージア、チェチェン、シリア等でこれまで重ねてきた抵抗勢力の殆ど皆殺しのような軍事介入が「うまくいった」、さらには二〇一四年のクリミア併合も難なく果たすことができたという「成功体験」をもつだけに今回もその続きみたいな感覚だったのかもしれないが、いずれにせよ今度こそ間違ってもプーチン・ロシアが勝ったかのような終わり方があってはならない。もしもそんなことがありうるとなればプーチン流がやたらはびこる世界となり人類の今後はさらに絶望的になるからだ。

㈢　しかもプーチンはこれまでは「核抑止力論」のタテマエのもと暗黙のタブーであり続けた核兵器の実際使用について、その使用の脅しを何度も公言して人類の未来に一段と凶悪な刃を突きつけている。当然の如くプーチンのマネをして「必要と判断すれば我が国はためらうことなく核兵器も使用する。先制使用もありうる」などとこれまた何度も言い出す某国指導者も現れたことからして、もはや「核抑止力」論は吹き飛んだも同然。元々核保有国同士の身勝手な論法でしかなかったとは言え核兵器使用のハードルを真っ先に著しくおし下げてしまった罪も極めて重いと言わねばならない。もっとも、そもそもが核兵器を実践的に「使いやすくするために」その小型化（「戦術核兵器」と言うらしいが）に核保有国はいずれも競って注力しているのが現況とのことでもあるので、現代人類の「ホモ・ストゥピドゥス」化ぶりにはもはやつける薬がないというべきか。孝夫がいつも懸念していたように現代人類は科学の最新研究成果も悪用して自らの墓穴掘りに打ち込んでいる要するに愚のかたまりでもあり、その先導役がプーチンというわけだ。さらにプーチン・ロシアはウクライナにある原発をも占拠し、戦況によってはいつでもウクライナ中（その周辺国も含めて）に放射性物質を拡散させる構えも示しているのだから、その「悪魔の手先」度をどう形容すればいいのだろうか。しかも現代人類の一員として何とも辛く且つナサケないのはこれほどのあからさまな大犯罪をロシアという国家を使って重ねてやまないプーチンを捕えたり排除する国際的な手だてを人類はもちえていないことが歴然としてしまった事実だ（この点では国連も殆ど無意味化）。

㈣　今回のプーチン災禍も人間ならではの言語をもつが故の蛮行であるのは言うまでもないが、そこで使われるプーチンや取りまき達の言葉自体は虚言とデマで塗り固められたプロパガンダ一色であり人間言語そのものへの冒涜というほかない。これに対してウクライナ勢の言語は大統領であるゼレンスキーの語りをはじめ、基本的にこんな不条理に敗けてたまるかとの文字通り命がけの切迫感と使命感に溢れ、人間言語本来の輝きと力、真実味を具していると言っていい。孝夫が熱を込めてその必要を説き続けていた「武器としてのことば」になっている。ウクライナの場合は勿論実際の武器との併用になっているが、この戦いの今後がどうなろうと、これまでの不屈のメッセージ群だけでも現代人類にもかかる正真正銘の「武器としてのことば」があり得た壮事として語り継がれることであろう。

ビオスとゾーエー
――「命のリレー的連続性」に願いを込めて

㈤ 併せて右記㈣と重なることだが、ウクライナの人たち、ウクライナ軍の徹底抗戦ぶりも今どき誠に異例であり目を見張るべきものだ。当初は迫りくるロシアの圧倒的大軍の前に三日ももたず首都を明け渡して亡命政権となるか降伏して無抵抗のままロシアの属国になるかの二者択一しかないとの見方が少なくなかった中でのこの長期に及ぶ戦い方は現代の奇跡とも言えるはず。この抗戦により戦死したり殺戮されたおびただしい数の個々の人々のことを思うと胸が張り裂けそうになるが、なぜウクライナではこんな超現代人類的とも言える抗戦が可能なのか、は今後考察を深めるべき大きな思想的テーマの一つとなろう。欧米等による兵器等の相当な支援があってこそには相違ないが、しかしそれは二次的要因に過ぎないと考えるべきだ。あくまでも先ずはロシアの一方的侵略から「祖国ウクライナを守る。そのためなら命を賭けてでも戦う」との極めて高い士気というか使命感があっという間にウクライナ人の圧倒的多数に共有された動因があるはずにつき、その核心を見つめることが求められよう。そうした今日では驚異と言うほかない集合的意識の現出、「祖国を守る」ということばが俄然掛け値なしにリアリティをもって呼び戻されてきた背景にはウクライナ固有の苦難の歴史、ロシアとの長年に及ぶ相克関係史（世界でも指折りの豊かな穀倉地帯をもつが故にスターリン・ソ連時代には徹底的に抑圧され収奪された等の）が色濃く影響しているのだろうが、孝夫であれば、これは古代ギリシャ語にある日本語で「命」と訳せる二つのことば、つまり「ビオスとゾーエー」の観点からの考察となろう。

生物学者本川達雄氏の『生物学的文明論』（新潮新書。二〇一一年六月刊）から示唆を受けたとのことだが、勿論孝夫の古代ギリシャ語理解が深いからこその感応力発揮であり立論だ（第二章で見た通り孝夫は若き日ミシガン大学で当時の米国言語学に見切りをつけた際古典ギリシャ語科に移籍している）。概略記せば、本川氏は「古代のギリシャ人は……生物に対して、ビオスとゾーエーという、二種類の言葉を使っていました。ビオスとは、一回きりの個体の命。ゾーエーとは親から子へとずっと受け継がれていく命。生物には二面性があることを、きちんと別の言葉で言い表していたのです。必ず死ぬものでありながら、ずっと続いていきもするもの。その両面を、この私という命は持っているのですね。死ぬにもかかわらず生き続ける。完全に矛盾するものが同居しているのが私というものです。……現代人は、個体のこと、つまり一直線に進んで必ず死で終わる時間しか考えない傾向がありますが、生命の時間には、回って続くという側面のあることを、忘れないようにしたいものです」（前掲書181）というふうにこの二語に触れては簡略にしか書いていないのだが、孝夫は例によってその内容を思いきり自論に引き寄せて「拡張」してゆくのである。

いずれも「命」「生物」と訳せるのだが「ビオスとは……生物の個体としての命、つまり個体が生まれてから死ぬまでの生命」を意味するのだが「ゾーエーの方は、ある一つの個体だけではなく個体を産んだ親、さらにまたその親を産んだ親の親……といった具合にどんどん命のつながりを以前に遡っていくのです。そして子ども、孫、玄孫(やしゃご)……、と先へ先へと未来にもつなげていきます。つまりゾーエーという概念は、自分がその一員である生物種の自分以前と自分以後の限りない命をも含む命の長い長いつながり全体、つまり人間という生物種のいわば命のリレー的連続性を指すことば」であり、一方「ビオスとは長い命の鎖の一つの環に過ぎない」(『世界を人間の目だけ』156)というふうに、だ。

孝夫によれば古来人類は世界中どこでもゾーエーを優位におく考え方が一般的だったのだが、自我の強さや個人の尊厳を重んじる欧米近代の人間=個人(ビオス)優先主義が強まる中でゾーエー的な考え方が弱くなり、その分人間の「命」観が狭隘になってきたことを憂えて「これまで人間社会の安定的保持に役立ってきたゾーエー的な世界観が失われ始めた」(同書158)と語っているのである。その上で、しかし日本にはまだかろうじてゾーエー的な感覚も残り続けているので「だから私は、手遅れにならないうちに日本に残るゾーエー的なものに対する感覚の大切さを我々日本人が先に立って啓蒙することを始めなければと主張したい」(同右)とも力説しているのだが、日本人に言われるまでもなくこの間ウクライナの人たちの中ではこのようなゾーエー感覚が一気に呼び覚まされ、「命のリレー的連続性」が実感できるようになっているのではなかろうか。その端的な合い言葉が「祖国ウクライナを守る。そのために貢献できるなら私個人が死ぬことも覚悟の上」なのではなかろうか。なお、この「祖国」がウクライナ固有の歴史がつまった「中間世界」と世界に誇りうる豊潤な「外的環境」の双方を併せ持つものであるのは言うまでもない。但し、このように書く場合は「中間世界」に言語や文化、民俗等も決定的に主要な要素として加えておくことが不可欠だが。

ところで、かつての日本でも「アジア・太平洋戦争」中、「天皇陛下万歳」で個人としての死を恐れないかのような精神風潮が強まった時期があったと言えようが、そこに至るまでには当時の独裁的国家権力、機関を総動員した国家神道による長期に及ぶ有無を言わせぬ国民教化、教育があったはずであり、必ずしも国民個々の内発的なゾーエー精神と評価することはできないだろう。比べてウクライナの人たちのこの間を見ると、国家権力の在りようからしてプーチン・ロシアやかつての日本の如く独裁的でないことからして相当に能動的なゾーエー精神の発露であり噴出となっているのではなかろうか。ロシアの侵略を受けて以降戒厳令と総動員令が発令され継続されてきたようだが、ウクライナ国民の多くがこうした方針を熱く共有の様子であり続けているのが当世において驚くべき知情意ではなかろうか。

圧倒的多数のウクライナ人は、これまで亡命することなく首都に踏みとどまって戦い抜くと決めた現政府を支持し、軍民一体となって「祖国を守る」という大義の下に「命のリレー的連続性」を信じて、この間ビオスとしての死を恐れず抗戦し続けていると言えるのだろう。ゼレンスキー大統領は二〇二二年八月二四日（三一年前に旧ソ連から独立を宣言した記念日でもある由）、「この半年で私たちは歴史を変え、世界を変え、自身を変えた。二月二四日にウクライナは生まれ変わった」と国民に訴えかけたとのことだが、この極限状況においてますます「武器としてのことば」に磨きのかかった哲学的名演説になっているのではなかろうか。特に「自身を変えた」が強烈であり、まさにビオスへの囚われからゾーエーへの自己変革と受けとることもできよう。このように語り得たゼレンスキーをはじめとする現在のウクライナ指導部個々が真っ先にかかる主体変革を果たしているからこその迫力と言っても間違いあるまい。あれこれ便利になるにつれ、おしなべて人間劣化、ホモ・ストゥピドゥス化が進むばかりの人類史現段階において「ホモ・サピエンス」ならではの言語も駆使したゾーエー精神の具現事例として鈴木孝夫も高く評価することであろう。ロシアの攻撃によって不当・無残に殺害された子どもたちも含む無数の人たち、敢然と抗い戦死した多くの兵士一人ひとりの御霊に万感の弔意を捧げつつ、だ。

この項に関してもう一点大事なことを付記しておけば、本川氏のビオスとゾーエーに関する一言に刺戟されて膨らんだ孝夫のゾーエー観は第七章でみたニコルとの対談内容とも響き合っているということだ。「つまり人間は自分の有限の人生と世界の無限とを一体化する考えをもてれば、自分という個人が死ぬということと宇宙が永遠に続くということの区別がなくなるわけよ。それに一体化した自分も永遠の命を持つわけです」（『ことばと自然』152）と孝夫が語ったのに対して「この森（「アファンの森」）のなかにいると自分という狭い枠が消えていきますよ。エゴなんて無くなっちゃう」とニコルが受けるや話は「永遠の生命の環」「自分の生命は自分だけのものじゃない。過去の生命の壮大な歴史を受け継いで今の自分の生命があり……」といった具合にどんどん発展していったのだが、この「永遠の生命の環」「自分の生命は自分だけのものじゃない」がまさしくゾーエーそのものと言っていいだろう。孝夫には元々このような考え方が強くあり続けたので後年本川氏の書でこの対となる二語が目に入った際、即時に感応できたということであろう。またこの間ウクライナの人士はどうにも許し難い侵略を受けて各自無意識界に眠っていたゾーエー精神が否応なく一挙にかきたてられたということではなかろうか。孝夫もニコルも力説しているように縄文以来＝ケルト以来、かかる生命観は普遍的に存在し続けたのであり、「自分の生命は自分だけのもの」などという迷妄はわずかこの数世紀の近・現代的思い込みに過ぎないというわけだ。

〈追記〉 同じくビオスとゾーエーの語を使用した言説としてイタリア人の思想家ジョルジュ・アガンベンの論が近年一部で注目されたらしいので少し見ておきたい。筆者の手許にある本では末木文美士編『死者と霊性――近代を問い直す』という岩波新書(二〇二一年八月刊)所収の中島岳志「死者のビオス」と題する論考に次のような記述がある。「アガンベンは、古典古代のギリシャを継承し、『ゾーエー』と『ビオス』を区別する。『ゾーエー』は生物・動物として生きていることそのものを意味するが、『ビオス』は社会的政治的生を意味し、ポリスを担う市民の活動が重視される。アガンベンが問題視したのは、パンデミック下において『剥き出しの生』としての『ゾーエー』ばかりが重視され、人間の『ビオス』の次元が軽視されたことである。……アガンベンは、『ビオス』なき『ゾーエー』と化した典型が、パンデミック下で命を落とした死者たちの存在であると論じる」

――これだけの引用では読者の皆さんには判断がつかないであろうが、この論考で紹介されているアガンベンの「ビオスとゾーエー」観は本川氏のそれ、そして孝夫のとらえ方と著しく異なるものであり、そもそもがビオスの方を遥かに重視しているのが特徴だ。孝夫からすれば、いかにも西欧近代的な生命観の一つとなるに違いないが、いずれにせよ若い頃からその傾向があったが年を経るにつれ欧米系の学者、思想家等による著作は殆ど読むことがなかった、というより読む必要を認めなかった孝夫につき、アガンベンのことはその存在すら不知であったはず。思想・哲学関連のあるキイワードをめぐって様々な解釈、評価の違いが出てくるのは不可避だろうし、まして古代ギリシャ語となれば猶更であろうから、本件もその一例と受け止めてくだされば幸甚。言うまでもなく筆者にとっての「ビオスとゾーエー」観は揺るぎなく孝夫と共にあるが。

断絶型世界観と連続型世界観
——前者全盛の数世紀が今や崩壊寸前

さて、前章（第八章）後半で孝夫が説く日本古来の魚介文化、「連続の世界観」と欧米中心に広く見られる家畜（肉食）文化、「断絶の世界観」の違いについても論及したが、その対比にしたがって「プーチン・ロシア災禍」を捉えかえすとすればどうなるであろうか。元々言語も宗教も近しく兄弟のような関係にあった（プーチン自身もそう語っていたはず）両国にもかかわらず自分の属国化を拒んだウクライナはもはや家畜同様の扱いにして、どう攻撃・占領・殺戮しようとかまわないとの断絶型世界観むき出しの侵略だということになろう。そして、これと戦うウクライナの人たちにこの間顕著に見られるゾーエー的精神は「命のリレー的連続性」に回帰する流れであり、連続型世界観復活の具体例と受けとることもできるのではなかろうか。その意味でもウクライナの抗戦ぶりには今どき歴史的な価値があると言えようが、ところで今日、世界全体を見渡す時この両者、孝夫が『ことばと文化』以来対比的に考察してきた断絶型世界観と連続型世界観の現状、そのせめぎ合い、あるいは絡み具合はどうなっているのであろうか。少なく数えても三重もの非常事態と日常的に向き合う中でなかなか次へのビジョンを描きにくくなっている人類史現段階において今後への手がかりの一つとして考えてみることにしよう。

孝夫が常々語っていた通り「産業革命」等を経て西欧近代化が一挙に進み、その流れが欧米のみならず世界全体を大きく変えていく中でこの数世紀は欧米型・断絶型世界観が地球全体を覆う勢いで圧倒的な影響力を発揮してきたと言っていい。この世界観は欧米言語と一体であるため「我思う、故に我あり」の主語がすこぶる強く、発話主体、即ち主語を発する人間、個我を優位におきつつその他の存在、外界（自然環境含めて）との間に常に切れ目（断絶）を入れる属性をもつため、先に見た強い自我、個性（つまりはビオス）が尊重されたのも自然の成り行きであった。

そして日本もまたこの例外ではあり得なかった。第八章で見た通り日本ではヨーロッパ等の諸国が断絶型世界観同士の覇権争いで戦乱に明け暮れていた十七世紀初めからの二六〇年もの間、対外戦争は唯の一度も行うことなく基本的に平和を保ち、連続型世界観に基づく豊麗な江戸文化の華を咲かせていたのだが、これは勿論キリスト教を徹底弾圧・排除しつつの鎖国政策をとっていたからということになる。但しこの鎖国方針をその間守れたのは孝夫も繰り返し書いている通り日本列島が極東の位置にあって且つ四方を海に囲まれているという地政学的好条件によるところが極めて大であったのだが、十九世紀後半からはその好条件も揺らぎだし、鎖国継続が許されない国際状況となる。地球上の海のどこにでも出没可能な大型軍艦「黒船」を使ったペリー来航等欧米列強の圧力が強まり、開国を余儀なくされたのである。

ところがその際、日本はアジアの他の国々のように抵抗したりすることなくむしろこうした強制を能動的に受け入れ、「自己西洋化」（孝夫の言）の道を歩むことになる。これは当時の世界状況からしてやむを得ない選択であったし、孝夫も基本的に評価する豹変でもあった。魚介文化で通してきたが家畜文化も取り入れて牧畜産業も奨励し肉食も一般化。同時に断絶型世界観にも自ら染まりつつ欧米列強の真似をして国家主導による「富国強兵、殖産興業」「経済成長、国際競争力強化」に励み、対外戦争（日清、日露等）にも邁進。日本国家としては江戸時代に磨き上げた「連続型」文化・文明を殆どかなぐり捨てる流れともなっていった。そして、かかる路線の継続・強化からアジア侵略や米英との戦争にも突き進み、敗戦後も米国との同化・癒着を深めることで断絶型世界観はますます強まっていったと言っていい。経済成長第一主義とセットになって、だ。

このように明治開国以後、日本は国家としてはやむをえず「自己西洋化」、断絶型世界観受入れ路線の道を選びとり、遅れてその仲間入りした分無理な暴走を重ねた挙句、「アジア・太平洋戦争」で敗北するという事態を招いたのだが、諸事情にも助けられてその敗戦後も急速に立ち直ることができ、世界有数の先進国の立場を回復することともなった。孝夫からすれば、必要悪としての「自己西洋化」路線は結果的に誤りではなかったともなるのだが、しかし、この受入れ過程で、戦前における古河鉱業の足尾銅山鉱毒事件や敗戦後のチッソによる水俣病引き起こし、更には今日の沖縄における米軍普天間飛行場の名護市辺野古移設強行等に代表される大問題を、断絶型世界観むき出しで次々に発生させてきた極悪の負の足跡をもつ事実を見落とすことはできない。これらは全て江戸時代までの日本の基調であった連続型世界観を日本国家が打ち捨てたところから生じた非道であり、且つ地球環境そのものへの大破壊行為であることからして、孝夫の視座からしても当然許されることがあり得ない犯罪的暴挙であった。明治開国以後の日本の歩み、日本の路線選択を必要悪としてであれ基本的に容認するとしても、その過程で犯し続けた負の所業が多々あるという両義性から目を放してはなるまい。これら全ての大問題において当事者主体で連続型世界観に拠って立つと言ってもいい大義ある抵抗運動、不退転の闘いが刻まれてきたという史実と重ね合わせて、である。

その上で、この断絶型世界観路線が重大な岐路に直面しているというのが今日だ。言うまでなく時代が非常事態まみれとなり、この世界観中心では立ちゆかなくなってきたからに他ならない。そして勿論これはよくも悪しくもグローバル化してしまっている今日、日本だけの傾向ではなく世界全体の流れなのである。

既述の通り現在の三大非常事態のうち「地球温暖化」、気候危機が地球生態系に対して人間を対立的に上位に置いての断絶型世界観に基づく経済第一主義と環境破壊を重ねてきた当然の反作用であることはますます明白になってきているし、この点では今や人類の共通認識になりつつあるのではなかろうか。遅まきながら人類としての反省期に入っているとも言えようが、しかしながら孝夫が強く望み、提言してきた経済成長主義は悪との断定共有には全く至っていない。そうである限り、せっかく反省しても人類にとってさしたる覚醒を伴わないまやかしの対策にウツツを抜かす時期が続き、結果として気候危機が更に悪化し、とりかえしのつかないレベルにまで達してしまう恐れが充分あろう。いずれにせよ孝夫が繰り返し強調していたように経済成長主義と地球環境保全の程よい両立などは百パーセントあり得ないことからして、とっくの昔から人類「下山」すべき時代に入っているとの認識と「革命的な方向転換」が求められるということだ。まして人類の総人口が八〇億にまで達してしまっているいう事実からしてもキレイごとはますます虚しくなるばかりだ。孝夫が遥か以前から憂えていた通りこの人類だけ（そして人類に従属する家畜類とペット類だけ）の異常繁殖、膨大過ぎる数はどう考えても有限な地球のキャパ、そして安定した人類世界維持の限界を遥かに超えており、この事実だけでも殆ど絶望的なのだ。この人口爆発も本当はもう一つの非常事態に数えねばならないほどの深刻なテーマなのであり、少子化が由々しき問題などという呑気な言動は今やますます日本一国主義に自閉しきった全く以て無責任な寝言に過ぎない。

第二の非常事態であるコロナ災禍について言えば、発生以来の年月経過とともにさすがに当初殆どの人士が叫んでいた「コロナ＝人類共通の敵」論→撲滅論（断絶型世界観の最たる現れだ）はいささかトーンダウンし、今や日本や欧米ではコロナとのある種諦めに近い共生論（「ウイズコロナ」）が主流になりつつあるのではなかろうか。しかし、これまた極めて中途半端なごまかしの論でしかない。この点でも人類の経済成長第一主義と環境破壊、とりわけ本来コロナ棲息域でもある森林奥深く等への乱開発こそがコロナを人類世界に呼び出してしまった主因なのであるから今後は、人類ならびに人類に身近な存在である家畜類も含めてコロナの生活圏には万が一にも踏み込まないようにする認識共有が必須ということだ。コロナと人類はそれぞれ決して接触しないようにすることこそが地球上における両者の最良の共生関係になるのだというふうに。そのために経済活動がある程度鈍くなるとしても、この観点からしてもやむなしとの割りきりが不可欠ということでもある。

そして第三の非常事態であるプーチン・ロシア災禍も断絶型世界観の最悪の発現であるのは言うまでもない。しかもプーチンによる核兵器実際使用と更には占拠中の原発事故引き起こしの恐れも強まる一方であるだけに当面最も悩ましい問題だ。そうなる前にかつてはドストエフスキーやトルストイ、ツルゲーネフ等を生んだ本来精神文化の豊饒にして奥深い伝統をもつはずのロシアの内側からかかる「世界を人間の目だけ」どころか「自分の目だけ」でしか見ようとせず子どもたちも含めて無数のウクライナ人を連日無差別に殺しまくっている（無理矢理駆り出されて戦死する少数民族出身者も多く含むロシア側犠牲者も甚大とのことだが）独裁者を「ロシア精神、ロシア文化に対する最悪の冒涜であり裏切りでもある」として打倒・処断する動きが現れることを切に願うところだ。

同根多様性と異根多様性
――欧米、中国とは異根故に東西二枚腰になりえた日本

今見てきた通り現在人類が抱えている非常事態は全て断絶型世界観に由来することが再確認できたわけだが、では、かかる現状を受けて我々は今後どう対処し、どうこの先を展望すればいいのだろうか。

本書最終章の後半に際して、この至難だが切実な問いを可能な限り孝夫に引き寄せて考察することといたそう。以下にこれまで書いてきたことと重なる内容もあろうが、明快さを考え箇条書きにて。

㈠　重ねての言明だが、西欧型・断絶型世界観が今日の非常事態まみれを招き寄せた元凶である以上、今やこの世界観中心路線の命脈は尽きつつある。いわゆるルネサンス、産業革命以来長きにわたって欧米のみならず人類社会全体をよくも悪しくも大きく変えてきた世界観だが、その主導的役割は終焉の時を迎えているということだ。

㈡　断絶型世界観が「世界を人間の目だけで見る」眼差しと一体のものであるのは言うまでもない。「神の像（形）に似せてつくられた」と旧約聖書（第一章）からも折り紙をつけられた人間を「万物の霊長として」他のどんな存在よりも上位におき、その人間の目でしか世界を見ようとしない物の見方を徹底して身につけて、この数世紀世界に君臨してきたというわけだ。「神は彼ら（人間）に言われた、『ふえ、かつ増して地に満ちよ。また地を従えよ。海の魚と、天の鳥と、地に動く全ての生物を支配せよ』」（岩波文庫版「創世記」第一章）との神の厳命に百パーセント忠実に従ったかのように、だ。

㈢　この世界観が今日必然的に破綻しつつあるのだが、ならば連続型世界観の出番となるところ、此方の世界観一本で代わりが務まるかと問えばさにあらずというのが孝夫の卓見だ。先にも見た通り孝夫は明治開国とそのなされ方に対して心情的には違和感もあったはずだが当時の世界・日本の状況において日本が独立国として生き残るためには欧米とも折り合いをつけながら「自己西洋化」の道を辿ったのはやむなし、あるいは必要悪であったとの認識を抱くようになる。これはそれ以前の江戸時代、江戸文化を心から愛し、高く評価しながらもそのままではもはや立ちいかなくなった当時の世界情勢をよく見すえた上での孝夫ならではの苦渋に満ちた、しかし明晰な歴史認識であった。

㈣　このようにして選んだ日本独特の開国の仕方を通して新たに創られた日本の在りようを孝夫は後年「東西二枚腰文明」と名付けて高く評価することになる。「日本はいちばん遅れて西洋化に乗り出した国で、わずか百五〇年足らずしか日本の western civilization の歴史はないわけです。ですから日本というのは半分西洋になったけれども半分まだ東洋、つまり日本が残っている国なのです。で、このように日本というのは世界で珍しい二枚腰文明の国だというのが、私が数年来言ってきたことなのです。私がいつも欧米人に語ってきたのは『どうして日本は強いのか、それはあなたがたの良さを充分取り入れながら日本という良さを完全には捨てなかったからなんだ』ということです。これがすっかり西洋になれば、小さな西洋、三流のアメリカ、四流のヨーロッパになってしまったでしょう」（『世界を人間の目だけ』57）というふうにであり、この二枚腰こそが断絶型世界観を全否定することなく可能な範囲で取り込みつつ日本古来の連続型世界観も活かした二刀流であり、今後の世界の基調にもなり得るものと言挙げしているのである。但し一九八〇年代以降はアメリカの世界化、世界のアメリカ化の大波に日本も巻き込まれて日本の二枚腰も腰砕けのピンチを迎えて孝夫の怒りと失望が肥大してゆくのだが、当座がどうあろうと日本の東西二刀流文明こそが断絶型の誤りと欠陥を食い止め、その長所（適切なレベルでの経済活動等）は活かせる今後の人類にとって現実的に唯一の可能にして希望ある道との期待が変わることはなかった。この二枚腰、二刀流が実は相当に危ういものであり、その両立が至難であることは水俣病等を引き起こした歴史からも明白だが、それでも孝夫はこの道以外にはもはや本質的には滅亡過程に入ってしまっている人類史現段階からして活路はあり得ないと見通したのであろう。その際二枚腰文化・文明の中枢に日本語があり、この日本語が無事残り続けていたことが、かかる論を展開する孝夫に不動の安心と賦活力を与えていた。明治開国以来、繰り返し現れた森有禮（明治初代の文部大臣）等に代表される日本語廃棄論（森の場合は国語英語化論）を日本語はその都度はねのけつつ、である。

(五) 右記のような明治開国後の日本＝東西二枚腰文明国論の力説を重ねる中で、孝夫にまた新たなキイワードがひらめくことになった。近年様々な領域で大事だとされる「多様性」という言語には孝夫からすれば二通りあるので、その違いを共有するためには「異根多様性」と「同根多様性」というふうに区別した方がいいとのひらめきであり提言だ。この着想を初めて公式に語ったのは二〇一二年一〇月二一日開催の鈴木孝夫研究会においてであったが、「同根多様性とは、今は多様に見えるけど元の根は一つなんだという多様性。文明の技術的な進歩が速いか遅いかに起因する違いなので、多様にみえて、実はその違いにさしたる深い意味はない。欧米（諸言語）と比べて日本（語）の問題点を云々する優劣論の殆どは、私からすれば同根多様性に囚われたもので、だからいつまで経っても日本（語）の核心に迫ることができない。これに対して異根多様性というのは、元々違うから現在も違うんだという多様性。……私が終始一貫提唱してきた日本と欧米の比較論は、全て異根多様性の観点からのものだということができます。……たとえばユーラシアの荒々しい対立対決型な環境は自己防衛のための強烈な自己主張を必要とするためにユーラシアの諸言語は互いにタイプは違っても、どれも明確な人称代名詞の仕組みを備えています。これに対しその必要のない、と言うよりむしろ意識的に対立を避け、強い自己主張をよしとしない日本の閉鎖環境は、可能な限り発話の主体を明確にすることを好まないといった特徴を備えることになったのです。これが私の言う同根多様性と異根多様性の大雑把な違いです」（『世界を人間の目だけ』59～62）と展開している。第三章で見た孝夫の有名な人称代名詞論に触れる話だが、欧米（諸言語）と日本（語）とでは元々根が違うのだから、いくら最新の学説であれ欧米言語学に踏まえた日本語論が殆ど的外れであり続けたのは当然との論でもある。思えば断絶型世界観と連続型世界観の違いも同根の少しばかり異なった両者であろうはずがなく、どうみても根本から異なる世界観なのであるから、このそれぞれに根ざす言語もまた異根なのは当たり前となろう。

なお孝夫からすれば、欧米とロシア、中国の違いは所詮同根多様性の範疇だが、日本が欧米、ロシアと異根であるのは当然のこととして、更に中国とも異根となる点については一言必要だろう。中国とは遣隋使、遣唐使以来の長い付き合いがあり恩恵も多々受けてきたが、この国の世界観は昔からユーラシア的断絶型であり、且つ最近はますますその傾向を露骨に強めてきているので同根であるわけがない。更に現中国が当面いかに強大な大国に見えるとしてもその近未来は波乱含みとなろう。なぜなら断絶型世界観に根本から囚われている限りこれからは環境問題において、また内部的にも諸矛盾が累積して深刻な危機に瀕するとの見立てが孝夫の揺るぎない中国観であり続けたからだ。近年の中国が全国各地で熱波と干ばつ、水害等に相当苦しみ、経済面でも不振に喘ぎ始めている様子であることからしてこの点でも孝夫の透視力は大したものと言えよう。このような中国に比して今の日本は本来「日本は近代になって開国を西欧諸国に迫られたときに無駄な抵抗をせずに進んで西洋化の道を選び、西洋の国としても通用する顔を持つことになりました。しかし、ここが大事なところですが、西欧と対峙できる力を持ちながらも一方で古代文明的な独自の文化的世界観も失いませんでした。人間中心、人間至上主義的にしか世界を見られない西欧人とは違った世界観をも持っている日本、その二枚腰文明が今こそ強みを発揮できるのです」（『世界を人間の目だけ』131）というような独自の強み、断絶型と連続型の二刀流文明を持っているのだから、あとはその特長に日本人自身が確かな自覚を持って世界と向き合っていくことだと説いているのである。この二〇年余での日本の国力低下は悲惨なほどであり今後日本（人）はどんどんビンボーになってゆくとの見方が今や大勢だが、孝夫からすれば経済面での不調などはさしたる大事でなく敢えて言えば二次的問題に過ぎない。あくまでも文化・文明の根底に宿し、かろうじて守ってきた二枚腰、二刀流が持つ独自の豊かさにいい意味での自信を抱いて世界と地球、人類の今後に貢献すべしと願い続けていたのである。またその際、いわゆる先進国の中で日本だけが例外的に異根であり得たのは「主として日本の地政学的に恵まれた位置のおかげ」（『世界を人間の目だけ』60）との持論を付していているのも忘れてはならない。日本人、日本民族が他に比べて特に優秀であったからなどとゆめ勘違いしてはならないとの念押しというわけだ。

㈥「日本語のタタミゼ効果」も力説

孝夫が「異根多様性」の意義を強く打ち出したのと前後して力説し始めたのが日本語がはらむ「タタミゼ効果」であった。右記で引いた「むしろ意識的に対立を避け、強い自己主張をよしとしない日本の閉鎖環境」と重なる内容だが、「日本語の普及は世界を変える力があります。外国の人が日本語を習い、欧米とは異なる日本文化に深く接すると外国人学習者の対人関係が変わり、その人の強い攻撃的な口調や態度がなくなり、日本人っぽくなる現象が見られます。これを私は『日本語のタタミゼ効果』と名付けました。タタミゼとはフランス語の tatamiser が元のことばで日本語の『たたみ』を動詞化したものです。元の意味としては……『日本ボケした』という意味で使われていました。私はこのタタミゼ効果を今では肯定的な意味で非常に高く評価するようになりました」(『世界を人間の目だけ』136)というふうに語っている。要するに断絶型世界観一本で世界中に分断と対立、優勝劣敗の紛争と戦乱を巻き起こし、同時に地球環境を過剰に破壊してきた欧米、中国、ロシア等に代わって人類社会に平和をもたらし、地球にも休息(環境破壊の質量を格段に落として)の機会を提供する連続型世界観の出番なのであり、この世界観と表裏一体である日本語を広めることこそ今は急務との主張に他ならない。それにより日本語学習者が一挙に増えれば、それだけタタミゼ効果により世界の平和的安定に寄与することにもなろうとの提言でもある。日本の国力低下が著しく目立つ近年の世界状況に加えて、現在も日々行われているロシアによるウクライナ侵略の犯罪的現実を思うと空論に見えるかもしれないが、そのウクライナで、またロシアにおいても近年日本語学習者が少しずつ増える傾向も見られる由。かすかではあれ、そうした希望の芽にも思いを寄せつつ今後に向けて「タタミゼ効果」という孝夫晩年のキイワードの一つも記憶に留めておきたいものだ。同時にタタミゼとは自然、地球とも「対立を避け」、親和的な絆を結ぶとの意も含むものであり日本語が元々英語などとは違って、やや通俗的な言い方をすれば「地球にも優しい言語である」が孝夫の持論であったことも再確認しておこう。

(七)

孝夫は他者の説、とりわけ欧米系の学者や思想家等の言を評価したり、まして引用したりすることは極めて稀だったが、米国の歴史学者サミュエル・ハンチントンはその例外の一人だ。「彼は、現存する世界の様々な文明は大きく分けて七つか八つに区分できると言いました。しかしその中で日本文明だけが宗教、民族、言語、文化、そしてその分布の範囲が日本一国に限られるといった重要な基本的特質のどれ一つをも他の文明と共有していない非常に特殊な、ある意味では孤立した文

2019年10月、『世界を人間の目だけで見るのはもう止めよう』出版記念研究会にて（生涯最後の講演）

明であると言っています。この見方は、私がこれまで日本はこの広い世界の中の小さな別世界だと言ってきたことと全く一致する見方なのでよく話に取り上げるのですが、このどちらかというと特殊な日本という国が、これまで数世紀にわたって世界を支配してきた西洋諸国と、今や様々な点で肩を並べる大国となっているということが、人類のこれからの進むべき方向を左右するとても大事な鍵を握っているのです」（『世界を人間の目だけ』60）と語って、その認識一致ぶりを喜んでいる。とかく粗い世界把握に傾きがちな米国人でありながらハンチントンが、同じく東アジアに位置する日本と中国を一括りせず別なタイプの文明と区別できている行き届いた眼力を特に評価したということでもあろう。同時に自分の日本＝世界で唯一の東西二枚腰文明国論に強力な援軍を得た思いだったのではなかろうか。

併せて日本が現代世界における先進国の一つでありつつ縄文以来の山川草木悉皆成仏のアニミズム的・汎神論的世界観、古代からの和を以て貴しとなすタタミゼ的精神（いずれも連続型だ）をなお根強く残しているのは二枚腰の強み、豊かさなのであり、間違っても近代化、現代化に遅れているが故の残滓などと考えてはならないと説いているのである。その上で日本（人）が二枚腰文明の特長、可能性を「武器としてのことば」を駆使して表現し、かろうじての延命か滅亡かの大分岐点にさしかかっている人類史現段階に際して世界の主導文明交代に尽力すべきだというのが孝夫年来の時代認識であり悲願でもあり続けたのだが、さて日本と世界諸々の現状からして如何であろうか。至難というより殆ど絶望的だが、孝夫の悲願が少しでも実現に向かうには残念ながら非常事態まみれの現段階が更に悪方向へと突き進んで人類全体の危機感が現状より一気に何倍も強まるプロセスが不可欠なのであろうか。昨年（二〇二二年）九月に起こったパキスタンで国土三分の一があっという間に水没という大惨状（この主因も「第一の非常事態」である環境破壊と気候危機悪化だ。孝夫も何度か引き合いに出している旧約聖書創世記「ノアの箱舟」にまつわる大洪水を想起させるが、今後この種未曾有の水害も世界各地で頻発となろう）や同じく昨年九月末、米国南部を襲った大型ハリケーンが「フロリダ史上最悪の被害」をもたらしていること、あるいはプーチンによる核兵器使用や原発事故引き起こしのリスク拡大、更には「台湾有事」の緊迫、北朝鮮のますます不穏な動向等、そのプロセスは恐らくもう既に始まっているのであろうが。

今こそ鈴木孝夫が唱える「地救原理」を広く世界へ

さて、鈴木孝夫が遥か以前から危惧し警告も発してきた通り非常事態まみれとなっている人類史現段階において、稀代の言語学者にして「地救原理」の先覚者の若き日からの歴程と言説を可能な限り明快かつ丁寧に見てきたつもりだが、ここまで読み進めてきてくださった読者の皆さんはどんな感想をお持ちだろうか。

昨年末で既に八〇億人を超えたという人口爆発問題も加えるとすれば三重どころか四重にもなってし

まう非常事態を抱えて人類の未来はますます語りにくくなっているが、そうであればこそ半世紀も昔から、かかる無惨な時代到来を予知せざるを得なかったが故に何とかその回避の道を考え抜いてきた孝夫のことばに改めて耳を傾けるべきではなかろうか。この状況下、未来を明朗に描き出す解など世界中探しても誰一人持ち合わせていないだろうし、そもそもそんな解などあり得ないのが人類史現段階の特質に他ならない。さりながらこれまでかなり詳しく書いてきた孝夫の生きる構え・言語学・諸々の言説の中に、有るか無きかの未来を思料する手がかり、指針は少なからず示されているはずであり、そのように感受してくだされば有難い限りだ。

その上で、本書を結ぶに際して筆者の脳裏に新たな響きを帯びてこだまするのは「世界の映像を裏返さないかぎり永久に現実を裏返すことはできない。イメージからさきに変れ！」との谷川雁（彼と孝夫との類稀な共同関係の物語は第二章にて詳述）の言霊だ（「幻影の革命政府について」）。かつて（一九五〇年代末～六〇年代前半）学生運動等が活気を帯びていた頃、比較的よく知られた雁流アジテーションの一つだが、非常事態まみれでこの先の展望が不可視の状況にあればこそ今一度かみしめてみたい至言でもあるからだ。

ところで序章でも書いたことだが、二〇一九年年末の中国・武漢を起点にコロナ災禍が一気に世界中に広がった二〇二〇年春には世界の風景が何もかも一変してしまうということがあった。具体的な事例はもう記さないが、新型コロナの人知を超えた感染力と変異力、打撃力によって「世界の映像を裏返す」前に現実の方から先に「裏返って」しまったのである。言うまでもなく裏返った現実は困った事態、悩ましい事象が大半であり、だからこそ「災禍」なのだが、しかしものの見方を地球の側に立って少しばかり変えさえすれば高く評価できる諸現象もほんの束の間であれ間違いなく現実化したのであった。「幻影」ではなく世界中の空気や海が実際清浄になったのをはじめ地球環境や他の生き物たちにとってはプラスの異変（裏返し）も多々見られたのである。当時は専門家等も含めてどう対処していいかわからなかったこともあり、コロナの有無を言わせぬ強制力によってまさしく奇跡的に「裏返され」て生じた地球にとってのプラスの諸事象（孝夫が「私としては〝新型コロナウイルスさま〟と密かに呼びたいくらいだ」と呟いていた根拠でもある）に改めて思いを馳せつつ、これらも手がかりの一つとして今後はイメージ（この先の未来像、世界観、価値観のベース）を大きく変えることだってできないわけがあるまい。例えば一時的にせよせっかく久々に復活した世界各地の澄みきった空や青々とした海を可能な限り復活させるため、更には僅かとは言え確実に減少したと言われる二酸化炭素をこれ以上増やさないようにするためにはどうしたらいいか、そして何よりも近・現代人類にとりついた宿痾とも言うべき経済成長主義ともういい加減決別するためには何を為すべきか（二〇二〇年春には世界中の多くの国でほんのいっ時とは言えこの主義を後回しにした期間があり得た事実も想起しつつ、だ）等々をめぐってこれからこそ「イメージからさきに変れ」が求められるということだ。

そして「イメージからさきに変れ」を孝夫流の言い方に引き寄せれば「精神革命」になるのではなかろうか。（「地球はこのままいけば確実に破滅するという疑いのない事実がそこにある」と述べた上で）「その意味で、私はいま何よりも精神革命が必要だと考えています。地球的原理というものを加味した、むしろそれを中核とした人間の生き方というものを全ての人が考える必要があり、大学でもそういう授業をしなければいけないと思います」（新潮文庫版『人にはどれだけの物が』163。この著書自体のいちばんはじめの飛鳥新社版刊行は一九九四年だが、ここで引用した文の講演は一九八九年一二月に行われており、この時点では未だ「地救原理」という表現に至っていないことがわかる文でもある）という今から三〇年以上も前の立言があるが、かつての舶来思想かぶれ左翼がよく口にしていた「革命」なる言語は当然嫌った孝夫であったが「精神革命」は好むところであった。例えば遥か後年（二〇一一年）俳優の菅原文太とも「精神革命で『さらば原発』」と題する対談を行っているほどに、だ（曼荼羅本所収）。

今さら「精神革命」などと言ってもインパクトに乏し過ぎるではないかとの声も聞こえてきそうだが、断じてそんなことはない。なぜなら革命という漢字をよく見れば元々が「命を革める」が原義であり精神革命そのものだと受け止めることも可能だからである。しかも一人の人間の精神革命が真実為されていけば一定の影響力、伝播力を持ちえて世直しにもつながる可能性を秘めていることはこれまでの人類史でも明らかだからでもある。そもそもが釈迦やイエスがそうであっただろうし日本人では聖徳太子や空海、親鸞も然り。また『沈黙の春』を書いたレイチェル・カーソン、そして『苦海浄土』等を世に問うた石牟礼道子（谷川雁の影響を強く受けた一人でもある）の果たした役割もその中に数えていいはず。どんな革命であれ、革命とは何よりも「命を革める」意味での覚醒者、哲人の精神革命から始まると断言してもいいのではなかろうか。

そう受け止めれば半世紀以上前から鳥たちをはじめ他の生き物たちとの交わり、その観察を通して地球環境の危機をいち早く感知し、その原因を洞察し、倦まず弛まず警鐘を鳴らし続けてきた「精神革命」の実践者鈴木孝夫もまた谷川雁と同じく「革命家」だったと言ってみたい誘惑を抑えることができない。政治的にはいわゆる左翼嫌いに見えることがあったとしても、とりわけ地球と日本語を愛することにおいては一貫してラディカルであり続けたからだ。雁もまた本人の主観において政治・経済革命をめざした時期も確かにあったが、しかしそんな時期においても例えば「一体日本の革命運動というのは自己解放運動であったことが一度でもあるのか」（「戦闘の思想的土台」）と書いているように精神革命を伴わない政治革命など革命の名に値しないとの確信を常に語っていたのである。そして一九六〇年代半ばまでに諸要因から当時の日本における政治・経済革命の不可能性を深く認識した上で以後は文字通り「命を革める」意味での教育・文化革命にそれこそ命をかける道（ラボだ）を選んでいくのであった。ラボ草創期において孝夫と雁は「命を革める」との原義の革命家同士として共鳴し合い、だからこそ驚くほど密に協働もできたというわけだ。全ての真っ当な革命は先ずは「自己解放」の悦楽を伴う精神革命から始まり、且つ精神革命深化と同時一体で遂行されるとの永久不滅の道理を改めて確認しておきたい。更には鈴木孝夫は言語学の分野でも、かの初めての学術論文「鳥類の音声活動」以来、これまで見てきた通り終始革命的だったと言っても決して過言ではなかろう。

その上で最後にもう一度ウクライナに触れておけば、この間不条理の極みとも言うべきプーチン・ロシア災禍との不惜身命の戦いを重ねてきているウクライナの人たちに起こっているのも「祖国ウクライナを守りきる」との大義の下、正真正銘の精神革命（ビオスからゾーエーへのと言っても可）が一気に起こり共有されている出来事だと言ってもいいのではなかろうか。その不屈の抗戦ぶりには敬服するばかりだが、ここで特に刮目しておきたいのは精神革命は真の必要に迫られればまさしく燎原の火の如く広がり全体化される可能性があることをありありと明らかにしてくれている点だ。孝夫が長年かけて訴えてきた危機に瀕する地球を守り、結果として人類延命にも寄与する精神革命の必要性はこれまでさほど多大な理解を得てきたとは言えないが、しかし今後の地球と人類の状況次第では一気に広がる可能性がないわけではないことを伝えてくれているということでもある。

本書「はじめに」のタイトルを「不幸にも時代はますます鈴木孝夫に近づいている」と決めてからほぼ一年余。そして、この間断続的に執筆を進めながら気候危機やコロナ災禍の状況推移を見守ってきたのだが、途中からプーチン・ロシア災禍も加わる等時代はより一段と悪い意味で鈴木孝夫（の危惧）に近づくばかりで、未来を語ることばをなかなか持ちえず執筆総仕上げにはかなり苦しむことになった。しかし、思えばそれだけ孝夫の予見と洞察が的確であったことの証明でもあり、人類がもしも本気で延命を望むのであれば、その手がかりや指針、つまりは先に変えるべき「イメージ」を得るためにも孝夫から学ぶのが至当となろう。不幸にも時代はさらに一段と孝夫に近づいてきているのであるから何とか「幸」を得る上でも、そのための思想的営為を半世紀以上前から重ねていた孝夫に近づくのがベストとなるのではなかろうか。その意味でも、よくも悪しくも時代はますます鈴木孝夫と共にあると結ばざるを得ないということでもある。

本書全体で見てきた通り孝夫の残した名言、至言は無数にあるが、他ならぬ今、繰り返し何度でもかみしめたいフレーズを敢えて唯一つ選ぶとすれば、筆者にとってはやはり「世界を人間の目だけで見るのはもう止めよう」になるのだが、皆さんお一人ひとりにとっては如何であろうか。

鈴木孝夫略年譜

〈付記〉本略年譜は『鈴木孝夫の曼荼羅的世界——言語生態学への歴程』収載の「鈴木孝夫略年譜」を基に新たに作成。なお二重括弧で示したのは刊行された著書名であり、一重括弧のそれは発表された論文、随想のタイトルを示す。

一九二六年　一一月九日、東京市青山に生まれる。父（董(ただし)）は山脇高等女学校と富士見高等女学校のそれぞれ教頭・校長として女子教育に深く携わったが、同時に日展審査員を長年務めた書家で古筆研究家でもあった。母（ちを）は女子高等師範卒。

三三年　東京市赤坂区立仲乃町尋常小学校入学。

三五年　目黒区立菅刈尋常小学校に転向。「子供の頃体が悪かったので小学校なんかろくに出なかった」（「私の流儀」）。野鳥の観察と飼育に熱中。小学生時代に、中西悟堂の『野鳥と共に』を読んで、この本の虜となり、母親に頼んで中西に会いに行き、「日本野鳥の会」入会を訴え、最年少会員扱いに。

父・薫と共に

四〇年　一浪して東京府立第四中学校（現戸山高校）入学。四中では遠足、運動会・修学旅行等がなく勉強一筋の校風が気に入ったが、あまり面白くない授業中は、鳥の学名をラテン語で覚えることを内職にしていた。

四四年　中学四年修了後、動物学を目指すも、当時は北大と京大にしか講座がなく、また戦争中でもあったため断念。人間も動物だということで慶應義塾大学医学部予科に入学。

四五年　五月、米軍機の焼夷弾で自宅が半焼するも、父と兄と力を合わせて消火に努め、何とか全焼は食い止める。八月一五日敗戦。

四七年　慶應義塾大学医学部本科に進学。九月、同大学文学部英文科に転部。厨川文夫教授に師事しゲルマン比較言語学を志す。

四八年　井筒俊彦教授と出会い師事。厨川教授とはやや疎遠になる。

五〇年　文学部卒業と同時に文学部英文科助手となる。七月フルブライトの前身ガリオア奨学金による留学生に選ばれ渡米。ミシガン大学（ラッカム大学院）に学ぶ。ここで言語学者服部四郎（当時東大助教授）と出会い親交。

五一年　七月、帰国。一一月、大学の一年後輩だった野

妻・玲子と共に

口玲子と結婚、父の家の応接間に住み込む。また東京・西荻窪の井筒家通いに加えて、軽井沢千ヶ滝の井筒別荘の隣地に井筒の誘いを受けて、小さな山荘を建てる等師弟の蜜月時代続く。

五三年　長女・由美子誕生。

五六年　次女・真理子誕生。言語学者としての最初の学術論文「鳥類の音声活動——記号論的考察」を日本言語学会機関誌に発表。随想「鳥の言葉」を『三色旗』第104号に発表。

五八年　四月、慶應義塾大学文学部助教授（英文学担当）に昇任。

六〇年　エルンスト・ライズィ『意味と構造』の（ドイツ語からの）翻訳・出版（研究社より。後に講談社学術文庫）。これが生涯唯一の翻訳書。五月、アジアで初めて東京で開催された第一二回国際鳥類保護会議（五日間の日程）において、海外からの参加者の「世話係責任者」を務める。

六三年　四月、服部四郎から誘いを受けて東京大学文学部および大学院人文科学研究科非常勤講師となり、翌年三月まで言語学を担当（その後も二度、東大で講師を務める）。

六四年　四月、慶応義塾大学言語文化研究所に移籍（助教授）。九月、カナダ・モントリオールのマギル大学イスラーム研究所に研究員として赴任。着任の夜、井筒俊彦と学問上の考えが合わず決別、以降九三年井筒の死の直前まで絶交。

六五年　九月、カナダより帰国。服部四郎からの強い誘いを受けてテック＝ラボ教育センターとの関わりがスタート。同一時期にテックに入社し、以後すぐに役員になった谷川雁と出会い親交。草創期のテック＝ラボに積極的に関わる（〜七〇年）。

六六年　四月、テックが主宰する東京言語研究所設立と同時に運営委員に就任。八月、テックがノーム・チョムスキーを招聘した際、通訳も務める。この頃よりテック刊行の言語（学）研究誌『ことばの宇宙』に度々寄稿。

六九年　慶應義塾大学言語文化研究所教授に就任。「表記としての漢字」を『言語生活』七月号に発表。

七一年　八月、米国イリノイ大学アジア研究センターおよび言語学科客員教授（〜七二年七月）。「English から Englic へ」を『英語教育』第一〇号に発表。

七二年　最年少（四七歳）で文化庁国語審議会委員となる（三期六年間）。この間、日本漢字の特質と素晴らしさを主張し続け、「当用漢字」の「常用漢字」化に多大の尽力。

七三年　五月、『ことばと文化』(岩波新書)刊行。遥か後年に公表したことだが、井筒との決別・自立宣言の書でもある。後に英語と韓国語でも翻訳・出版。
七五年　三月、『閉された言語・日本語の世界』(新潮選書)刊行。後にドイツ語でも翻訳・出版。「節約のすすめ」を『三田評論』一月号に発表。一〇月オーストラリア国立大学客員教授に招聘され四か月出張。
七六年　「資源の再循環を」をサンケイ新聞に発表(五月一九日号)。
七七年　一月、米国エール大学大学院客員教授(〜同年八月)。
七八年　『ことばの人間学』(新潮社、その後新潮文庫に)刊行。
七九年　九月、英国ケンブリッジ大学エマヌエル校、ついでダウニング校のVisiting Fellow(〜八〇年五月)。
八〇年　「自然とともに生きる」を『ポスト』九月号に発表。
八一年　『朝鮮語のすすめ』(共著。講談社現代新書)刊行。
八五年　九月、『武器としてのことば——茶の間の国際情報学——』(新潮選書)刊行。第二回流行語大賞において「言語戦略」が新語部門・表現賞受賞。
八七年　七月、『私の言語学』(大修館書店)刊行。『ことばの社会学』(新潮社、その後「新潮文庫」に)刊行。
八八年　慶應義塾大学言語文化研究所所長に就任(〜九〇年)。四月、ソ連科学アカデミー東洋学研究所外国人研究員としてモスクワへ(〜同年六月)。
八九年　春、米国テキサス大学を訪ねた際、あるきっかけで古代ギリシャ語における大いなる謎(鯨と蛾がなぜ全く同音同語なのか)が、一気に解ける経験。
九〇年　一月、『日本語と外国語』(岩波新書)刊行。慶應義塾大学退職。杏林大学外国語学部教授に(〜九七年)。
九一年　フランス高等社会科学研究院客員教授(ほぼ三か月間)。
九四年　一一月、『人にはどれだけの物が必要か』(飛鳥新社。後に中公文庫、現在は新潮文庫)刊行。後にドイツ語でも翻訳・出版。
九六年　九月、『教養としての言語学』(岩波新書)刊行。
九七年　杏林大学退職。軽井沢千ケ滝の山荘に二軒目を新築。
九八年　『鈴木孝夫 言語文化学ノート』(大修館書店)刊行。
九九年　『日本人はなぜ英語ができないか』(岩波新書)刊行。岩波書店より『鈴木孝夫著作集』全八巻刊行(〜二〇〇〇年五月)。
二〇〇〇年　「今、なぜ言語政策か——21世紀日本の構想との関連で——」(第一回日本言語政策研究会にて記念講演)
〇一年　『日本・日本語・日本人』(大野晋、森本哲郎との鼎談本、新潮選書)刊行。

〇二年　日本野鳥の会理事になる。この秋一本の電話をきっかけにラボ教育センターから久しぶりに「再発見」され（孝夫本人の言）ラボとの関わり再開。「自称『哲学者』の暴論――不況回復は目的とすべきことか」を『三田評論』八・九月合併号に発表。
〇三年　この年後半くらいからラボで全国各地を回って講演会多数（～〇八年前半）。
〇六年　ラボ創立四〇周年記念行事で、特別講演、出版（C・W ニコルとの共著『ことばと自然』）、ラボ言語教育総合研究所設立等に積極的に関わる。一月、『日本人はなぜ日本を愛せないのか』（新潮選書）刊行。
二〇〇七年　『私は、こう考えるのだが。』（人文書館）刊行。
〇八年　田中克彦との対論『言語学が輝いていた時代』（岩波書店）刊行。この秋、ラボとの関わりに終止符（筆者の退社と合わせて高齢のため）。
〇九年　『日本語教のすすめ』（新潮新書）刊行。
一〇年　三月二〇日、鈴木孝夫研究会（当初の愛称「タカの会」）発足。（神田神保町の「サロンド冨山房フォリオ」にて）。八月、研究会の第一回軽井沢合宿（皆で孝夫山荘訪問も）。九月、鈴木孝夫研究会編集の研究誌『鈴木孝夫の世界――ことば・文化・自然』第一集刊行（冨山房インターナショナル）。以後第四集まで刊行。
一一年　五月、研究会第二回軽井沢合宿。六月、『しあわせ節電』（文藝春秋）刊行。九月、「あなたは英語で戦えますか――国際英語とは自分英語である』（冨山房インターナショナル）刊行。
一二年　四月、第一二回研究会。「タカの会」としては一旦終了。但し、以後も孝夫に関する研究、情報交換を行ない、かつ必要に応じて孝夫を囲む研究会を継続して開催。
一三年　この春頃から「言語生態学（者）」を名のるようになる。四月、（数えでの）米寿祝い研究会開催。一一月、誕生日（一一月九日）祝い研究会開催。
一四年　一月、京都大学で開催された特別シンポジウム「グローバル人材と日本語」で講演と鼎談。六月、筆者による『谷川雁――永久工作者の言霊』（平凡社新書）出版記念会（「サロンド冨山房フォリオ」にて）に参加し祝賀講演。九月、『日本の感性が世界を変える――言語生態学的文明論』（新潮選書）刊行。一〇月、右記新著出版記念研究会開催。一一月、矢崎祥子『言語生態学者 鈴木孝夫』（冨山房インターナショナル）刊行。
一五年　一月、玲子夫人逝去（享年八八歳）、神道式にて家族葬。その後間もなく、孝夫本人も玲子夫人が人生最後を過ごした東京・渋谷の介護付き老人ホームの同じ部屋に入居し、夫人同様に最期までこの部屋で過ごすことに。七月、『鈴木孝夫の曼荼羅的世界――言語生態学への歴程』（冨山房インターナショナル）刊行。同月、右記の出版記念研究会開催。
一八年　三月、筆者編集の『〈感動の体系〉をめぐって

――谷川雁 ラボ草創期の言霊』出版記念会（「サロンド冨山房フォリオ」にて）に参加し祝賀講演。

一九年 一〇月、『世界を人間の目だけで見るのはもう止めよう』（冨山房インターナショナル）刊行。一〇月二六日、右記出版記念研究会（「サロンド冨山房フォリオ」にて）開催。この会への参加と記念講演が孝夫最後の公的活動・講演となった。一二月、中国・武漢で新型コロナ騒動発生。以後翌年年明けから新型コロナウイルス感染が世界中に広がる事態に。

二〇年 一〇月中旬、老衰進行により体調著しく悪化。一〇月三〇日、筆者としては生前最後の見舞い兼ねた面会（介護付き老人ホームの一室にて）。

二〇二一年 一月下旬、「お別れのご挨拶」書状を様々に縁ある一六〇名前後の人士に送付（実際の書状作成や発送作業等は長女の由美子さん中心に代行されたが、この発案と文面そのものは孝夫本人によるもの）。二月一〇日午後九時過ぎ、老衰により大往生。享年満九四歳。二月一五日、東京都内の斎場にて葬儀（近親者限定、神道式にて）。一〇月上旬、都内の青山霊園に孝夫・玲子夫妻の名前を墓碑銘にした墓を建立。

あとがき

筆者が鈴木孝夫先生をテーマに据えた一冊の本を書きたい、書かねばならないと密かに期し始めたのは一体いつ頃からであっただろうか。茫漠たる思いとしてはかなり以前からで先生が健在の頃からであったのは間違いない。本書第七章でも記したラボ教育センター時代（二〇〇二年後半〜二〇〇八年九月まで）に賜わった大恩だけでも無限な上に筆者のラボ退社後も鈴木孝夫研究会（当初の愛称「タカの会」）発起の企てに即、全面的に賛同し活動を共にしてくださった高配と心意気、協力にはいくら感謝してもしきれるものではなく、いずれこの自分にしか書けない鈴木孝夫論を著すことがいちばんの恩返しになるはずとの使命感めいた思いが我が心底に宿り続けてきたのである。

そして、そうした想念が一段と強まったのが二〇一九年一〇月に『世界を人間の目だけで見るのはもう止めよう』を筆者が企画・編集の全責任を担いきって冨山房インターナショナルから刊行できた後あたりであったか。当時の先生は満年齢で九三歳近くとなっていたこともあり、「これが私の最後の本」が口癖であり且つ「それにしても文章を書くことより講演大好きの私にして初めての講演集が最後の一冊になるとは何とも不思議だし皮肉でもあるね」とよく語っていたものであった。同時に筆者発案の『世界を人間の目だけで見るのはもう止めよう』との書名をえらく気に入ってくれ、「このタイトルが私の最後の本になった巡り合わせにも感謝している」とも述べてくださるのに接したりしているうちに、ならばこの後は我が鈴木孝夫論をいよいよ書かねばとの意思が一気に高まっていったというわけだ。その旨先生にも伝えると大いなる励ましを受けたものだが、その分自ら退路を断った趣きでもあった。

そこで早速、執筆開始に向けて資料整理やメモ作成にとりかかったのだが、按配悪いことに丁度その頃から執筆には妨げとなるような事態が次々に起こるのであった。

先ずは新型コロナウイルス災禍の一挙的世界化と変異繰り返しによる半永続的長期化……鈴木孝夫をテーマとして書く以上はよくも悪しくも時代動向の本質と近未来の見通しを孝夫に即して考える営為も不可欠につき、かなりの期間この災禍の成り行きを見守る必要が生じたのだが、そうこうしているうちに二〇二〇年一〇月半ばからは鈴木先生老衰の急激な悪化が伝えられ、ますます執筆どころではなくなる状況に。それでも同年一〇月末見舞いを兼ねて大分市から上京し面会させてもらった際には元気づけのつもりで「約束の鈴木孝夫論は書き進めていますからね」と伝えたものだが、内心は執筆不能感に苦しみ続ける日々だったのである。

そして翌二一年二月には先生の他界となり、いくら「天下無双の大往生」とは言え、すぐに執筆集中となるわけがなく、とりあえず遺品（蔵書・資料類中心の）大整理参加（コロナの影響もあり二一年一〇月中旬に実施）までは心持ちとして下書き期間となった成り行き。その上で二一年一一月あたりから本格的な執筆開始となり実際にもかなり進んで年越しできたのだが、さて、いよいよ仕上げにかかろうかという段階で飛び込んできたのが、二二年二月二四日からの「プーチン・ロシア災禍」発生であった。これにより現代人類が三重の非常事態を抱えることになった現況については第九章で詳述しているが、プーチンの場合は核兵器実際使用や原発事故意図的引き起こしの恐れまであるだけに今後がますます見通せなくなり、またまたの執筆遅滞が余儀なくされることに。

不幸なことに時代が「ますます鈴木孝夫に近づいている」のだからやむを得ないとは言え、斯くの如く本書執筆には筆者からすれば至難な状況が続いたためその完遂が当初予定より大幅に遅れてしまうことになったのだが、しかし思えば、この遅れは本書にとって至福をもたらしたと言えなくもないのである。なぜならその分「ますます鈴木孝夫に近づいている」時代の本質をより深く捉えつつ鈴木孝夫の全体像を可能なかぎり明快かつ読みやすく書いて世に問うという本書の目的をより一層クリアに実現できたとの手応えが得られたからである。遅れた分孝夫との時空を超えた対話をじっくりと重ねて、より一段と自分自身が納得できる仕上がりになしえたからである。その意味では諸事情からのこの遅れも本書にとっては無上に有難い天佑であったとも言えようか。

ともあれ鈴木先生との固い約束を今回このような一冊公刊として果たすことができ、心から安堵しているところでもある。

併せて本書をきっかけに孝夫の読者が増えること、またその愛読と研究が進み、孝夫に関する新たな論考やエッセイが続々と書かれ、然るべき人士による次なる鈴木孝夫論出版ともなることを切に願う次第でもある。


さて、かなりの難産でもあった本書刊行には多くの方々のお力添えがあったことを忘れることはできない。先ずは先生長女である川内由美子さん。先生の遺品整理という大仕事の参加メンバーに加えてくださったご厚意と貴重な資料、写真の提供を受けたことがどれほど執筆に役立ったことか。

鈴木先生の一番弟子と言っても間違いではないはずの泉邦寿氏(上智大学名誉教授)の孝夫名解説(『こ

とばの人間学』や『鈴木孝夫の曼荼羅的世界』）からは今回も多くを学ばせてもらったが（その一部を本論でも記述している）、執筆も漸く完了が見込める段階まで進んで本書の目次素案を研究会登録メンバー宛にメールで配信した際すぐに気にかかった箇所をわざわざ電話で伝えてくださった特段のご協力はまことに有難い限りであった。

また本書の執筆過程はパソコンとの格闘（筆者は極度と言っていいいほどこの種機器の弱者）の日夜でもあったが、しばしば起こる筆者にとっては解決困難な不具合の度の懇切丁寧な指南をはじめ諸々支えてきてくれた仁衡琢磨君（茨城県つくば市を拠点とするペンギンシステム株式会社社長。ラボ会員OB）から受けた恩義にも多謝。そして本書のために真実得難い貴重な史料でもある孝夫ガリオア留学期の写真をわざわざ探し出してくれた（母上が同じ留学生に選ばれていた）のをはじめ都度温かい応援を続けてくださった川﨑晶子さん（立教大学名誉教授）、さらには研究会時に数多の上出来写真を撮ってくれた我が兄松本郁夫（本書でも何点か使用）にも感謝したい。

最後に、本書の執筆完遂を文字通り辛抱強く待ち続けながら、漸く全原稿がほぼ整うや出版を直ちに引き受けてくださった冨山房インターナショナルの坂本喜杏社長に心から感謝申し上げたい。

坂本社長にはこの一三年ほど鈴木孝夫研究会の会場提供（都内神保町の「「サロンド冨山房フォリオ」）をはじめ『鈴木孝夫の世界』全四冊刊行、孝夫の『あなたは英語で戦えますか』『鈴木孝夫の曼荼羅的世界』『世界を人間の目だけで見るのはもう止めよう』の刊行に際しても大変なお世話になっており、筆者からすれば鈴木先生との邂逅と同じく運命的出会いであったと改めて感じ入るところである。その上での本書出版に至った格別なご縁に繰り返し深謝申し上げる次第である。併せて、多くの助言や指摘も寄せつつ極めて読みやすく上質な一冊に仕上げてくださった平田栄一氏、国分洋氏、編集スタッフの方々にも厚くお礼を申し上げる。

著者

二〇二三年一月吉日

著者紹介

松本輝夫（まつもと・てるお）

一九四三年石川県生まれ。東京大学文学部国文科卒業。卒論テーマの保田與重郎に関する論文（部分）が「保田與重郎覚書」として『日本浪曼派』（有精堂刊）に収載。在学中の谷川雁との邂逅を機縁に六九年秋、谷川雁が経営者の一人であったテック（後のラボ教育センター）に入社。二〇〇四～〇八年、同センター会長。〇八年秋退社後、谷川雁研究会（雁研）を起こし現在に至る。二〇一〇年より鈴木孝夫研究会（当初の愛称「タカの会」）を起こし、孝夫を囲んでの研究会開催や研究誌『鈴木孝夫の世界』（全四冊）を編集・発行。『鈴木孝夫の曼荼羅的世界――言語生態学への歴程』『世界を人間の目だけで見るのはもう止めよう』（いずれも冨山房インターナショナル刊）の企画・編集責任も務める。著書に『谷川雁――永久工作者の言霊』（平凡社新書）の他、『〈感動の体系〉をめぐって――谷川雁 ラボ草創期の言霊』（アーツアンドクラフツ刊）の企画・編集を担い、雁研機関誌『雲よ』並びに故比嘉加津夫主宰の沖縄発季刊誌『脈』に論考を多数掲載。大分市在住。

言語学者、鈴木孝夫が我らに遺せしこと

二〇二三年四月三日　第一刷発行

著　者　松本輝夫
発行者　坂本喜杏
発行所　株式会社冨山房インターナショナル
〒一〇一-〇〇五一
東京都千代田区神田神保町一-三
電話　〇三（三二九一）二五七八
印　刷　株式会社冨山房インターナショナル
製　本　加藤製本株式会社

ISBN978-4-86600-112-8 C0080